Линда Ла Плант

ВДОВЫ

АЗБУКА

Санкт-Петербург

УДК 821.111
ББК 84(4Вел)-44
   Л 24

Lynda La Plante
WIDOWS

Перевод с английского Елены Копосовой

Серийное оформление Вадима Пожидаева

Оформление обложки Виктории Манацковой

ISBN 978-5-389-14068-4

ПРОЛОГ

Лондон, 1984 год

*План налета был безупречен. Впрочем, иного от Гар-
ри Роулинса ждать не приходилось. Богатый дилер антиквариата, он сколотил состояние на торговле доро-
гостоящими картинами, серебром и драгоценностями.
Что ни говори, а Гарри и его супруга Долли производили
впечатление — многие их побаивались. Но имелась у Роулинса и другая сторона. Как искусный грабитель и спец
по отмыванию денег, он снискал среди своих людей глубокое уважение и преданность; при этом он был холодным,
расчетливым и беспощадным врагом. Полиция давно подозревала его в преступной деятельности, и тем не менее за решеткой Гарри Роулинс не провел ни дня.*

*Итак, план был прост и, как в любом деле, возглавля-
емом Гарри Роулинсом, многократно проработан во всех
подробностях. Четверо налетчиков, нацепив балаклавы,
по условному сигналу захватят в туннеле под Стрэндом
машину инкассаторов. Путь машине преградит хлебный
грузовик, за рулем которого будет сидеть кто-то из своих — в нужный момент водитель ударит по тормозам.
Как только инкассаторская машина остановится, в дело вступят остальные трое, которые поедут на фургоне
«форд-эскорт»: один перекроет на их полосе движение,
направив на водителей следующих за ними автомобилей
оружие, в то время как двое других взорвут задние дверцы*

машины инкассаторов с помощью динамитного желатина с детонатором. Затем к ним присоединится водитель хлебного грузовика, и налетчики набьют рюкзаки мешками с наличкой. Затем трое бегом преодолеют пятьдесят ярдов до выезда из туннеля, где их будет поджидать автомобиль. Четвертый же налетчик задержится, чтобы прикрыть товарищей, а потом уедет на хлебном грузовике в их тайное логово.

Поначалу все шло по плану: хлебный грузовик, машина инкассаторов и «форд» въехали в туннель под Стрэндом. Налетчики — все опытные грабители — приготовились к следующему этапу. Но вдруг случилось непредвиденное: в туннель чуть позади них ворвалась полицейская машина, которая преследовала двух юных угонщиков автомобилей.

Взвыла сирена, и грабитель за рулем «форда» в панике обернулся, чтобы посмотреть, что происходит. В это самое мгновение бандит за рулем хлебного грузовика нажал на тормоз, вынуждая инкассаторскую машину остановиться. Когда водитель «эскорта» вновь обратил взгляд вперед, было уже поздно: фургон врезался в задние двери инкассаторской машины, а в него самого въехали юные угонщики.

Два почти одновременных толчка заставили налетчика на переднем пассажирском сиденье дернуться. Динамитный желатин вылетел из его рук и ударился о приборную доску — произошел взрыв, салон «форда» охватило пламя.

Трое вооруженных грабителей не сумели выбраться из фургона; огонь и дым помешали выломать водительскую дверь. Никто не мог добраться до них, никто не мог им помочь, но все слышали их крики — пока наконец не взорвался топливный бак. «Форд-эскорт» разлетелся на куски.

В ужасной неразберихе, что воцарилась в туннеле, никто не обратил внимания на водителя хлебного грузовика.

Несколько секунд он, не веря собственным глазам, смотрел на происходящее, потом запрыгнул обратно в грузовик и умчался из туннеля прочь.

Все три обугленных тела из фургона «форд-эскорт» отвезли в Вестминстерский морг. Спустя два дня судебный патологоанатом вынес официальное заключение о том, что погибшие — это Гарри Роулинс, Джо Пирелли и Терри Миллер.

Поскольку за рулем фургона сидел Гарри Роулинс, он сильнее других пострадал от взрыва. Верхнюю часть его туловища буквально разорвало, череп раздробило на такие мелкие куски, что его невозможно было собрать, а обе ноги обуглились до костей. Но на запястье израненной и обугленной левой руки остались золотые часы «Ролекс». Гравировка на них с трудом, но читалась: «Гарри от Долли. С любовью, 2.12.1962».

Хотя полицейские с самого начала полагали, что второй труп — это Джо Пирелли, полной уверенности не было из-за того, что с одной стороны лицо его слишком сильно обгорело. Он состоял на учете в полиции, однако взять отпечатки пальцев у погибшего не смогли, так как от обеих его рук почти ничего не осталось. В конце концов призвали судебного стоматолога. Только по снимкам зубов тело смогли опознать с достаточной степенью надежности.

Имевшего три судимости Терри Миллера идентифицировали по частичным отпечаткам большого и указательного пальцев, которые сохранились на его левой руке.

Все трое мужчин были женаты — их супруги теперь стали вдовами.

ГЛАВА 1

Долли Роулинс гладила на кухне воротник и манжеты рубашки. Перед этим она тщательно их накрахмалила — так, как любил Гарри. Рядом с женщиной стояла корзина для белья, заполненная отпаренными простынями и наволочками. У ног хозяйки сидел Вулф — маленький белый пудель, которого Гарри принес в дом после того, как Долли родила мертвого младенца. Стоило женщине сделать шаг, как бдительный песик тут же трусил вслед за своей хозяйкой.

Долли стирала, гладила и убиралась с того момента, как вернулась из полиции. Сейчас было начало второго. Время от времени женщина замирала, направив взгляд в пустоту, но потом на нее вновь обрушивалась боль, и Долли возвращалась к работе — делала что угодно, лишь бы заглушить эту боль. Полицейские не позволили ей увидеть тело Гарри под тем предлогом, что оно слишком изувечено, и женщина так и не смогла до конца поверить в случившееся. Все это ложь, повторяла про себя Долли. С минуты на минуту живой и невредимый Гарри вернется домой...

В холодном морге Линда Пирелли словно приросла к полу. Длинные темные волосы обрамляли посеревшее лицо. Ей хотелось не только видеть рядом кого-нибудь из близких, но и много чего еще, однако больше всего на свете и прямо сейчас молодая женщина желала, чтобы все это оказалось дурным сном, от которого она вот-вот очнется.

— Судя по стоматологическим снимкам, это ваш муж, миссис Пирелли. Но поскольку всех зубов мы не нашли, просим вас произвести опознание, — настаивал сотрудник морга. — С одной стороны лицо не так сильно обгорело, и если вы не станете подходить ближе, то все будет в порядке. Готовы?

Прежде чем Линда успела ответить, патологоанатом откинул с трупа белую простыню.

Молодая вдова ахнула, зажала рот ладонью и застыла. Потом она почувствовала, как между ног у нее потекло что-то теплое.

— Туалет... Мне нужен туалет... — пробормотала она едва слышно.

— Это ваш муж Джозеф Пирелли? — спросила Линду сопровождающая ее сотрудница полиции.

— Да-да, это он. А теперь, прошу вас, уведите меня отсюда, — взмолилась несчастная.

Сотрудница полиции подхватила Линду под руку и осторожно повела к туалету.

У Одри, матери Ширли Миллер, закончились и силы, и терпение. Она с отвращением оглядела старое бесформенное платье, собственные голые ноги и сапоги на них. Потом Одри заметила свое отражение в кухонном окне: у крашеных оранжевых волос виднелись седые корни. «Давно следовало заняться собой, а то на человека не похожа», — думала Одри, рассматривая себя в оконном стекле. Из спальни на втором этаже доносились всхлипы — это горько плакала ее дочь.

Ширли лежала на кровати. От рыданий у нее покраснели глаза. Едва девушка утирала слезы, как начинала плакать снова, бесконечно повторяя имя мужа:

— Терри... Терри... Терри... — и прижимая к груди рамку с его фотографией.

Одри принесла дочери поднос с теплым молоком и тостами. Однако Ширли не могла взять в рот ни крошки, так что Одри съела все сама. Жуя, она поглядывала на небольшой портрет Терри в серебряной рамочке, которую Ширли не выпускала из рук.

Пристроившись на краю кровати, Одри окинула взглядом свою прелестную дочь, гордость всей ее жизни. Ширли была настоящей красавицей с пышной фигурой и белокурыми волосами, ниспадающими до плеч. К тому же природа одарила девочку самым мягким и доверчивым нравом. За всю жизнь дочь лишь однажды пошла против воли матери — когда приняла предложение Терри. «Она забудет его, — думала Одри. — Пройдет время, и она снова станет прежней Ширли». Но сейчас лучше было дать дочери выплакаться.

В два часа дня Долли собрала глаженое белье и заставила себя подняться на второй этаж собственного дома в традиционном английском стиле, который она содержала в идеальном порядке. За хозяйкой поплелся сонный Вулф. В гостиной его излюбленным местом для сна был толстый персидский ковер перед роскошным камином. Фотографии на каминной полке рассказывали историю совместной жизни Долли и Гарри: их свадьба в загсе Челси — Долли в костюме от «Шанель» с маленьким букетом белых роз; их медовый месяц в Париже, все годовщины свадьбы, Рождества, благотворительные балы. Зимой Вулф грелся у горящего камина, а летом нежился в прохладе, проникающей в дом через открытое окно. Но когда Гарри уезжал куда-нибудь по делам, Вулф всегда укладывался рядом с Долли на софе красного бархата с золотыми кистями.

Долли открыла дверь в спальню. Прикроватная лампа заливала безукоризненно прибранную комнату мягким уютным светом; затянутые гардины, покрывало и декоративные подушки, выдержанные в одной гамме, лежали на своих местах, нигде ни пылинки, ни складочки. Разложив белье, Долли сунула руку в карман фартука и закурила сотую за день сигарету. Дым наполнил легкие; сердце сдавило непереносимой тяжестью.

Женщина спустилась вниз, распахнула дверцы шкафчика из красного дерева, где была установлена стереосистема, включила проигрыватель и аккуратно опустила на пластинку иглу. Эту пластинку она проигрывала снова и снова с тех пор, как вернулась из полиции: глубокий низкий голос Кэтлин Ферриер, поющей «Life Without Death», немного утешал ее.

В гостиной, с сигаретой в руке, Долли просидела до самого вечера. Верный Вулф, свернувшись калачиком, лежал у ног своей хозяйки. Женщина не плакала — не могла, ее душа словно онемела. Мыслями Долли вернулась в то утро двумя днями ранее, когда Гарри поцеловал ее на прощание. Он сказал, что едет забирать какой-то товар и поездка займет не более двух дней. Каждая секунда без мужа тянулась для Долли вечность. Вчера вечером она готовила к его возвращению лазанью — Гарри любил, чтобы сверху была хрустящая сырная корочка. Тогда и раздался звонок в дверь.

Пока Долли вытирала кухонным полотенцем руки, Вулф, заливисто лая, уже помчался к входной двери из массива красного дерева. Хозяйка дома вошла вслед за своим питомцем в переднюю и застыла на месте. Сквозь витражные вставки в двери виднелись два темных силуэта. Снова раздался звонок.

Два детектива показали ей свои удостоверения и спросили, дома ли ее супруг. В прошлом полиция уже наведывалась к ним пару раз, поэтому Долли сразу же взяла холодный тон и заявила, что Гарри уехал по делам. Но полицейские велели женщине надеть пальто, туфли и ехать вместе с ними в участок — нужно было идентифицировать некую вещь, принадлежащую, по мнению полиции, мужу Долли. В патрульной машине женщине не удалось ничего узнать, полицейские отказывались отвечать на вопросы, чем очень ее напугали. Что, если они арестовали Гарри? И тогда Долли решила ни о чем не спрашивать и ничего не говорить, пока не разберется в ситуации.

По приезде в участок женщину отвели в холодную голую комнату, где был только пластиковый стол и четыре жестких стула. В присутствии сотрудницы полиции детектив протянул Долли полиэтиленовый пакет для хранения вещественных доказательств. В нем лежали золотые часы «Ролекс» с бриллиантами на циферблате. Едва Долли попыталась достать их, как детектив тут же отобрал у нее пакет.

— Не трогайте! — рявкнул он.

Надев белые резиновые перчатки, полицейский извлек из пакета часы и перевернул циферблатом вниз, чтобы показать полустершуюся гравировку.

— «Гарри от Долли. С любовью, 2.12.1962», — шепотом прочитала Долли. Каким-то чудом ей удавалось сохранять самообладание. — Это часы моего мужа, — сказала она. — То есть часы Гарри.

В следующее мгновение ее мир рухнул.

— Мы сняли их с руки трупа. — Старший по званию детектив сделал паузу. — Труп сильно обгорел.

Долли выхватила из рук полицейского часы и стала пятиться, пока не уперлась спиной в стену. К ней приблизилась женщина-офицер и протянула руку:

— Это вещественное доказательство. Отдайте!

Долли изо всех сил сжала часы в кулаке. Потрясенная известием, она потеряла всякий страх.

— Вы лжете! — завопила несчастная. — Он не погиб. Нет, нет! — Когда драгоценные часы Гарри вырвали наконец из ее пальцев, Долли прошипела: — Я хочу его видеть. Я должна с ним встретиться!

Сотрудница полиции потеряла терпение.

— Там почти не на что смотреть, — холодно обронила она.

Всю обратную дорогу в полицейской машине Долли повторяла себе, что это не Гарри. Однако голос в голове нашептывал ей другое... Эти часы она подарила мужу на десятую годовщину свадьбы. Гарри поцеловал жену и пообещал никогда не снимать подарок с руки. Долли обожала манеру мужа поглядывать на часы: он вытягивал руку вперед, разворачивал к себе запястье и смотрел, как на алмазах играет свет. Без «Ролекса» она его никогда не видела, даже в кровати. На их следующий юбилей Долли подарила Гарри золотую зажигалку «Данхилл», на которой были выгравированы его инициалы. Он рассмеялся и сказал, что, как и часы, эта зажигалка всегда будет с ним.

И все равно Долли не могла смириться с мыслью, что Гарри больше не вернется домой.

Похороны Терри организовала Одри. Приглашены были только самые близкие. После церемонии на кладбище их угостили дома напитками — никаких изысков, все было скромно и просто. Кроме того, Ширли все еще была в таком состоянии, что Одри с большим трудом удалось заставить дочь одеться и выйти из дому.

Грег, младший брат Ширли, помогал как мог, но был слишком юн, чтобы понимать страдания сестры и сочувствовать ее горю. Когда Ширли попыталась прыгнуть в могилу вслед за гробом, Грег так смутился, что тут же прибился к другой, совершенно незнакомой ему, но куда более пристойной траурной процессии.

Надгробие пока не заказали, поскольку денег у семьи не было, а Одри не любила попрошайничать. Тем не менее женщина собиралась решить этот вопрос, как только Ширли немного придет в себя. Одри питала большие надежды на то, что Ширли вернется к своему прежнему занятию — участию в конкурсах красоты. Она была уверена, что дочь с ее ослепительной внешностью сумеет пройти отборочные туры конкурса «Мисс Англия». Более того, Одри уже записала Ширли на промежуточный этап «Мисс Паддингтон»... но сказать об этом дочери решила только после того, как девушка перестанет рыдать дни и ночи напролет.

В тесной муниципальной квартире семейства Пирелли яблоку негде было упасть: на похороны и поминки собрались все многочисленные родственники. Одетые с головы до пят в черное, они громогласно общались по-итальянски. Мать Джо провела на кухне несколько дней подряд, готовя угощение: пасту, пиццу, салями и так далее, — и теперь все это стояло на столе. Линда же была сиротой, ей некого было приглашать. Что касается друзей, то парни из зала игровых автоматов, где она работала, едва знали ее мужа. Вот почему Линда напивалась в одиночку. Она понимала, что за ней наблюдают, что ее ярко-красное платье вызывает всеобщее неодобрение, однако молодой женщине было совершенно наплевать.

Обводя взглядом заплаканные лица многочисленных родственников и знакомых Джо, Линда заметила в дальнем углу гостиной белокурую девицу и узнала в ней ту шлюху, с которой видела мужа несколько недель назад. Кипя от ярости, молодая вдова проложила себе путь через толпу итальянской родни.

— Кто, черт возьми, пригласил тебя? — взвизгнула Линда.

Она заставит эту дрянь хорошенько запомнить похороны Джо! Линда выплеснула на голову блондинке вино из своего бокала и набросилась бы на нее с кулаками, если бы Джино, младший брат Джо, вовремя не оттащил Линду. Крепко обняв всхлипывающую вдову и нашептывая ей на ухо что-то успокаивающее, подвыпивший парень как бы ненароком положил ладонь на правую грудь невестки.

Убитая горем Долли Роулинс едва прикасалась к еде и почти не отличала день от ночи. Только невероятным усилием воли она сумела дать согласие на похороны супруга. Сейчас вдова сидела в гостиной, одетая в аккуратный черный костюм и черную шляпку с небольшой вуалью, и то и дело разглаживала на пальцах лайковые перчатки, чтобы ощутить под черной кожей обручальное кольцо и помолвочный перстень. Рядом на диване устроился Вулф, привалившись к бедру хозяйки маленьким теплым комочком.

Даже в такой день Долли являла собой образец выдержки: песочного цвета волосы безукоризненно уложены, макияж едва заметен, манеры деловые. Эта женщина ни с кем не станет делиться своим горем. Все равно никто не поймет ее — так пусть даже и не пытается.

Отношения между супругами Роулинс были особенными. Познакомились они в тот период, когда Долли заняла место покойного отца в его лавке подержанных вещей на рынке Петтикот-лейн. В Гарри ее привлекал не шикарный «ягуар», не красота, не обаяние, хотя все это не ускользнуло от взора молодой тогда женщины, нет, их связь была гораздо глубже.

Делая Долли предложение, Гарри преподнес ей кольцо с бриллиантом такого размера, что у невесты перехватило дыхание. Мать Гарри, Айрис, была потрясена поступком своего сына ничуть не меньше, но по причинам иного толка. Она отказывалась верить, что Гарри намерен жениться на какой-то нищей потаскушке. Айрис пришлось растить сына одной. Сначала его отец сидел в тюрьме за вооруженное ограбление, а выйдя на свободу, довольно скоро скончался от рака. Женщина организовала очень успешный и, по-видимому, законный антикварный бизнес, обеспечила сыну хорошее образование, дала ему возможность много путешествовать для более глубокого знакомства со старинными произведениями искусства, серебром и драгоценными камнями. К тому времени, когда Гарри смог встать во главе ее бизнеса, Айрис, измученная артритом и мигренями, была рада уйти на покой. У нее оставалась лишь одна цель — увидеть сына женатым на богатой девушке из высшего общества с широкими связями. И вот тут Гарри впервые пошел наперекор воле матери.

Долли никогда не рассказывала мужу о том, как она навещала Айрис в одном из самых фешенебельных районов Лондона, в купленной заботливым сыном элегантной квартире. Сама Долли в те времена не могла похвастать элегантностью, но и вульгарной блондинкой, какой рисовала ее себе Айрис, отнюдь не была. Довольно миловидная, крупноватая девушка с руками, знавшими тяжелую работу, Долли держалась скромно и говорила негромко. Айрис пересилила себя и предложила гостье чаю.

— Спасибо, не надо, миссис Роулинс, — отказалась Долли, чей ист-эндский акцент заставил Айрис поморщиться. — Я просто хочу, чтобы вы знали: я люблю Гарри. Нравится вам это или нет, мы все равно поженимся. Ваше неодобрение нашего союза и угрозы только сближают меня с Гарри, потому что он тоже меня любит.

Долли умолкла, давая Айрис возможность ответить — извиниться, например. Но вместо этого Айрис смерила девушку презрительным взглядом и насмешливо фыркнула при виде скромной одежды и незатейливых туфель без каблука.

Пожав плечами, Долли продолжила:

— Мой отец занимался антиквариатом и знавал вашего покойного мужа, так что не стоит смотреть на меня сверху вниз. Покойный мистер Роулинс торговал краденым и десять лет отсидел в Пентонвиле за вооруженное ограбление. Всем известно, что свой бизнес вы открыли на деньги, которые он украл. Вам еще очень повезло остаться безнаказанной.

С Айрис никто и никогда так не говорил.

— Ты беременна? — ошарашенная, спросила она.

Долли провела рукой по узкой юбке:

— Нет, миссис Роулинс, не беременна, но я планирую обзавестись семьей. Если вы хотите быть ее частью, то советую попридержать язык. Мы с Гарри поженимся, с вашим разрешением или без него, а угрозы отлучить его от бизнеса не умнее, чем угроза отрезать нос назло лицу. — Девушка повернулась к выходу. — Провожать меня не нужно.

— Если это все из-за денег, — сказала Айрис, — давай я выпишу тебе чек, прямо сейчас. Назови цену.

Долли вытянула вперед левую руку — на пальце сверкал бриллиант помолвочного кольца.

— Я хочу, чтобы рядом с этим перстнем появилось золотое обручальное кольцо, и мое желание бесценно. Мне нужен только Гарри, и я сделаю все, чтобы он был счастлив. Как я уже говорила, вы можете стать частью нашей совместной жизни. Решать вам.

Долли двинулась к двери, и вновь слова Айрис заставили ее остановиться:

— Если собираешься вместе с Гарри заниматься антиквариатом, то постарайся избавиться от своего ужасного акцента.

— Непременно, миссис Роулинс. — Долли оглянулась и посмотрела Айрис прямо в глаза. — Вам ведь это отлично удалось.

Долли терпеть не могла Эдди Роулинса, двоюродного брата Гарри. Раскрасневшийся с мороза, он деловито вошел в гостиную. Внешне мужчина походил на Гарри, но был всего лишь слабой копией последнего.

Эдди потер ладони и кивнул на окно, за которым виднелась похоронная процессия.

— Все приехали, — широко ухмыльнулся он. — Целая очередь выстроилась. Фишеры тоже здесь, не говоря уже о копах — сидят там в машине, наблюдают. Конца процессии даже не видать. Должно быть, тут не менее полусотни машин!

Долли прикусила губу. Она не хотела пышных похорон, но Айрис настояла: Гарри был важным человеком, таких людей хоронят с размахом. Долли понимала, что свекровь тоже страдает, поэтому уступила. Разумеется, благодарности за это она не дождется, но хотя бы избежит лишнего стресса.

Подхватив черную кожаную сумочку, Долли встала, разгладила юбку и прошла в переднюю, где успела глянуть на себя в большое зеркало. У самой двери женщину остановил Эдди и вынул из кармана маленький коричневый сверток. Хотя, кроме них, в настоящий момент в доме никого не было, кузен Гарри наклонился к самому уху Долли и зашептал:

— Это тебе, Долли. Знаю, сейчас не очень-то подходящий момент, но вокруг моего дома шныряет полиция, а Гарри дал мне этот пакетик на хранение, чтобы я передал его тебе в случае чего... — Долли уставилась на сверток, а Эдди переступил с ноги на ногу и склонился к ней еще ближе. — Думаю, это ключи от его тайника.

Долли опустила сверток в сумочку и вслед за Эдди вышла из дому. Она не могла поверить, что сейчас будет хоронить Гарри. Ей хотелось лечь и умереть. Только маленький песик поддерживал в женщине желание жить.

Обитатели соседних домов высыпали на свои газоны. Шагая по дорожке через палисадник, Долли чувствовала на себе их взгляды. На проезжей части выстроились длинной чередой автомобили и терпеливо ждали, когда тронется с места увешанный венками и букетами катафалк. Долли никогда не видела столько сердечек и крестов — они казались яркими вспышками цвета на фоне черных машин.

Эдди подвел Долли к задней дверце «мерседеса» с затемненными стеклами. Когда женщина нагнулась, чтобы сесть, то заметила свекровь в стоящем рядом «роллс-ройсе». Одними губами Айрис прошептала:

— Стерва.

Долли не обратила внимание на оскорбление, как делала на протяжении всей супружеской жизни.

Устроившись на сиденье, вдова кивнула Эдди, чтобы тот ехал вслед за катафалком, который медленно тронулся с места. В зеркале заднего вида кузен Гарри видел, как по пепельно-серому лицу невестки побежали слезы. Не пытаясь их утереть, Долли заговорила напряженным голосом:

— Надеюсь, ты предупредил всех, что после похорон я не устраиваю никакого банкета. Чем раньше это закончится, тем лучше.

— Да, предупредил, — осторожно ответил Эдди. — Но похоже, Айрис пригласила несколько человек к себе. Меня она тоже просила прийти и сказала, что все оплатила.

Долли прикрыла глаза и покачала головой. Айрис, отойдя от дел, не могла содержать себя, и поэтому «все оплатила» означало, что платит на самом деле Гарри. Точнее, отныне платит Долли.

Гарри Роулинса похоронили так, как желала его мать: на кладбище собралось несколько сотен людей, могилу завалили цветами. За всю церемонию Долли ни разу не пошевелилась и не издала ни звука. Она первой пошла прочь от могилы, и вся шумная, назойливая толпа скорбящих подняла склоненные головы, провожая вдову взглядами.

Среди них был и Арни Фишер в темно-синем кашемировом пальто, из-под которого виднелись идеально пошитый костюм и рубашка. Как только машина Долли тронулась, Фишер кивнул здоровенному бугаю, стоящему позади толпы, и Боксер Дэвис тут же протиснулся вперед. Его костюм, напротив, был дешевым и потертым, а рубашка — в пятнах. На большом глупом лице были видны следы слез: траурная церемония его растрогала. Боксер то и дело утирал тыльной стороной ладони приплюснутый нос: беднягу немного просквозило на холодном ветру. Арни Фишер бросил взгляд на удаляющийся «мерседес» Долли и кивком велел Боксеру следовать за автомобилем. Тот смущенно переступил с ноги на ногу:

— Вы не думаете, что лучше обождать хоть несколько дней, а, босс? Ну, в смысле, она только что потеряла мужа.

Арни задержал на Боксере взгляд на пару секунд, снова мотнул головой в сторону «мерседеса» и отвернулся. Разговор был окончен.

В нескольких шагах от машины Фишера стоял младший брат Арни — Тони. Он на добрую голову возвышался над остальными, рядом с ним даже Боксер казался невысоким. Болтая с приятелями, Тони поглаживал бриллиант в мочке правого уха. Похоже, он закончил рассказывать какой-то анекдот, и его кружок по достоинству оценил шутку. В отличие от Арни, Тони был красавцем. Между братьями не было ничего общего, кроме ледяных серо-голубых глаз. Поскольку Арни был близорук, он носил очки без оправы, но даже они не скрывали того факта, что у братьев одинаково бесчувственный, неживой взгляд. Боксер перевел взгляд с Арни на Тони и обратно, а потом послушно направился сквозь редеющую толпу скорбящих, чтобы ехать вслед за Долли к огромному пустому дому, где женщина так долго и счастливо жила со своим супругом.

Отдельно от основной толпы скорбящих стоял, прислонившись к надгробию, детектив-сержант Фуллер. Про себя он отметил каждого из присутствующих. «Будто просматриваешь полицейскую базу данных», — думал он. Тут собрался весь цвет преступного мира — и стар и млад. Фуллер был усердным молодым полицейским, который стремился произвести впечатление на начальство, и на это задание — бесполезную трату времени, по его мнению, — отправился неохотно. Его начальник, инспектор Джордж Резник, мечтал поймать Гарри Роулинса дольше, чем Фуллер жил на этом свете.

— Там наверняка будет на что посмотреть, — внушал Резник этим утром Фуллеру и детективу-констеблю Эндрюсу. — На кладбище сегодня съедутся все уголовники Лондона, чтобы отдать Роулинсу последние почести или убедиться, что он точно мертв. Что-нибудь уж там наверняка да случится, и я хочу знать, что именно.

Детектив-инспектор Джордж Резник был убежден в том, что Гарри Роулинс стоял за тремя вооруженными нападениями на инкассаторские машины. Постепенно попытки доказать это превратились в своего рода навязчивую идею. Это бесконечно раздражало Роулинса. В конце концов Гарри принял меры: Резника сфотографировали в момент, когда он принимал конверт от известного преступника. После того как историю слили в газету «Мировые новости», в отношении Резника начали служебное расследование. Несколько месяцев у несчастного инспектора ушло на то, чтобы доказать свою невиновность. Когда же он вернулся к работе, оказалось, что подмоченная репутация исключила всякие надежды на продвижение по карьерной лестнице. Последнее только усилило лютую ненависть Резника к Роулинсу, и инспектор поклялся, что рано или поздно непременно упечет этого бандита за решетку. Даже смерть преступника ничуть не уменьшила одержимость полицейского.

Фуллеру было плевать на Резника, поскольку — и сержант ни минуты не сомневался в своей правоте — Резнику было плевать на Фуллера, для инспектора поимка проклятого Гарри Роулинса важнее всего и всех. Однако обоих полицейских крайне интересовали Фишеры: что у братьев на уме и с кем они общаются. Вот почему Фуллер следил за ними, как ястреб. Он мечтал о карьерном росте, а Фишеры были самой желанной добычей для любого копа еще до того, как Фуллер пришел в полицию. Теперь, после смерти Роулинса, их арест станет событием века!

Когда траурная церемония завершилась и скорбящие разошлись, Фуллер, лавируя между надгробиями, тоже направился к выходу. Он уже собирался сесть в поджидающий его полицейский автомобиль, когда заметил грязь на своих ботинках за сорок фунтов и, раздосадованный, вытер обувь о траву. С водительского кресла заулыбался констебль Эндрюс, Фуллеру же было не до смеха, тем более что и его лучшие брюки тоже запачкались.

Открыв дверцу, сержант тяжело опустился на сиденье, потом вынул из кармана чистый, белый, идеально выглаженный и ровно сложенный носовой платок, плюнул на него и принялся чистить правую штанину.

— Видел что-нибудь стоящее? — начал Эндрюс, весь последний час наблюдавший за тем, как невыносимо скучает Фуллер.

— Этот придурок Резник может ломать собственную карьеру, как ему вздумается, но испортить мою я не позволю, — буркнул Фуллер.

— Помнится, я читал о нем в «Мировых новостях». — Эндрюс старался быть в курсе всех сплетен, чтобы тем самым заслужить благосклонность сотрудниц участка. — Что-то про отстранение от службы за взяточничество. Продажный коп этот Резник.

— Мне-то какое дело? — Фуллер, нахмурившись, захлопнул дверцу и мотнул головой в знак того, что можно ехать.

— А ведь еще до звания сержанта он получил от комиссара две благодарности за храбрость, — продолжал Эндрюс, заводя машину. — То есть когда-то был хорошим полицейским.

— Сейчас-то что с того?

Все знали, что шансы Резника на повышение близки к нулю. Звание инспектора он умудрялся каким-то чудом удерживать, но каждый раз, когда его имя упоминалось в связи с возможным повышением, кто-нибудь поднимал старую грязь, этим все и заканчивалось. Только недавно старший инспектор их управления Сондерс убедил главу отдела уголовных расследований поручить Резнику какое-нибудь задание. Потом, пусть с неохотой, инспектору дали и крохотную команду для работы по старым нераскрытым делам.

— Любой коп, имеющий хоть какое-то отношение к этому прокуренному динозавру, будет выглядеть таким же нелепым, как он. Я не намерен сдаваться без борьбы, Эндрюс, можешь не сомневаться. — Фуллер раскрыл блокнот, с которым не расставался, и воззрился на список имен, составленный на похоронах. — Резник, как настоящий идиот, все гоняется за привидениями. Нас должны интересовать живые люди.

Автомобиль набирал скорость. Фуллер развернулся в кресле и внимательным взглядом обвел очередь на парковке, выискивая в толпе Арни Фишера, но тот уже уехал. Нахмурившись, сержант забарабанил по блокноту пальцами:

— Давай-ка заедем в логово матери Роулинса, старуха там устраивает поминки. Посмотрим, кто придет отдать последнюю дань уважения этому ублюдку.

ГЛАВА 2

Долли сидела в роскошном бархатном кресле и наблюдала за тем, как Боксер осторожно наливает ей бренди. Сам он пил апельсиновый сок, несомненно из желания произвести хорошее впечатление. И чего ради она вдруг впустила в свой дом этого здоровенного тупицу? Однако, как ни странно, его присутствие немного успокаивало женщину: кажется, Боксер тоже искренне горевал по Гарри. Долли опустила руку, чтобы прикоснуться к Вулфу, который, как всегда, сидел рядом с хозяйкой. Песик поднял морду и лизнул кончики ее пальцев. Долли почувствовала себя страшно одинокой.

Боксер был никем, тем не менее он высоко ценил Гарри и считал его своим другом. Разумеется, никаким другом Гарри ему не был, просто приглядывал за Боксером и давал ему время от времени поручения, и не потому, что тот ему нравился, а чтобы можно было им манипулировать. Боксер же следовал за Гарри, как Вулф за Долли; разница была лишь в том, что Вулфу хватало мозгов распознать ответную любовь.

Они молча выпили. Боксер, так и не присевший, выглядел смущенным, как будто не мог решить, прилично ли будет опустить свое громоздкое тело на один из стульев. Долли кивнула мужчине, и тот сел, поставив уже пустой стакан себе на колено. Женщина чувствовала себя очень уставшей, у нее болела голова, она хотела, чтобы гость наконец ушел, но он все сидел. В конце концов Боксер откашлялся и оттянул ворот рубашки.

— Они охотятся за тетрадями Гарри, — выпалил он.

— Они? — Долли смотрела на собеседника, стараясь не хмуриться. Все свои мысли и чувства она держала при себе.

Боксер опять поднялся и нервно заходил по комнате.

— Долли, теперь я работаю на Фишеров... Они... они хотят заполучить тетради Гарри.

— Не понимаю, о чем ты.

— Они заплатят хорошие деньги. — Голос Боксера слегка дрогнул в попытке выдать жесткое требование за просьбу.

Видимое отсутствие интереса со стороны Долли нервировало Боксера. Женщина хорошо знала одну особенность «дружка» своего мужа: выведенный чем-либо из равновесия, верзила терял бдительность. Еще немного — и Боксер выложит ей все подробности, даже не подозревая об этом.

— За тетради Гарри, — добавил Боксер. — Про них всем известно. Гарри записывал туда имена. Долли, уж ты-то должна быть в курсе. Имена всех, с кем ему приходилось иметь дело, и даже тех, с кем Гарри только хотел поработать. Попади его тетради в лапы копов, и на улицах Лондона не останется ни единого порядочного бандита.

— Я же сказала: я не знаю...

Боксер молниеносно пересек комнату и навис над Долли круглым, как луна, лицом, тряся указательным пальцем. Женщина даже бровью не повела. Она знала: Боксер не злится, он напуган.

— Знаешь! Все ты прекрасно знаешь! Говори же, Куколка, где его чертовы тетради?

В приступе неконтролируемой ярости Долли вскочила на ноги. Боксер попятился.

— Не смей называть меня так, слышишь?! Только Гарри позволено называть меня Куколкой. И не знаю я, о каких тетрадях моего мужа идет речь! И при чем тут вообще братья Фишеры?

Боксер схватил Долли под локоть в тщетной попытке достучаться до нее:

— Гарри нет. Теперь всем заправляют братья Фишеры. Они послали меня к тебе, и если я вернусь с пустыми руками, то следующим к тебе наведается Тони. Так что не усложняй себе жизнь и расскажи мне, где хранятся тетради!

Долли отшатнулась. Ее лицо исказилось от гнева, кулаки сжались так, что ногти вонзились в кожу.

— Ради всего святого, я ведь только его похоронила! — При мысли о том, что место Гарри заняли жалкие шавки Фишеры, горе Долли на мгновение прорвалось наружу.

Боксер тут же проникся к женщине сочувствием, поскольку сам испытывал схожие чувства, и черты его лица смягчило раскаяние.

— Я зайду попозже.

— Не желаю никого видеть! Никого! Убирайся!

— Все хорошо, Долли, не волнуйся. Главное — не ходи ни к кому другому, ладно? Фишерам это не понравится. А я еще вернусь.

— УБИРАЙСЯ... СЕЙЧАС ЖЕ! — выкрикнула Долли и швырнула в Боксера бокал.

Мужчина едва успел уклониться — бокал ударился о дверь и разбился. Вскинув руки — мол, сдаюсь, — Боксер поспешно ретировался.

Как только входная дверь захлопнулась, Долли направилась к проигрывателю. Комнату наполнил густой красивый голос Кэтлин Феррер, и ярость женщины постепенно улеглась. Долли даже начала тихонько подпевать прекрасному контральто, как вдруг вспомнила о свертке, который передал ей перед похоронами Эдди. Она высыпала содержимое сумочки на пол и, сев на колени, отыскала в ворохе вещей завернутые в бумагу ключи. Долли всей душой желала, чтобы сверток оказался посланием от Гарри. И точно: едва развернув бумагу, вдова увидела знакомый аккуратный почерк:

Банковская ячейка. На имя Г. Р. Смит. Пароль «Хангерфорд». Представься как миссис Г. Р. Смит.

Дальше шло собственно послание:
Дорогая Куколка,
помнишь, как мы вместе ходили в банк, чтобы завести там сейфовую ячейку? Теперь она твоя. Ключи от нее хранятся в моем гараже у Ливерпуль-стрит. Избавься от всего, что найдешь в этой ячейке.

Гарри.

Долли сидела на пушистом молочно-белом ковре с верным Вулфом у ног и прижимала листок к груди. Она перечитывала его снова и снова, стараясь понять, что на нем написано. Там не было ни даты, ни слова о любви, только простые инструкции. В банковской ячейке хранились те самые тетради, о которых спрашивал Боксер Дэвис, в этом не было ни малейшего сомнения. Об их существовании Долли, разумеется, знала, ведь Гарри постоянно что-то записывал и составлял списки. Этому научила Роулинса мать: без надежных контактов — криминальных или вполне легальных — любой бизнес обречен на провал. Именно старуха внушила сыну, что все записи должны храниться под замком. Тогда никто не посмеет пойти против него.

Долли заучила письмо наизусть и затем сожгла его, а ключи нацепила на кольцо к своим ключам. Гарри гордился бы ею. Неся Вулфа на второй этаж, Долли повторяла про себя пароль: «Хангерфорд, Хангерфорд». Запомнить его было нетрудно, как и имя, которым вдове надлежало представиться в банке: сначала «миссис», потом инициалы Гарри, а потом «Смит».

Готовясь ко сну, Долли гадала, сколько заплатили бы Фишеры за то, чтобы добраться до тетрадей Гарри. Женщина расчесала волосы и подошла к окну. Неподалеку от ворот ее дома была припаркована полицейская машина без опознавательных знаков — чтобы следить за ней, Долли Роулинс, не иначе.

— Мерзавцы, — тихонько выругалась женщина и задернула шторы.

ГЛАВА 3

Почти два дня дом Роулинсов наводняли полицейские, обыскивали в нем каждый дюйм. Они даже вспороли в детской обивку колыбели и распотрошили перочинным ножом матрасик. «И эти люди считают нас животными», — думала Долли, сдерживая слезы. Комната их мертворожденного малыша — священное напоминание о мальчике, которого они с Гарри потеряли, — теперь была замарана и осквернена. Долли словно заново пережила утрату ребенка. И хотя женщина была глубоко ранена столь грубым пренебрежением к ее чувствам, виду она не подала.

Закончив обыск в доме, полицейские перебрались во двор. Перекопали весь сад, опустошили все цветочные горшки, просеяли землю, однако не нашли ничего: даже квитанции из химчистки, которая показалась бы подозрительной.

В кабинете все ящики письменного стола Гарри были вывалены на пол, вскрыт каждый конверт, прочитано каждое письмо, вытащена из рамки каждая фотография. На глазах у Долли уничтожался ее прекрасный дом. Однако женщина лишь молча наблюдала за этим варварством, и только напряженная спина выдавала ее гнев. Они ничего не найдут — это Долли знала наверняка. Гарри копам не по зубам. Но, увидев, как на ее диване, перевернутом вверх дном, сидит констебль Эндрюс и разбирает на части рамку с фотографией, Долли взорвалась:

— Поставь это на место, ты, мерзавец! — и попыталась вырвать рамку из лап полицейского.

Эндрюс посмотрел на Фуллера, который в этот момент читал личные письма Долли. Женщина тоже повернулась к сержанту:

— Скажите ему, чтобы не трогал рамку! Это наша последняя совместная фотография на годовщину свадьбы.

Фуллер продолжил чтение.

— Отвезите снимок в Скотленд-Ярд, — бросил сержант Эндрюсу, не удостоив Долли взглядом. — Нам нужен приличный портрет Роулинса, чтобы показать жертвам всех нераскрытых вооруженных ограблений в Лондоне.

Для Долли это стало последней каплей. Она пробралась через разбросанные повсюду вещи к телефону.

— Это произвол! — заявила она Фуллеру. — Я хочу поговорить с вашим начальником. Как его зовут? — (Ответа не последовало.) — Вам придется отвечать за это безобразие! И я хочу, чтобы мне вернули часы мужа... Вы слышите? Я купила их ему в подарок и требую, чтобы мне их вернули! Это все, что от него осталось.

Фуллер по-прежнему игнорировал Долли, что страшно выводило женщину из себя. Она сняла трубку.

— Ваш начальник — кто он? Имя!

Только тогда Фуллер поднял на Долли глаза.

— Детектив-инспектор Джордж Резник, — с усмешкой ответил он.

Долли бросила телефонную трубку, словно та вдруг раскалилась добела. Детектив-инспектор Джордж Резник был единственным человеком, который мог заставить Гарри нервничать. Как-то раз Резник заявился к ним домой, чтобы допросить Долли в связи с нападением на машину инкассаторов и найти доказательства того, что в преступлении замешан Гарри. Тогда Резник пообещал Долли, что Гарри Роулинс все равно получит пожизненное — сколько бы жена его ни выгораживала.

После того случая Долли предупредила Гарри, что с Резником необходимо разобраться раз и навсегда.

— А было бы забавно, — будто мимоходом добавила она, — пустить слухи о том, будто это Резник не чист на руку. Только представь: все бы думали, что он берет взятки, а пресса просто случайно об этом пронюхала.

В следующее воскресенье за завтраком Гарри бросил на стол свежий номер «Мировых новостей». На первой странице лежала в руинах карьера Резника. Гарри улыбнулся жене и открыл бутылку шампанского. Они выпили за то, что больше никогда не увидят этого инспектора.

Но похоже, Резник снова взялся за старое, полагая, что теперь, когда Гарри больше не может защитить себя и жену, запятнать его имя будет гораздо проще.

— Мой муж мертв, — сказала Фуллеру Долли. — Неужели вам этого недостаточно?

Невысокого роста, плотно сбитый, детектив-инспектор Джордж Резник быстрым шагом шел по коридорам участка — во рту неизменная сигарета, плащ расстегнут, на затылке видавшая виды шляпа. Под мышкой Резник сжимал тяжелую толстую папку. Проходя мимо кабинетов, он, не замедляя шага, толчком распахивал двери и выкрикивал приказы:

— Фуллер, ко мне, быстро, захвати отчеты! Эндрюс, принеси мне кофе! Элис, чтобы заключения патологоанатома были на моем столе сегодня же!

Резник не видел тех, к кому были обращены его указания, тем не менее знал, что все они будут исполнены. Добравшись до своего кабинета, инспектор достал ключ, отпер дверь, вошел и закрыл ее пинком так, что задребезжало уже треснутое стекло.

Элис, прижимая к груди требуемые документы, выскочила из своей коморки в коридор, где Эндрюс как раз чуть было не налетел на Фуллера.

— Кофеварка сломана! — объявила секретарша.

Эндрюс побледнел. Ох, Резнику это не понравится. И констебль рысцой побежал прочь в поисках другой кофеварки.

Время перевалило за половину десятого, а Фуллер дожидался совещания с девяти утра. Он раздраженно поправил и без того ровный галстук и постучался в кабинет инспектора.

— Войдите! — рявкнул из-за двери Резник.

В кабинете начальника царил обычный беспорядок. Все имеющиеся поверхности были заставлены стаканчиками из-под кофе, переполненными пепельницами и завалены разнообразными бумагами. Даже на полу выстроились стопки папок. Архивный шкаф не закрывался: слишком много всего в него было набито. Посреди этого хаоса и стоял сейчас Резник с десятой за утро сигаретой в зубах. Инспектор натужно кашлял и читал какой-то документ.

Элис начала прибираться. Действовала она споро: сгребала окурки и пепел в урну, складывала разрозненные листы. Ее задачей было восстановление порядка в беспорядочной жизни Резника, чтобы каждый день он мог видеть за деревьями лес. Без нее он просто потонул бы в бумагах и сигаретном пепле. Элис давно уже работала с Резником и знала, какую пытку пришлось ему претерпеть. Она была рядом с ним на протяжении служебного расследования, видела его в те сокровенные моменты поздним вечером, когда обнажаются самые потаенные чувства, и ясно понимала, чего лишился Резник после того, как Роулинс оболгал его и потом слил компромат в прессу, а именно достоинства и чести офицера полиции, которые, раз потеряв, уже не вернешь, как ни старайся. В участке считали, что Элис — ангел, раз день за днем терпит перепады настроения и дурные привычки Резника, но ей просто нравилось работать с ним. И хотя он буквально за секунду превратился из образцового служащего в посмешище, Элис помнила о его блистательных успехах в прошлые годы, в то время как коллеги незадачливого полицейского будто бы о них забыли. Элис будет ему верна до конца. И только ей Резник говорил «пожалуйста» и «спасибо».

— Элис не выбрасывает мусор из моего кабинета, а сжигает, — сказал Резник Фуллеру. — Я не позволяю уборщикам заходить сюда, чтобы мои документы не попали в чужие руки.

При мысли о том, что Резник на что-то намекает, Фуллер вспыхнул.

Едва Элис разгребла бумаги вокруг телефона, как раздался звонок.

— Что? — рявкнул в трубку Резник.

Слушая собеседника на другом конце провода, он с каждой секундой багровел все сильнее и в конце концов бросил трубку.

— Это полицейский архив, — пробурчал он. — Взбесились на ровном месте. Мол, я взял документы без разрешения, не заполнив необходимые формы. — Резник швырнул Фуллеру смятый листок. — Вот, заполни и отправь этим занудам! И скажи парням, чтобы пошевеливались!

Фуллер отправился подгонять остальных. Эндрюс тем временем притащил поднос с кофе. Резник схватил один стаканчик, закурил очередную сигарету и начал ежедневную процедуру по заполнению только что опустошенных пепельниц. Вскоре вернулся Фуллер в компании с детективами Хоуксом и Ричмондом. Пока все усаживались, Фуллер заполнил просроченный запрос на выдачу документов из архива и отдал его Элис — ей предстояло отправиться в архив лично и там загладить инцидент... в который уже раз.

Резник придвинул стул, плюхнулся на него и разложил на прибранном столе содержимое принесенной из архива папки. Затем инспектор вскрыл конверт от патологоанатомов и высыпал из него пачку больших цветных снимков. На них были запечатлены трупы тех, кто погиб в туннеле под Стрэндом: изувеченные, обожженные, неузнаваемые. Самыми жуткими были обугленные останки Гарри Роулинса — в них, за исключением куска руки с золотыми часами, уже было не опознать человеческое тело.

— Ей даже не пришлось его кремировать, — состроил Резник, выкладывая фотографии на стол.

Откинувшись на спинку стула, инспектор отметил, что Эндрюса его слова шокировали. Фуллер же сохранял свою обычную надменную невозмутимость. Да, Фуллер — неплохой полицейский, только что-то в нем дико раздражало Резника. Вот и теперь — сидит тут с таким видом, будто в заднице у него раскаленная кочерга. Не сумевший найти себе стул и пристроившийся на краю стола, Эндрюс, напротив, полный идиот. Хоукса и Ричмонда Резник знал уже давно — хорошие, старательные копы, но ничего выдающегося. Когда инспектор вернулся к работе после временной отставки в связи с расследованием, лучшие сотрудники участка не изъявляли желания поступить под его командование, так что пришлось ему довольствоваться теми, кого выделило начальство.

Резник склонился к столу, раскрыл свежий отчет и перевел взгляд на команду. Закурил еще одну сигарету, сделал глубокий вдох и выдул облако дыма прямо на Фуллера. Постукивая пальцем по отчету, инспектор другой рукой вытащил увеличенный снимок запястья Роулинса с часами.

— Тут написано, Фуллер, будто мы слишком много времени уделяем этому делу Роулинса. Ты так считаешь? — Фуллер ощетинился и оглянулся на Эндрюса в поисках поддержки, но Резник не дал подчиненному опомниться. — Эй, Фуллер, я же тебя спрашиваю, не его! — Инспектор поднялся. — Думаешь, из-за меня ты зря теряешь время, да, Фуллер? Что ж, вот что я тебе скажу, ты, узколобый... — С языка Резника едва не сорвалось ругательство. Сдерживая гнев, инспектор сжал кулаки и оперся ими о стол. — Нам досталось расследовать преступление века, именно так, и если ты этого не понимаешь, то, значит, ума у тебя еще меньше, чем я думал. — На это Фуллер закатил глаза, и Резник взорвался: — Ты думаешь: «Ну вот, опять он за свое!» — да? Как только вам пришел приказ пойти под мое начало, наверняка вы только и слышали: «Это он, тот самый недотепа, которого подставили!» Скорее уж кастрировали, а кто это со мной сотворил, а?

Фуллеру не нравилось быть объектом гнева инспектора.

— По-видимому, кто-то из банды Роулинса, сэр, — выдавил он сквозь сердито поджатые губы.

— Вот именно. Но никто из банды Роулинса даже пернуть не посмел бы без его разрешения. Это Роулинс меня подставил! И теперь настала моя очередь прихватить этого ублюдка за яйца и размазать по стенке.

Фуллер посмотрел разъяренному Резнику прямо в глаза:

— Это будет не так-то просто сделать, ведь он мертв.

Молчание в комнате, казалось, длилось целую вечность. Мужчины не отводили друг от друга взгляда. По мнению Фуллера, Резник был конченым человеком. Успешный молодой офицер, со дня на день ожидавший повышения, Фуллер воспринял назначение в команду Резника как удар под дых. Все раздражало его в инспекторе: стоптанные, нечищенные ботинки, засаленная рубашка, исходящий от Резника неприятный запах, вечная сигарета во рту и желтые от табака пальцы... И Фуллер решил, что попытается что-нибудь накопать на начальника. Никаких затруднений этот план не вызвал: историю про взятку знали все, а однажды испачкавшись, уже не отмоешься, рассуждал про себя Фуллер.

Резник засунул руки в карманы, как будто сдерживаясь, чтобы не поколотить строптивого подчиненного. Когда инспектор вновь заговорил, голос его был тихим и спокойным:

— Я имею в виду не самого Роулинса, а всю его систему. И его тетради... в существование которых ты, Фуллер, не веришь, как я понимаю.

Шагая взад-вперед вдоль своего письменного стола, Резник говорил быстро и резко. Он выплевывал слова одно за другим, одновременно заглатывая и выдувая через рот и нос табачный дым.

Потом он стал бросать на стол папки с незакрытыми делами:

— Налет на трассе А3, налет на Юстон-роуд, налет в туннеле Блэкуэлл. — Толстый палец Резника поочередно тыкал в папки. — Взгляни на порядок следования машин подозреваемых, Фуллер. Во всех случаях до единого он идентичен, и во всех случаях до единого нападавшим удалось скрыться. И у нас на них ничегошеньки нет, ни одной самой маленькой улики. — Тираду Резника прервал приступ кашля. Отвислые щеки затряслись, от шеи вверх по лицу инспектора разлилась лиловая краска. — И можешь прозакладывать свою жизнь на то, что все они, каждый из этих налетов был задуман Гарри Роулинсом! И почему же я так думаю, а?

Резник остановился, гневно взирая на заносчивого сопляка: не выдаст ли он опять какую-нибудь колкость? На этот раз Фуллер мудро воздержался от замечаний.

— Проглотил язык, Фуллер? — поддел его инспектор. — Давай я за тебя отвечу. Я уверен, что за каждым из этих нераскрытых вооруженных ограблений стоит Гарри Роулинс, потому что modus operandi в них абсолютно одинаковый — точно такой же, как в том налете, который отправил проклятого бандита на небеса! И еще я уверен в том, что все эти ограбления описаны в его тетрадях.

Жадный до славы взгляд Фуллера переметнулся с горы папок на красное потное лицо Резника. Инспектор усмехнулся:

— Вот именно. Дюжины преступлений только и ждут, чтобы мы их раскрыли. Уже прикинул, как они украсят твою чистенькую, выглаженную и накрахмаленную служебную характеристику, а?

Резник вперевалку двинулся к белой магнитно-маркерной доске, закрытой большим листом бумаги, и на ходу мотнул головой. Словно школьники, младшие полицейские гурьбой столпились за спиной начальника.

— Раскроем одно преступление — раскроем их все, — заявил Резник и жестом фокусника сорвал с доски лист. Под ним обнаружилась подробная схема неудавшегося налета в туннеле под Стрэндом и фотоснимки с места взрыва. Красным маркером инспектор обвел изображение хлебного грузовика на схеме. — Примерно такой грузовик свидетель заметил перед машиной инкассаторов. — Затем Резник обвел на схеме изображение «форда». — Это тот фургон, который взорвался и похоронил под собой троих налетчиков. — Уперев указательный палец в изображение хлебного грузовика, Резник вновь отчеканил свою гипотезу: — Во всех этих ограблениях... — он кивнул в сторону наваленных на стол папок, — машины следуют в одном и том же порядке. Водитель-одиночка из первого автомобиля — вот кто нам нужен. Вот кто выведет нас на остальных.

Чувствуя на себе внимательный взгляд Фуллера, Резник чуть не поддался острому желанию врезать наглецу, однако подавил порыв и отошел, чтобы полицейские смогли рассмотреть фотографии с места взрыва. Допивая принесенный Эндрюсом кофе, инспектор следил за тем, как настырный сержант скрупулезно записывает что-то в свой блокнот. За этим занятием Резник не заметил, как закапал себе рубашку.

— Почему мы не нашли этого водителя, Фуллер? И не нашли сам грузовик? Почему это так сложно — отыскать в Вест-Энде хлебный грузовик подобных габаритов? — Вопрос Резника заставил губы Фуллера сердито изогнуться.

Сержант понимал, что инспектор намеренно выводит подчиненного из себя. Изо всех сил Фуллер старался справиться с растущим раздражением.

— Ребята искали его день и ночь, — сказал он. — Дело в том, что у нас лишь обрывочное описание грузовика от единственного свидетеля. Вероятно, в нем вообще не хлеб развозили. Это может быть любой большой грузовик белого цвета. И что даже важнее, у нас нет уверенности в том, что тот грузовик имеет к ограблению хоть какое-то отношение.

— Ты что, не слышал, что я только что говорил о modus operandi? И если бы ты получше ознакомился с показаниями свидетелей неудавшегося налета, то узнал бы, что человек, ехавший по соседней полосе, отметил, что большой белый грузовик, ехавший перед инкассаторами, резко затормозил. С чего бы это, как ты думаешь, Фуллер?

— Ну, может быть, перед этим хлебным грузовиком затормозила другая машина, и тот, в свою очередь...

Резник перебил его:

— Водитель грузовика — наш ключ к разгадке этого налета! Иначе с чего бы ему сбегать с места преступления? И попомни мои слова, Фуллер, этот водитель — соучастник. Он специально затормозил, чтобы перекрыть проезд инкассаторам.

Спорить Фуллер не собирался.

— Ну раз вы так считаете... сэр.

От инспектора не ускользнуло, с какой неохотой прозвучало это «сэр», однако он никак не отреагировал, только нахмурился:

— Так считает мое чутье, Фуллер. Водителю того грузовика наверняка известны имена всех, кто был вовлечен в дело, даже тех, кто не принимал участия в самом налете. Поговаривают, будто Гарри Роулинс записывал каждую деталь своих ограблений и информацию обо всех, кто хоть как-то был с ними связан. Если это правда, то человек за рулем того грузовика наверняка знает о записях Роулинса и, может быть, в курсе, где они хранятся. Когда мы найдем эти записи, то раскроем бог знает сколько преступлений, арестуем кучу бандитов. Я хочу допросить каждого, кто хоть раз имел дело с этим ублюдком Роулинсом, в том числе каждого, кто подходил к его жене ближе чем на десять шагов. Установи круглосуточное наблюдение за вдовой, Фуллер, и быстро!

— А как насчет двух других вдов? — спросил Фуллер, недовольно поджав губы.

Резник вновь проигнорировал жест строптивого сотрудника:

— Они не стоят того, чтобы следить за ними более двух суток. Не думаю, что они знают что-то важное.

— Как быть с антикварным магазином Роулинса?

— К черту магазин! Эта лавка — прикрытие, она нужна была Роулинсу для финансирования налетов и отмывания наворованного. Вся бухгалтерия в магазине окажется в идеальном порядке, там комар носа не подточит. Записи Роулинса — вот что мне нужно!

Резник прошествовал к выходу из кабинета и в дверях громко пернул. Инспектор представил, как при этом неприличном звуке перекосилось лицо ненавистного ему Фуллера. Взревев от смеха, Резник прошествовал по коридору. Вслед за ним, стараясь не дышать, повыскакивали из кабинета его подчиненные.

Когда они вернулись в комнату детективов, Фуллер схватил Эндрюса за рукав:

— Ты в курсе, что Роулинс, пока был жив, не провел ни дня за решеткой и даже не был под следствием? У нас есть данные только о его легальном бизнесе. Если он стоял за всеми этими вооруженными налетами, где же деньги? Мы перерыли дом Роулинсов сверху донизу, проверили все счета, открытые и на его имя, и на имя его жены, — ничего. Не нашлось ни единой зацепки.

— Возможно, — кивнул Эндрюс, — Резник ошибается насчет водителя грузовика. Мы опросили миллион пекарен, булочных и супермаркетов, и довольно странно, что так и не вышли ни на грузовик, ни на шофера.

— Черт, разумеется, он ошибается! — взорвался Фуллер. — Но это еще нужно доказать, так что пусть грузовиком займется Хоукс, а ты и Ричмонд отправляйтесь к дому Роулинсов. Проверьте, что там поделывает новоиспеченная вдова.

ГЛАВА 4

Долли еще раз посмотрела на себя в зеркало туалетного столика, стоящего в спальне. Безукоризненный внешний вид женщины скрывал самые разнообразные эмоции — Долли пришлось взять их под контроль, чтобы сделать то, что нужно. Полицейским в неприметном автомобиле перед домом почти не на что было смотреть из-за плотных кружевных занавесок на большей части окон. Долли же из-за тех же самых занавесок видела копов отлично, но сейчас необходимо было избавиться от них и без слежки добраться до Слоун-стрит. Там ее дожидалась банковская ячейка Гарри. Долли возмущало наглое вторжение полицейских в ее жизнь, их самонадеянная уверенность в том, что рано или поздно она ошибется из-за своего нынешнего «ослабленного состояния» и приведет ищеек к какой-то улике, которая очернит имя Гарри и уничтожит его репутацию. На самом деле их присутствие действовало ровно противоположным образом: хотя в душе Долли умирала от боли, инструкции Гарри придали ей энергии. Пока она следует им, он будет жить.

Долли уверенно поехала по своему обычному маршруту — в салон красоты «У Майры» на Сент-Джонс-Вуд-роуд. По пути вдова бросила взгляд в зеркало заднего вида и убедилась в том, что за ней следует та самая машина без опознавательных знаков, что стояла под окнами ее дома. Когда женщина припарковала свой «мерседес» и направилась к салону красоты, то по пути узнала в мужчине, увязшем в перепалке с двумя женщинами, констебля Эндрюса. Они спорили о том, кто первым заметил свободное место на парковке.

Салон «У Майры» был небольшим, но модным заведением с постоянной и состоятельной клиентурой. Атмосфера тут поддерживалась по-домашнему душевная, и Долли обожала свои визиты сюда дважды в неделю. Дизайн салона отличался простотой и элегантностью, а зеркальные стены позволяли общаться клиенту с мастером, не поворачивая головы. Сама Майра, несмотря на довольно вульгарную внешность, была толковым предпринимателем, и Долли с удовольствием переплачивала за ее услуги. Майра знала, что чашка чая или кофе, печенье и изредка бокал вина превращают стрижку с укладкой в светское мероприятие на полдня. Так она зарабатывала лояльность своих клиенток и отвечала на нее взаимной преданностью.

Сегодня Майра, как всегда, встретила посетительницу в дверях салона, но Долли сразу заговорила о деле:

— Не окажете ли мне одолжение? — Вдова вручила хозяйке салона малютку Вулфа. — Присмотрите за моим песиком часик-другой.

— Но вы, кажется, собирались подкрасить корни, миссис Роулинс? — спросила Майра.

Долли улыбнулась и поцеловала пуделя в макушку.

— Не переживайте, я оплачу процедуру. — С этими словами вдова вынула из сумочки головной платок и через служебный выход выскользнула на улицу.

В конце переулка Долли поймала такси. Констебль Эндрюс все еще находился в поисках парковочного места, откуда бы хорошо просматривался салон «У Майры».

Коридор, ведущий к сейфам, казался бесконечным. Долли не отпускало ощущение, что за ней наблюдают. Она сильно волновалась, но при этом испытывала какое-то странное возбуждение — чуть ли не пританцовывала на мраморном полу, пока шла туда, где в конце коридора поджидал ее молодой служащий банка в наглаженном костюме. Долли не сводила с него глаз, стремясь убедить его и себя в том, что совершенно не нервничает в этом мире запертых секретов. Ведь в банковских сейфах хранят только их.

Долли бывала в банке всего один раз, с Гарри. Теперь, пока вышколенный клерк задавал положенные вопросы, она боролась с нервной щекоткой в глубине горла и чуть не подписалась своим настоящим именем.

— Сюда, миссис Смит, — указал клерк.

Долли показалось, что фамилию он произнес с некоторым нажимом. Подойдя к лифту, клерк вручил вдове ключ и нажал кнопку подвального этажа.

В подвале Долли встретил охранник. Он провел ее через галерею тяжелых дверей, каждую из которых мужчина отпирал и потом тщательно запирал. Наконец они оказались в стальной камере сейфового хранилища. Последняя дверь с внутренней стороны дублировалась решеткой, которую нужно было отпирать отдельным ключом. Пока охранник открывал внешнюю створку двери и искал ключ для решетки, Долли подумалось о тюремном заключении. Гарри всегда умело избегал ареста. До чего же он был умен и как же им повезло жить той жизнью, какая у них была! Горькая боль немедленно всплыла из глубин желудка и подступила под самое горло. Женщину начало подташнивать. «Шевелись же, — мысленно подгоняла она охранника. — Мне нужно сесть».

В хранилище охранник показал Долли звонок на столе, с помощью которого она должна будет призвать его, когда захочет уйти. Женщина дождалась, чтобы служащий покинул помещение, и только тогда достала ключ, полученный от Эдди. Она вставила ключ в банковскую ячейку под нужным номером и повернула его. Внутри лежал тяжелый металлический ящик.

Десять минут спустя все содержимое ящика было разложено на столе. У Долли не было времени пересчитывать увесистые пачки банкнот, но она могла предположить, что тут десятки тысяч фунтов. И револьвер тридцать восьмого калибра женщина не стала доставать из-под денег, оставила лежать нетронутым. Все ее внимание было приковано к тетрадям Гарри.

Это были увесистые толстые книги в кожаных переплетах — такие Долли видела в телепостановке по Диккенсу. Каждая страница была аккуратно надписана, пронумерована и заполнена убористым почерком. Первые записи были сделаны почти двадцать лет назад, то есть Гарри вел их на протяжении всей их совместной жизни. Перелистывая страницы, Долли поняла, что некоторые из упомянутых там имен принадлежат людям, которых она считала умершими. Но больше всего потрясла вдову самая последняя книга. Страницу за страницей в ней заполняли списки людей и денег, выплаченных им, а также перечни мест, где были спрятаны те или иные суммы. Вторая половина книги состояла из вырезанных и ровно приклеенных газетных заметок. Должно быть, примерно так выглядит фанатский альбом какой-нибудь кинозвезды, только в данном случае собирались не хвалебные рецензии, а статьи, в которых рассказывалось о вооруженных налетах — очевидно, совершенных Гарри. А рядом с каждой вырезкой — имена. По-видимому, заключила Долли, это участники того или иного ограбления. Теперь понятно, почему Фишеры так рвутся завладеть тетрадями! С их помощью они надолго избавятся от всех конкурентов и унаследуют немалые деньги, припрятанные Гарри после налетов.

По спине Долли пробежал холодок. Женщина и не подозревала, что Гарри организовал и совершил столько тяжких преступлений. Судя по датам, большинство налетов состоялись после ее третьего выкидыша; потом была пауза, которая прервалась, когда их долгожданный мальчик родился мертвым. Долли пронзила острая боль, и все-таки она могла это понять. Для нее нетронутая детская стала убежищем на время приступов депрессии, а вот Гарри никогда не заходил в прелестную небесно-голубую комнату. От семейной трагедии он спасался тем, что с головой уходил в дела, Долли знала это, только думала, что поездки мужа связаны с антикварным бизнесом. Нельзя сказать, что он откровенно лгал ей, просто постарался не уточнять, какими именно «делами» занимался.

Заканчивая листать последнюю тетрадь, Долли вдруг застыла в ужасе. В этой книге убористым, ровным почерком во всех подробностях описывались планы того рейда, в котором мужа настигла смерть: сколько оружия требовалось, какие автомобили использовались, кто участвует, их номера телефонов. Имена Джо Пирелли и Терри Миллера были знакомы Долли. Она встречала их обоих вместе с женами — теперь вдовами — на каком-то светском мероприятии. На мгновение Долли задумалась о том, что делают сейчас две эти женщины, и нечаянно улыбнулась. «Ну уж точно они заняты не тем, чем я», — сказала она себе.

Кропотливо проработанные планы, схемы и рисунки... Да это настоящий сценарий для пьесы. Долли не верилось, что человек, неспособный собрать с пола спальни свою грязную одежду, может быть столь организованным, когда дело касается нападения на хорошо охраняемые инкассаторские машины. С другой стороны, белье, не положенное в стирку, не грозит смертью. Вдруг перед ее глазами возникло почерневшее запястье Гарри. Подавляя приступ тошноты, Долли медленно захлопнула тетрадь. И через пару секунд открыла снова. Теперь она торопливо переворачивала страницы, желая узнать, какое будущее планировал для них Гарри.

— О боже, — прошептала женщина, когда прочитала, — ты разработал налеты на несколько лет вперед!

Долли не сразу сумела осознать размах задуманного мужем и только потом вспомнила о времени. Она глянула на часы: пора было возвращаться.

В такси женщина тщательно записала в маленький черный ежедневник от «Гуччи» все, что прочитала в тетрадях о неудавшемся налете. Она даже придумала собственный шифр — на тот случай, если копы, следящие за ней, устроят «проверку документов».

В салон Майры Долли вернулась тем же путем, каким его покинула. И тут же увидела через окно, что к главному входу приближается один из полицейских. Моментально приняв решение, женщина скинула плащ, схватила со столика журнал и уселась под фен в тот самый миг, когда коп открыл дверь. Долли невинно улыбнулась, и полицейскому оставалось только ретироваться со смущенным видом. А предприимчивая вдова достала ежедневник, чтобы перечитать записанное.

ГЛАВА 5

Арни Фишер пребывал в бешенстве — в бешенстве того сорта, которое в детстве заканчивалось вынужденным сидением в запертом шкафу. Он бегал вокруг огромного письменного стола, холодные голубые глаза искрились гневом, в углах тонких губ пенилась слюна. На мужчине был бледно-серый костюм, сшитые на заказ серые туфли и шелковый серебристый галстук, наполовину стянутый с шеи. Арни вытащил один из ящиков стола и метнул в другой конец комнаты.

В его офисе на Бервик-стрит в Сохо только что закончили ремонт. Теперь и бархатные обои, и пушистый ковер стали одинаково зелеными, оттенка бильярдного стола. Еще Арни заказал новую мебель: два массивных кожаных дивана, книжный стеллаж красного дерева и кофейный столик на гнутых ножках. Газовый камин, имитирующий дровяной, был наполовину вынут из своей ниши в ожидании подсоединения к газу. На краю кофейного столика опасно кренилась еще не повешенная хрустальная люстра, а рядом на полу стопкой лежали спортивные постеры — им предстояло разместиться на зеленых стенах. Стремясь показать себя человеком со вкусом, Арни сотворил мрачную, уродливую комнату. Даже в ванной он распорядился установить темно-зеленую ванну, зеленую раковину и золотые краны. Ему хотелось и биде, но пришлось отказаться от этой идеи из-за нехватки места. Арни готовился покорить мир: новый офис, новая делянка — как только он добудет тетради Роулинса, его никто и ничто не остановит.

Послышался шум смыва унитаза, и из ванной комнаты вышел Тони, на ходу застегивая молнию и поправляя в штанах свои яйца. Руки он никогда не мыл.

— Кому ты поручил это сделать? — спросил Арни, показывая на письменный стол.

— Сделать — что?

Арни шлепнул по столешнице ладонью:

— Я же просил шеллачную политуру! Ведь это, черт побери, антиквариат! А какой-то рукожоп взял и покрыл его поганым лаком!

Вне себя, Арни брызгал слюной, которую время от времени утирал смятым шелковым платком. Несколько раз он ударил по столу кулаком, выплескивая негодование. Потом достал из кармана шариковую ручку и, ухватив ее как нож, процарапал на полировке глубокую линию.

Тони только пожал плечами — буйство Арни его не пугало.

— Это обошлось всего-то в сотню фунтов, — заметил он. — Должен радоваться!

Арни вытащил из стола второй ящик и бросил вслед первому. Ящик пролетел всего в паре дюймов от виска Тони, но тот снова даже не моргнул глазом. Его никогда не трогали истерики брата. Сколько их ни было на его памяти, все они неизменно заканчивались. Настораживаться следовало только тогда, когда брат вдруг начинал быть ласковым, растягивая в улыбке тонкие губы. Сейчас же они были плотно сжаты, и лишь желваки ходили на лице разъяренного Арни. Тони вышел из офиса, а вместо него туда вошел Боксер Дэвис.

Арни овладел собой и нежно провел рукой по столешнице.

— Ты только посмотри, Боксер. Это инкрустированное дерево, а этот идиот... — Арни умолк, чтобы снова не разозлиться. — У моего брата нет вкуса. Нет чувства прекрасного.

Боксер, разумеется, в этом смысле был ничуть не лучше Тони, но ему хотя бы хватило ума изобразить сочувствие. Арни уселся в обтянутое кожей кресло и закинул руки за голову.

— Ну, чем порадуешь, Боксер? — спросил он.

— Да особо ничем, мистер Фишер. Я сказал, что вы готовы хорошо заплатить за тетради Гарри, но она и ухом не повела. Если хотите знать мое мнение, то Долли не знает, где они.

— Мне не нужно твое мнение! — заорал Арни.

В двери показалась голова Тони — он решил проверить, все ли в порядке.

— Если дадите мне чуть больше времени, я попробую еще разок, мистер Фишер, — залепетал Боксер. — Долли все еще очень расстроена. Когда успокоится, с ней будет легче разговаривать.

Тони встал почти вплотную к правому плечу Боксера, пока тот мямлил свои жалкие оправдания. Тони до смерти хотел встрять, покуражиться над этим слабым, жалким человечишкой. А Боксер опустил голову и переминался с ноги на ногу.

— Закончил? — спросил Тони, придвигаясь еще ближе к Боксеру.

Арни приподнял руку — одно, едва заметное движение кисти, но Тони тут же умолк. Потом Арни качнул головой. Тони вознамерился было упереться, однако при виде той самой неприятной улыбки на плотно сжатых губах передумал и вышел.

Боксеру стало совсем неуютно. Он боялся Арни, ненавидел себя за это, но каждый раз при виде низкорослого гомика с ним едва не приключалась медвежья болезнь.

Никогда не знаешь, что у Арни на уме. Тони — тот совсем другой. Настоящий бабник, готовый прыгнуть в постель ко всякой, у кого есть две руки и две ноги. И чуть что, бросался на всех с кулаками. Порой Тони вообще начинал молотить направо и налево, но, по крайней мере, было понятно, чего от него ждать. Взгляд Арни пугал гораздо сильнее, чем кулаки Тони.

— Видишь ли, Боксер, время — это непозволительная роскошь, — сказал Арни. — Ты ведь понимаешь, какого рода записи вел Гарри?

— Понимаю, мистер Фишер, понимаю и делаю все, что в моих силах.

— Твои силы — дерьмо собачье. Когда именно ты говорил с Долли Роулинс? Я послал тебя к ней три дня назад.

Боксер, заикаясь, снова стал лепетать оправдания:

— Я не хотел возвращаться с пустыми руками, мистер Фишер. Понимаете, я пытался придумать, как бы к ней подступиться, чтобы она согласилась. Но ничего не придумал и решил, что лучше прийти к вам и рассказать как есть. Но ей я прямо сказал... я сказал: «Не ходи ни к кому другому, потому что мистер Фишер будет очень сердиться». Она не наделает глупостей, честное слово, не наделает.

— Да ты, кажется, вот-вот в штаны наложишь, да, Боксер? Дело тебе не по плечу, как я посмотрю? Не потянешь? Хочешь, чтобы Долли Роулинс занялся Тони, не так ли? А?

Боксер точно знал, что сделал бы Тони, если бы переговоры с Долли поручили ему.

— Нет, не делайте этого, мистер Фишер. Позвольте мне еще раз поговорить с Долли. Пожалуйста!

Арни снял очки и начал медленно их протирать:

— Ты просишь время, и я, пожалуй, дам его тебе. У тебя две недели, сынок, две недели. Если не добудешь тетради Гарри за этот срок, вдову навестит Тони, а ты наслышан о его любви к дамочкам, не правда ли?

Зазвонил телефон, Арни снял трубку и тут же изменившимся голосом принялся заигрывать перед собеседником:

— Привет, Карлос. Все в порядке, милый, все хорошо. Подожди секундочку... — Зажав трубку рукой, уже своим обычным голосом Арни обратился к Боксеру: — Проваливай и помни: если кто и упомянут в тетрадях Гарри, так это ты. Ты же работал на этого ублюдка. А теперь убирайся, пока я не натравил на тебя Тони.

Пока Боксер суетливо откланивался, его медленный ум переваривал сказанное. И то правда: это же в его собственных интересах — добраться до записей Гарри. Как-никак он участвовал в паре налетов. Боксер решил, что сегодня же пойдет к Долли, нравится ей это или нет. Он осторожно закрыл за собой дверь кабинета Арни и по лестнице спустился в клуб. И днем и ночью в этом заведении было темно и нечисто; в бордовые бархатные завеси навечно впиталась вонь сигаретного дыма и пивной отрыжки. Это был едкий, тошнотворный запах.

У подножия лестницы околачивался Тони. Он все-таки позабавится с этим размазней Дэвисом.

— Ну как там, наш великий знаток антиквариата подуспокоился немного?

Боксер попытался проскочить мимо Тони вдоль стенки, да не тут-то было. Младший Фишер перегородил ему путь и встал в боксерскую стойку.

— Давай же, Боксер, давай... покажи мне свою прыть!

Без всякого энтузиазма Боксер выставил перед грудью кулаки, и Тони влепил верзиле с размаху ниже пояса. Держась за живот и хватая ртом воздух, Боксер сложился пополам. Над ним грозно навис Тони.

— Теряешь хватку, солнышко, — сказал он и с довольным видом, хохоча во всю глотку, поскакал вверх по лестнице.

Боксера чуть не вывернуло наизнанку.

ГЛАВА 6

Долли из-за занавески в темной спальне наблюдала за копами, которые в свою очередь следили за вдовой. Недалеко от дома у обочины стояла та же машина, которая следовала за Долли до парикмахерской. Женщина улыбнулась про себя и посмотрела на Вулфа, который лежал на кровати, свернувшись калачиком.

— Только представь — припарковался прямо под фонарем, — проворковала хозяйка своему верному другу. — Чтобы мы могли получше разглядеть его тупое, скучающее лицо, да, миленький?

Из автомобиля вылез человек в штатском и куда-то ушел, а Эндрюс, развалившийся на пассажирском сиденье, остался в одиночестве. Долли посерьезнела и спустилась на первый этаж. Вулф, как всегда, потрусил за хозяйкой.

Детектив-констебль Эндрюс отчаянно старался сосредоточиться на Долли. Та вышла из дому без сумочки, в одном плаще — наверняка просто выгуливает собачонку. Эндрюс зевнул. Слежка — занятие утомительное. Он смотрел вслед Долли, пока та шагала по тротуару и останавливалась всякий раз, когда ее крошечный пудель задирал лапу то у дерева, то у стены, то у фонарного столба... На углу песик повернул направо и исчез из виду. Долли, стоя спиной к Эндрюсу, хлопнула в ладони:

— Ко мне! Вулф, немедленно вернись ко мне!

Эндрюсу стало смешно. С таким голосом Долли не бывать кинологом вроде Барбары Вудхаус[1]. «Если ты супруга вора в законе, — прошептал он, — то я балерина!»

Долли свернула за угол — туда, где скрылся песик. Эндрюсу пришла в голову мысль о том, что надо бы выйти и проследить за женщиной, но было холодно, а вдова всего лишь бегает за своей треклятой собачонкой. Однако спустя минуту Долли не вернулась, и тогда констебль занервничал, выскочил из автомобиля и побежал на то место, где в последний раз видел женщину.

— Черт! — прошипел он сквозь стиснутые зубы.

Ни Долли, ни Вулфа нигде не было. Эндрюс вернулся к машине. В ней уже сидел его коллега детектив-констебль Ричмонд с двумя чизбургерами и двумя молочными коктейлями в руках.

— Ты не заметил, куда именно она свернула? — Эндрюс был не на шутку встревожен.

— Кто? — Потом Ричмонд сообразил и ухмыльнулся. — Только не говори мне, что упустил старушку с пуделем!

— Думаешь, Резник станет разбираться, кто из нас следил за вдовой, а кто ходил за бургерами в рабочее время?

Ричмонду не надо было повторять дважды. Еда и напитки, ставшие уликами, полетели в ближайшие кусты, констебль вставил ключ в зажигание.

— Я поведу. Мы ее отыщем.

Долли с Вулфом для начала слились с вечерней толпой на Барнет-роуд, а затем женщина поймала такси в сторону вокзала Ливерпуль-стрит. Двигаясь на юг, такси

---

[1] *Барбара Вудхаус* — дрессировщица собак и лошадей, писательница и телеведущая.

разминулось с автомобилем Ричмонда — копы кружили по окрестностям. Долли улыбнулась и погладила пуделя, который свернулся калачиком у нее на коленях. Женщина чувствовала, как ее тело наэлектризовано адреналином: сейчас она была близка с Гарри, как никогда.

В зеркало заднего вида таксист заметил, как пассажирка наблюдает за каким-то автомобилем. В своей жизни он перевез достаточно людей, чтобы догадаться: либо у женщины проблемы с законом, либо она возвращается домой к мужу после встречи с любовником. Возраст Долли позволял предположить, что верно, скорее, первое.

Не зная, что за ней тоже наблюдают, Долли приговаривала:

— Мы провели их, Вулф, да, миленький? Мы с тобой обвели их вокруг пальца.

Такси остановилось перед вокзалом. Чтобы сэкономить время, Долли расплатилась без сдачи заранее заготовленной мелочью. Отныне все в ее жизни будет зависеть от того, насколько хорошо она подготовится. Быстро оглядевшись по сторонам и убедившись, что слежки нет, Долли с Вулфом на руках пошла переулками к большим аркам позади вокзала. Там располагались гаражи, которые по большей части использовались в железнодорожном хозяйстве, остальные же сдавались в аренду автомеханикам.

Проход к этим ангарам был грязным, холодным и темным: собственного освещения тут не имелось, а строения располагались довольно плотно друг к другу. Долли медленно двигалась вдоль арочных проемов — пока глаза не привыкли к темноте, идти было опасно. Она искала гараж под номером пятнадцать. В некоторых арках не было ворот, и внутри их зияли огромные пещеры, из которых несло холодом, сыростью и терпким запахом подземелья. Тенями прошлого стояли в них старые, искореженные, ржавые автомобили: стекла разбиты, колеса сняты, дверцы распахнуты. Пока Долли шла мимо них, она вся испачкалась, порвала о разбитый бампер чулки. В одном из пустующих гаражей перед костром в старой бочке валялись в пьяном ступоре несколько выпивох. Они и не заметили, что мимо кто-то прошел.

В конце концов Долли остановилась перед большими откатными воротами. Вынув из кармана ключи, которые оставил ей Гарри, она попробовала подобрать один из них к навесному замку — и чуть не выронила Вулфа, потому что створка ворот внезапно придвинулась к ней на дюйм или два. С жутким рычанием и лаем изнутри на ворота бросалась собака. Вулф тоже залаял, что привело невидимого пса в еще бо́льшую ярость. Долли сжала пасть Вулфа ладонью и сумела расслышать, как бренчит цепь, пока пес продолжал отчаянные броски на ворота. Тогда Долли задрала голову и обнаружила, что это строение под номером тринадцать. Оставалось надеяться, что собачий лай не привлек ничьего внимания.

Едва видные, закопченные цифры «1» и «5» были процарапаны в краске на небольшой входной двери, встроенной в деревянные ворота гаража. Вот оно, тайное логово Гарри. Долли попробовала один ключ, второй, и вот маленькая дверь распахнулась перед ней.

Внутри просторного помещения с высокими потолками стояла зловещая тишина, которую взорвало эхо от грохота проходящего поезда. Долли закрыла за собой дверь, опустила Вулфа на пол и включила принесенный с собой карманный фонарик.

В свете узкого луча женщина медленно пробиралась вперед. Вулф возбужденно обнюхивал автомобили-привидения и повиливал хвостиком. Долли была уверена, что песик почуял запах Гарри. Казалось, пудель вне себя от счастья новой встречи с хозяином. Когда Вулф вопросительно поднял к Долли морду, словно хотел спросить: «Ну, где же Гарри?», у вдовы сжалось сердце. Боль утраты охватила ее с новой силой.

Это было мужское логово, на миллионы миль удаленное от безупречного порядка и роскоши их дома. Долли представила, как остальные члены команды внимают каждому слову Гарри, раздающему указания, и почти вживую ощутила запах пота, тяжелой физической работы и тестостерона. Она долго — целую вечность — не могла сдвинуться с места; никогда не доводилось ей бывать в этом гараже, и ее пугали тайны, которые могли обнаружиться в окружающем мраке. Всю свою замужнюю жизнь Долли пребывала в уверенности, что рано или поздно узнает какой-нибудь секрет Гарри, но она ожидала нечто вроде молодой любовницы. Ее супруг был невероятно красив, а даже лучшие мужчины не устоят перед лестью. Но то, что скрывалось внутри этого гаража... было пострашнее молодой любовницы.

Наконец Долли осмелилась сделать шаг и, вглядываясь в дальний темный угол, не заметила под ногами густой, липкой, маслянистой жижи. Женщина выругалась, когда почувствовала, что ноги промокли. Посмотрев вниз на испорченные туфли, вдова увидела, что посреди лужи сидит Вулф и виляет хвостом.

Долли пробралась вглубь помещения, где высились внутренние деревянные ворота, похожие на те, что закрывали въезд с улицы, и с такой же встроенной дверцей для прохода людей. Она отперла дверцу и нащупала выключатель — на потолке ожили неоновые трубки. Помигав, они залили все белым светом, и Долли с удивлением обнаружила, что в этой половине гаража гораздо чище. Вдоль стен ютились останки нескольких грузовичков, а в центре стоял средних размеров фургон, накрытый брезентом. Долли потянула за край брезента и поморщилась: сломался ноготь. Вулф тем временем метнулся под фургон и стал ожесточенно рыть пол. Его хозяйка опустилась рядом на колени, чтобы узнать о причине такого поведения песика.

Под кусками бетона лежали доски. Долли подняла их и обнаружила в полу яму размером два фута на один, а в ней — что-то завернутое в мешковину. Долли достала сверток. Перед ее взором оказались два обреза. Пистолет в банковской ячейке Гарри был первым доказательством того, что покойный муж Долли был преступником, но тогда она не испытала такого шока, как сейчас. В тот раз ее даже согрела мысль о том, что Гарри оставил ей пистолет, чтобы жена могла постоять за себя, когда его рядом с ней больше не будет. Но эти обрезы предназначались не для обороны, а для вооруженных ограблений. В этот миг Долли была ближе к мужу, чем когда-либо с момента его смерти. Он передал ей ключи от своего тайника и позволил ей — наконец-то! — узнать о себе все. Что делать с этим новым знанием — решать ей, и только ей.

Не прикасаясь к обрезам, Долли аккуратно обернула их мешковиной и положила обратно в яму в полу, потом поднялась на ноги. «И все это лежит здесь», — подумалось ей. Все, чем пользовался Гарри для ограблений: машины, фургоны, инструменты для разрезания сейфов, перчатки, обрезы. И теперь они принадлежат ей. Долли опустила руку в карман измазанного машинным маслом плаща, достала ежедневник и раскрыла на странице с шифрованными записями, которые она сделала после посещения банка. Итак, все, что нужно было Гарри для совершения следующего налета, записано в его тетрадях, в ее дневнике и в этом логове. Долли щелкнула ручкой и поставила четкую, смелую галочку напротив строчки «2 об.» — 2 обреза. Она улыбнулась, глядя на эту галочку, потому что услышала — почти наяву, — как Гарри одобрительно произносит: «Молодчина, Куколка».

Долли оставила фургон и стала продвигаться вглубь помещения. Гараж оказался огромным. Ее путь лежал к закутку у дальней стены, который соорудили, должно быть, из старых офисных перегородок. Некогда полированное дерево отсырело, лак облез, стекла во многих местах треснули, в углах скопилась паутина и пыль. Долли повернула ручку засаленной двери и шагнула внутрь. На ручке оставались чьи-то отпечатки, по размеру не сильно отличающиеся от пальчиков Долли, и она решила, что это следы пальцев ее мужа и что он сейчас будто бы дотронулся до нее.

В офисе Гарри было голо: раковина и маленькая газовая плитка, письменный стол, пара деревянных разнокалиберных стульев и многочисленные картинки с голыми девицами, приколотые к стенам. Грязные кружки и недоеденное печенье рассказали Долли о том, что именно здесь Гарри и его команда планировали свой последний налет, окончившийся таким чудовищным образом. Долли собрала кружки и отнесла их в давно не чищенную раковину. Когда она повернула вентили крана, в нем сначала раздался стук — это росло давление, заставляя воду бежать по трубам. Затем из крана, плюясь и брызгая во все стороны, вырвалась коричневая струя, и Долли отпрянула, чтобы спасти плащ от капель грязной воды. При этом кружки ударились о раковину, отчего две из них треснули, а у третьей отломилась ручка. Три разбитые кружки — Гарри, Терри и Джо. Набежали слезы, которые так долго сдерживала Долли, но тут, в уединении тайного офиса Гарри, она дала им волю. И они принесли такое облегчение, что у нее закружилась голова, даже пришлось схватиться за край раковины. Долли пыталась справиться с нахлынувшими эмоциями, но ничего не получалось, плотину прорвало, и пока не иссякнет поток, ее не закрыть. Невыносимая горечь от потери Гарри лишала Долли сил; вцепившись в холодный фаянс, она едва держалась на ногах. С опущенной головой Долли могла видеть только Вулфа, сидящего у ее грязных, безнадежно испорченных туфель. И вдруг Долли вспомнила, как Гарри вытащил Боксера буквально из сточной канавы, где тот переживал худший период своей жизни. «Я вижу только собачье дерьмо, — жаловался Боксер сквозь похмельный туман. — Одно дерьмо, куда ни посмотрю». Гарри взял Боксера за подбородок и сказал: «Тогда смотри выше, приятель. Пока твоя голова опущена, ты не можешь видеть ничего, кроме собачьего дерьма. Так что смотри вверх». Конечно же, никаким приятелем Боксеру Гарри не был, но всегда умел найти правильные слова.

Когда Долли наконец подняла голову, слезы уже высохли. Вулф тут же подскочил к хозяйке. Она в последний раз кинула взгляд на три разбитые кружки, взяла на руки песика и прижала к себе, не обращая внимания на то, что он измазался с ног до головы.

— Все хорошо, миленький, — прошептала Долли. — Мамочка теперь в порядке. Теперь все в порядке.

ГЛАВА 7

В спа-салон «Оазис» на Флорал-стрит Линда прибыла ровно в десять и тут же поняла, что ее лучший наряд, который она специально отгладила после звонка Долли, не шел ни в какое сравнение с шикарными платьями фланирующих по салону дам. «Да они за всю жизнь не проработали и дня», — сказала себе молодая женщина и собиралась было уже уйти, как местная администраторша, презрительно смерив Линду взглядом, спросила, кто именно пригласил ее в салон. Едва вдова Пирелли упомянула имя миссис Роулинс, как гостью приняли с распростертыми объятиями.

В ходе обязательной ознакомительной экскурсии Линда чуть не сгорела со стыда. Столько полуобнаженных женщин сразу она не видела никогда в жизни, и зрелище было не из приятных. Хуже всего была раздевалка: люди расхаживали там туда-сюда в чем мать родила, будто у себя дома. Хотя сама Линда даже дома не ходила голой — вдруг увидит мойщик окон или нагрянут судебные приставы.

Цены в баре были баснословными, и Линда решила, что сбегает в кафе напротив за булочкой с беконом и кофе. Но администраторша сообщила гостье, что достаточно назвать имя миссис Роулинс, и все будет записано на счет последней. Линда пожала плечами: получать что-либо задаром она не привыкла.

— Ну хорошо, тогда я возьму вот это, — сказала молодая женщина, кивая на сэндвич с сыром.

С сэндвичем в руке Линду препроводили в ненавистную раздевалку, где и оставили — дальше придется справляться самой. Полностью одетая, чувствуя себя круглой идиоткой, она стояла среди кабинок и старалась не смотреть на все эти зады и сиськи, бесстыдно разгуливающие вокруг нее. Надолго ее не хватило, и, опустив голову, Линда поспешно двинулась к выходу.

Пробираясь мимо гимнастического зала, Линда случайно глянула на ряд велотренажеров. Сначала она не узнала Ширли — такой похудевшей и измученной та выглядела, но нет, это была она, Ширли Миллер. Линда хотела было подойти к подруге, как дорогу ей преградила одна из ассистенток и проинформировала, что в гимнастический зал можно входить только в форме.

— Эй! — окликнула Линда углубленную в свои мысли Ширли. — Не хочешь перекусить?

Ширли обернулась и, узнав подругу, перестала крутить педали. Линда проскочила мимо администратора в зал. Женщины не обнялись, поскольку ни одна не была уверена в том, что это будет уместно, и Линда просто сказала:

— Давненько мы не виделись, а?

Они быстро установили, что в последний раз общались на какой-то вечеринке года два назад. Линда помнила о событии гораздо меньше Ширли и винила в этом бесплатные напитки для гостей, но Ширли быстро освежила память подруги. Если коротко, то ту вечеринку устраивал Гарри Роулинс, а сюда, в спа-салон, их обеих позвала его жена Долли: позвонила вдруг и сказала прийти.

Ни Ширли, ни Линда не знали точно, зачем их пригласили, но обе надеялись на какую-то денежную компенсацию, иначе зачем еще супруге покойного Роулинса их собирать?

— Ну, какой бы ни была причина, а я побалую себя здесь, сколько успею. Давай и ты не стесняйся! — С этими словами Ширли направилась в раздевалку, а Линда смущенно последовала за ней.

Ширли моментально разделась и завернулась в белое пушистое полотенце, пока Линда, изо всех сил безуспешно изображавшая небрежное равнодушие, рассматривала свои облупившиеся ногти, избегая встречаться с кем-либо взглядом. Ширли подала подруге полотенце.

— Расслабься. Долли платит, — дружелюбно сказала она.

Линда совсем позабыла, как красива Ширли, как естественны ее изящество и женственность. Даже толстое полотенце не скрывало ее прелестной фигуры, а прическа и маникюр были само совершенство. Нет, Линда не собиралась показывать Ширли, как неуютно она себя чувствует здесь, и попыталась отшутиться:

— Местные парни сойдут с ума, увидев меня голой.

— Этот салон только для женщин.

Потерпев поражение, Линда выхватила у Ширли полотенце.

— Трусы с лифчиком снимать все равно не буду. Чтобы не стащили! — буркнула она и скрылась в кабинке в расчете на уединение.

Когда Линда нагнулась, чтобы снять туфли, то встретилась взглядом с присевшей на скамью Ширли.

— Твою ж мать! — разлетелся на всю раздевалку вопль Линды. — Какой смысл в этой дурацкой двери, если от нее до пола целых два фута?

А когда Линда опять выпрямилась, то поняла, что кабинка не закрывает ее голову и плечи. Ширли не смогла сдержать смешок.

— С тем же успехом можно переодеваться в самом зале. — Линда перекинула обе руки через дверцу, и две вдовы захохотали впервые с тех пор, как получили страшную весть.

К половине двенадцатого подруги перебрались в джакузи, и Ширли с закрытыми глазами наслаждалась бурлящей водой, тогда как Линда сидела на краю ванны, опустив в воду только ноги. Из-под белого полотенца виднелся ее красный бюстгальтер, от сэндвича повсюду были крошки, но Линда не обращала на это ровным счетом никакого внимания.

— Хороший секс заменяет час на тренажерах, ты это знала? И при этом годовой членский взнос платить не нужно. — Линда засмеялась, затем затолкала в рот остатки сэндвича и сполоснула руки в джакузи. — Конечно, придется пошевелить булками — пластом полежать не получится.

— Может, сменим тему?

— Ну, у меня же теперь нет секса, а с Джо он у нас был почти каждую ночь. — Стоило Линде вспомнить про мужа, как у нее моментально испортилось настроение. — Все никак не могу привыкнуть...

Ширли приоткрыла один глаз и посмотрела на подругу. Неужели месяц без секса — самая большая проблема после того, как твоего мужа разорвало на кусочки, когда он собирался ограбить банк?

К полудню Долли так и не появилась, и Линда начала злиться. Ширли тем временем загорала в солярии совершенно голая, а Линда сидела рядом, пила кофе, жевала шоколадный батончик и жаловалась на безденежье.

— Если она продинамит нас, то выйдет, что я потратила целое состояние на жрачку, о которой не особо-то и мечтала! Мне кажется, я уже успела поправиться. Тоже мне, спа-салон называется.

— Она придет. И говори потише, — шепнула Ширли, успевшая позабыть, что порой Линда ведет себя весьма неприлично, даже в трезвом виде.

А может, Линда таки успела плеснуть водки себе в кофе, потому что говорила все громче и громче. Дважды она бросала крошки печенья попугаям в клетках, развешанных на огромных папоротниках. Администраторы просили этого не делать, но Линда игнорировала их призывы. К тому же она отпускала грубые замечания и смеялась над фигурами некоторых посетительниц салона, не понижая голоса.

Линда не хотела смущать Ширли, просто в этой роскошной обстановке ей было не по себе. Она огляделась вокруг: все эти женщины — избалованные, своенравные, заносчивые, тощие сучки, которые уже и не знают, что делать со своим богатством. И Линда собралась было уходить, как появилась Долли. Вдова Роулинса не спеша направилась к ним с Ширли, облаченная в полотенце и тюрбан. Поднимаясь по ступеням в солярий, она кивнула паре знакомых.

— Боже правый! — фыркнула Линда и ткнула Ширли локтем в бок. — Только посмотри: Лана Тёрнер жива-здорова и обитает в Лондоне.

— Здравствуй, Линда. Здравствуй, Ширли. Простите, что не послала вам цветы. Это не принято, — с улыбкой сказала Долли.

Линда закусила губу. Снисходительный тон Долли и легкомысленный намек на похороны их мужей мгновенно вызвали в ней раздражение. Такое приветствие не показалось Линде уместным, она бы предпочла «Как дела?», «Давно не виделись», «Мне жаль, что ваши мужья погибли из-за моего».

— Пойдемте в сауну. Там нам никто не помешает. — Долли пошла первой, Ширли и Линда последовали за ней так же послушно, как Вулф, словно инстинктивно знали, что лучше пойти за ней, чем остаться.

Линда раньше не бывала в сауне. Она обильно потела и переживала, не полиняет ли ее атласный бюстгальтер ярко-красного цвета прямо на белое полотенце. Ширли, привычная к сауне, тут же разлеглась на верхней полке.

— Как вы обе поживаете? — спросила Долли бесхитростным тоном, однако с недавних пор она больше не делала ничего без задней мысли; вот и сейчас ей хотелось разузнать поподробнее об этих вдовах, прежде чем поделиться с ними кое-какими своими мыслями в связи с ее последними открытиями.

Ту вечеринку двухлетней давности Долли тоже помнила. Там собрались криминальные элементы со всех уголков Лондона. Если быть честной до конца, то Ширли она почти не заметила и не могла припомнить ни одного сказанного ею слова; Линду же, напротив, невозможно было забыть.

— Терри не оставил денег на ипотеку, и если я не выиграю «Мисс Паддингтон» на следующей неделе, то придется искать работу.

Казалось, Ширли была искренне подавлена такой перспективой. Но с другой стороны, у этой двадцатипятилетней девушки не было ни образования, ни каких-то полезных навыков. О Ширли всегда кто-то заботился, и она не представляла, как выжить в одиночку.

— Прям сердце кровью обливается, — поддразнила подругу Линда. — А ты попробуй работать в трех местах одновременно, как я, когда Джо в последний раз попал за решетку. И что еще за мисс Паддингтон?

— О, это конкурс красоты! — просияла Ширли и с радостью принялась объяснять: — Меня записала туда мама. Сначала я страшно рассердилась на нее, потому что только-только потеряла Терри. Но приз за первое место — тысяча фунтов и поездка на Майорку на двоих. А еще победительница будет участвовать в следующем сезоне конкурса «Мисс Англия»!

— И потом «Мисс мира», полагаю? — спросила Долли с сарказмом, однако Ширли не заподозрила подвоха.

— Вот именно. — Глаза молодой женщины мечтательно заблестели.— Для меня этот конкурс может стать началом чего-то большого.

Долли перевела взгляд на Линду:

— А как поживаешь ты?

— Вы же знаете Джо. Сегодня густо — завтра пусто. Господи, ну и жарища тут!

Долли плеснула воды на угли, отчего лучше Линде не стало. Скорее, наоборот.

— Присядь на нижнюю полку. Стоя или на верхних полках гораздо жарче.

Светская болтовня на этом закончилась. Долли перешла к теме, ради которой вызвала сюда обеих вдов.

— Вам известно, что вместо Гарри всем теперь заправляют братья Фишеры?

— Прошел такой слушок, ага, — едва слышно отозвалась Линда, страдающая от перегрева.

— Они тебе досаждают?

— Они нет. Вот копы — те перевернули вверх дном всю квартиру и постоянно ошиваются в игровом зале, достали уже. Если не отстанут, меня точно уволят.

Долли вопросительно посмотрела на Ширли.

— Мою квартиру полицейские обыскивали четыре раза, — сказала Ширли. — А Фишеров — нет, не видела.

Линда к этому времени уже почти не слушала Долли. Все ее силы уходили на то, чтобы не расплавиться.

— Господи, ну и жарища! Какая от этого пекла польза?

Ширли много чего не знала, но в спа-процедурах разбиралась отлично.

— Сауны предназначены для того, чтобы с по́том из тела вышли все нечистоты, — объяснила она.

— Я знаю способ попроще, — начала Линда, но ее остановила поднятая ладонь Долли.

— Так, послушайте, я хочу поговорить с вами обеими. Братьям Фишерам и копам нужно одно и то же — информация.

Линда опять попробовала пошутить:

— Хм, а я-то думала, они на меня запали... — но увидела, как мимолетную улыбку Долли сменило более суровое выражение лица.

— Вы знаете, как работал Гарри, — продолжила вдова Роулинса. — Он вел записи по всем, с кем когда-либо работал. Фиксировал имена осведомителей, торговцев оружием, банкиров. Учитывал, сколько денег получено, сколько заплачено. Фиксировал каждый шаг, со всеми цифрами и датами. Эти записи были гарантией того, что на него никто не донесет и никто его не обманет.

— Не знаю, о чем вы толкуете, Куколка, — сказала Линда, совсем раскисшая от жары.

— Тогда слушай! — отрезала вдова Роулинса. — И не называй меня так. Я этого не люблю. Братья Фишеры хотят заполучить тетради с записями Гарри.

— Зачем? — спросила Ширли.

— Полагаю, их имена тоже там есть, вместе с их сомнительными делишками. Фишеры боятся, что им несдобровать, если копы доберутся до тетрадей.

— А где эти тетради сейчас?

Долли не ожидала от Ширли, не самой сообразительной девушки в сауне, столь разумных вопросов.

— У меня, — невозмутимо ответила она и стала объяснять.

Говорила Долли медленно, чтобы молодым женщинам все было предельно ясно. Ширли с приоткрытым ртом ловила каждое ее слово, а вот Линда запрокинула голову назад, закрыла глаза и молчала, часто дыша.

— Гарри всегда говорил, что хочет обеспечить меня на тот случай, если с ним что-нибудь случится. Он хотел, чтобы команда продолжила его дело. И даже пошутил однажды, что если умрет, то с этими тетрадями его ребята смогут работать по-прежнему. Но Джо и Терри погибли вместе с ним, поэтому теперь все зависит от меня. Я продолжу его дело. Я позабочусь обо всех нас. Я все сделаю так, как хотел Гарри.

Долли, у которой не выступило и капельки пота, посмотрела на внимательное лицо Ширли. Уверенности в том, что вдова Терри Миллера поняла хоть слово, у Долли не было, но, по крайней мере, Ширли слушала — в отличие от Линды, которая вдруг вскочила и заявила:

— Я больше не могу — меня сейчас вырубит!

Долли обратила на Линду полный ярости взгляд. Она тут старается, можно сказать — изливает перед ними душу, а этой грубиянке, видите ли, жарко. И Долли встала, обмотала вокруг себя полотенце и поскорее вышла, пока не наделала глупостей и не ударила Линду по голове ковшиком для воды.

— Да что я не так сделала-то? — обратилась Линда к Ширли, но лицо подруги было таким же сердитым, как у Долли.

— Ты разве не видишь, что она расстроена? — спросила Ширли. — Должно быть, ей еще тяжелее, чем нам. От ее мужа почти ничего не осталось, он обгорел до неузнаваемости. А они были женаты двадцать лет.

Линда спрыгнула со скамьи:

— А я что, не расстроена? Если я не подаю вида, это не значит, что мне все равно.

Ширли попыталась успокоить Линду, но та не слушала: расхаживала взад-вперед и грозилась высказать Долли все, что о ней думает. Однако Ширли понимала, что то были пустые угрозы. Неожиданно Линда умолкла и села на скамью, подобрав колени и спрятав лицо в ладони.

— Сегодня утром я принимала душ, — послышался ее сдавленный голос, — и мне в глаза попало мыло. Я потянулась за полотенцем, но нечаянно схватила его халат. Он пах Джо. Как если бы он стоял рядом со мной. Но это был всего лишь его халат... — И Линда зарыдала.

У Ширли дрогнули губы, на глазах заблестели слезы, и через мгновение она уже тоже плакала навзрыд, думая обо всех вещах в доме, которые напоминали ей о Терри.

Когда Долли вернулась, то застала девушек рыдающими в объятиях друг друга. Долли постаралась сохранить самообладание, но не выдержала и тоже заплакала. Такое случилось с ней впервые — лить слезы в присутствии других людей, — однако сейчас это было не важно. Она ведь делит горе не с кем-нибудь, а с такими же вдовами, как сама Долли. При них можно не бояться проявить слабость. Инстинктивно Долли доверяла этим женщинам, а доверие — это то, в чем она нуждалась в данный момент больше всего.

Постепенно слезы высохли, и Долли нашла в себе силы возобновить разговор:

— Когда я приглашала вас сюда, то еще не знала, что именно готова вам сообщить. Однако теперь я знаю. В том, что касается тетрадей Гарри, у нас два варианта...

— У нас? — переспросила Линда, но легкая улыбка Долли заставила ее умолкнуть.

— Гарри планировал налеты на несколько месяцев вперед, в этих тетрадях все подробно расписано. Поэтому если Фишеры завладеют этими записями, то станут лучшими, как Гарри. Итак, первый вариант состоит в том, что мы продаем тетради Гарри Фишерам, а те платят нам процент с каждого дела. Второй вариант такой: мы не продаем записи, а... — Долли сделала глубокий вдох, и Ширли с Линдой подались вперед, ловя каждое слово, — ...сами проворачиваем следующее дело, запланированное Гарри.

Линда истерически захохотала. Ширли молча раскрыла рот.

— Да вы прикалываетесь! — сквозь смех проговорила Линда.

— Если не хотите участвовать, то и не надо. Но одна я не справлюсь, то есть придется продавать тетради. Кто такие братья Фишеры — вы знаете сами, эти лживые и жадные негодяи наверняка меня надуют.

— Но, Долли, ведь мы не можем совершить вооруженный налет, — прошептала Линда.

— Мы вполне можем закончить то, что начали наши мужья. У них был хороший план, и все бы получилось, если бы они не использовали взрывчатку.

Линда и Ширли переглянулись. Они не знали, как реагировать на слова своей новой подруги. Долли сошла с ума? У нее от горя крыша поехала?

Долли продолжала:

— Ничто не мешало мне продать тетради, не говоря вам ни слова, и тогда не пришлось бы делиться, но я хотела быть справедливой по отношению к вам, потому что так поступил бы Гарри... Так вот, у них был отличный план. — И тут настал момент нанести сокрушительный удар. — Я пойму, если вы не согласитесь, и постараюсь выжать из Фишеров как можно больше, хотя бы по две тысячи для каждой из нас. А они сделают то, что задумал Гарри, и положат себе в карман миллион.

— Миллион? — Слово вырвалось у Ширли прежде, чем она успела зажать себе рот.

Линда по сравнению с ней была тертым калачом и знала, что если что-то кажется слишком хорошим, то верить этому не следует. И замужем за Джо она пробыла достаточно долго, чтобы понимать: дело на миллион — опасное дело. Поэтому вдова лишь улыбнулась и покачала головой:

— Миссис Роулинс, за кого вы нас принимаете? За пару наивных дурех, которые сделают все, что им прикажут?

— Вовсе нет, — спокойно ответила Долли. — Между нами больше общего, чем тебе кажется, Линда. Я знаю, что вы сейчас чувствуете, и знаю, как этому помочь. Одно дело. Ради наших мужчин, да. Но и ради нас самих тоже. Даже в большей степени. Для тебя это свобода от игровых залов, где тебе платят вдвое меньше, чем ты заслуживаешь. А тебе, — Долли повернулась к Ширли, — вообще не придется работать ни дня.

Ширли в панике выпалила:

— Я не хочу уезжать из Лондона!

— И не нужно, милочка. Никто не догадается, что это мы. Доверьтесь мне, я точно знаю, что надо делать. — Долли видела, что Ширли и Линда постепенно сдаются, и стала подталкивать их еще ближе к нужному ей решению. — Вы думаете, что Терри и Джо ничего вам не оставили? Нет, они оставили вам меня. Меня, тетради Гарри и следующее дело. Мы с вами никогда не были обычными домохозяйками. Мы знали, чем занимались наши мужья. Мы знали, почему они этим занимались. Гарри не просто так рассказал мне о своих записях. У него была причина, и эта причина — мы. Он не хотел, чтобы вы и я страдали в нищете и одиночестве. Мы заслуживаем лучшей судьбы, леди. — Долли поднялась. — Подумайте над тем, что я сказала. Я бы не стала предлагать вам такое, если бы не была уверена в успехе. И за все, что нужно будет сделать до ограбления, я вам заплачу наличными.

Линда и Ширли сидели в полной растерянности. Долли чуть не рассмеялась — настолько видно было, как мечутся их мысли.

— Я свяжусь с вами через два дня, — сказала она. — Не пытайтесь сами мне звонить. За мной следит полиция; наверное, и телефон прослушивается. Я потому и пришла сюда позднее, чем вы. Не хочу, чтобы нас видели вместе. И вы тоже уходите поодиночке и не раньше чем через двадцать минут после меня.

С этими словами Долли Роулинс покинула сауну.

Линда и Ширли сидели минут десять не шевелясь с одним и тем же ошарашенным выражением на лице. Первой заговорила Линда:

— Она свихнулась.

— Может, стоит кому-нибудь обо всем рассказать?

— Нам никто не поверит.

ГЛАВА 8

Долли кружила на машине по городу целую вечность — ездила в Уайт-Сити и обратно, пытаясь оторваться от полицейских в штатском на все том же автомобиле без опознавательных знаков, но безуспешно.

— Будьте вы прокляты! — вырвалось у нее, когда она вновь увидела их машину в зеркале заднего вида.

Сколько бы Долли ни петляла, они упорно следовали за ней. Спустя пару дней после разговора в сауне она созвонилась с Линдой и Ширли, и те согласились встретиться снова. Долли не хотела опаздывать. Но что тут поделаешь? Надо быть на сто процентов уверенной в том, что за ней не следят, в противном случае ни встречаться, ни как-то связываться с двумя вдовами она не рискнет.

Ей вспомнился один фильм, и Долли улыбнулась, прикидывая, не сработает ли и для нее та уловка, которой воспользовались киногерои. Долли нажала на газ и резко повернула на перекрестке с круговым движением, выезжая из района Шепердс-Буш на Ноттинг-Хилл-Гейт, а оттуда по Бейсуотер-роуд помчалась к триумфальной Мраморной арке. Копы по-прежнему висели у нее на хвосте. Долли несколько раз сменила полосу движения, потом повернула направо к Гайд-парку. Глянув в зеркало, она убедилась, что полицейские отстают от нее на четыре машины. Тогда Долли обогнала тяжеловесную фуру, нырнула в полосу перед ней, а потом резко свернула в служебный проезд отеля «Дорчестер». Через пару секунд Долли с Вулфом на руках уже вышла из «мерседеса» и вручила швейцару автомобильные ключи и десятифунтовую банкноту:

— Припаркуйте машину, любезный. Пообедаю и вернусь за ней через часик. — С этими словами вдова исчезла в дверях отеля.

Швейцар подошел к ее «мерседесу», сел за руль и едва успел завести двигатель, как сзади в него чуть не врезалась машина с мигалкой, из которой прямо на ходу выскочил констебль. Он подбежал к «мерседесу», распахнул водительскую дверцу и схватил швейцара за лацканы.

— Куда она пошла? В какую сторону?

Перепуганный швейцар без слов показал на двери отеля.

Эндрюс ворвался в вестибюль и стал оглядываться в поисках Долли. Ее нигде не было, и никто, даже администратор за стойкой, не видел никого, похожего на Долли. Очередного разноса от Резника, по-видимому, Эндрюсу было не избежать — инспектор еще не простил констебля за тот случай с гамбургерами.

Констебль вернулся в машину, захлопнул за собой дверцу и стал искать свободное место для парковки. Вопреки всему он надеялся, что Долли действительно где-то в отеле, и решил дожидаться ее у «мерседеса». Другого выхода у него не было.

Линда подошла к гаражам у вокзала Ливерпуль-стрит на пятнадцать минут раньше назначенного времени. Дул пронизывающий ветер, и она отчаянно мерзла. Молодой женщине не пришло в голову, что тут будет настолько темно, поэтому она не взяла с собой фонарик и долго искала во мраке строение под номером пятнадцать. Телефонный звонок Долли не стал для нее неожиданностью; и согласие на новую встречу с ней и Ширли Линда дала без колебаний. Что еще в ее нынешнем положении заставит сердце учащенно биться? После гибели Джо жизнь Линды стала поистине невыносимой. К пустой кровати она никогда не сможет привыкнуть, люди, с которыми она сталкивалась в игровом зале, вызывали у нее отвращение, а полиция обращалась с вдовой как с грязью. И самое главное — ей было чертовски скучно, а скуку Линда ненавидела больше всего на свете. Что там затевает Долли — не так уж важно, Линда с радостью подхватит, заодно сильнее сдружится с Ширли. А может, еще и получит немного деньжат от Долли.

Линда приблизилась к одному из гаражей, прижалась лицом к деревянным створкам ворот, вглядываясь в щель между ними, и чуть не взвизгнула — на нее бросилась огромная овчарка. Линда поспешно перебежала к следующему строению, подняла руку, чтобы постучать, но не успела.

— Ты рано, — раздалось у нее за спиной.

— Я не знала, сколько буду сюда добираться, а опаздывать не люблю.

Из-за холода Линда была недовольна всем на свете, и Долли сразу это поняла. К счастью, сама она пребывала в приподнятом настроении, ведь ей удалось сбежать от полицейской слежки, а потом она с комфортом прокатилась на такси. Отпирая дверь, Долли улыбнулась Линде:

— Похвальная привычка — не опаздывать.

Внутри помещения Долли невозмутимо закурила, словно не видела, как Линда кутается в плащ и подпрыгивает в попытках согреться. Вместо того чтобы предложить продрогшему человеку чаю, Долли уселась на деревянный ящик, достала черный кожаный ежедневник и в ожидании Ширли стала перечитывать свои записи. Молча злиться Линда не умела, и в конце концов ее недовольное бормотание заставило Долли заговорить:

— Чайник в дальней комнате, милочка. Мне черный кофе, без сахара. А себе налей, что хочешь.

Линда состроила гримасу, но прошла в комнатку в глубине ангара, где ее ждали три новые кружки, новый чайник и нераспечатанная пачка печенья.

— Ну давайте, расскажите, какой у вас план! — крикнула она Долли.

— Сначала дождемся Ширли, — отозвалась та, не отрывая взгляда от ежедневника. — Сегодня вечером проходит эта самая «Мисс Паддингтон», Ширли не будет еще минут двадцать.

— Могли бы и предупредить! — возмутилась Линда.

— Ты разве была чем-то занята? — Это было обидно, ведь Долли прекрасно знала, что у Линды ничего интересного в жизни не происходит. — Мы команда, Линда. Дождемся Ширли.

Сидя в такси рядом с матерью, Ширли чувствовала, что с одного глаза сваливаются накладные ресницы, но поправить их не было сил. Если бы не потекший от слез макияж, выглядела она на миллион долларов — в черном вечернем платье с блестками, на каблуках, с искусственным загаром и таким количеством лака на волосах, что им можно было бы потопить корабль. К плечу все еще был приколот номер участницы конкурса красоты.

И мать, и дочь хранили натянутое молчание. Первой нарушить его решилась Одри.

— Я вовсе не имела в виду, что ты проститутка! — прошептала она, надеясь, что таксист не услышит. — Я просто хотела узнать, откуда у тебя деньги на это платье.

Ширли уставилась в окно, стараясь не расплакаться снова.

В течение всего конкурса она не могла сосредоточиться, хотя была гораздо красивее остальных девушек и легко победила бы. Одри невероятно гордилась дочерью и ни секунды не сомневалась, что приз у них в кармане. Но когда Ширли сняла пальто и предстала перед матерью в шикарном новом наряде, та отпустила замечание в том духе, что только проститутки могут позволить себе подобные обновки. И с этого момента все пошло не так. Одри попыталась исправить ситуацию и крепко обняла Ширли перед выходом на сцену: «Порви их всех, доченька. Ты красавица, с тобой никто не сравнится». После чего ляпнула вторую глупость за вечер: «Мы с Терри будем в первом ряду, в центре». Она хотела сказать «с Грегом». Одри кляла себя на чем свет стоит, видя, как задрожали у дочери губы, но даже не успела извиниться, потому что ведущий вызвал Ширли на сцену.

Когда дочь вышла в свет прожекторов, мысли ее были так далеко, что на вопрос о хобби Ширли сумела пробормотать только что-то несвязное насчет овощей и книг.

Вину за фиаско Одри целиком и полностью взяла на себя. Ширли не переубеждала мать, — по правде говоря, голова ее была забита совсем другим. После того как Одри вышла, а такси повезло Ширли к вокзалу Ливерпуль-стрит, ей вспомнились события недельной давности.

Она проторчала в женском туалете в Риджентс-парке не меньше получаса, когда наконец туда деловито вошла Долли и принялась поправлять перед зеркалом макияж.

— Вам удалось улизнуть? — спросила Ширли, имея в виду постоянный полицейский эскорт Долли.

— Нет, — ответила Долли, накладывая свежий слой помады на растянутые губы. — Констебль Эндрюс снаружи, присматривает за Вулфом.

Закончив с макияжем, Долли достала из сумки увесистый конверт и протянула Ширли, которая все еще сомневалась, не розыгрыш ли все это.

— Тут с лихвой хватит на несколько взносов по ипотеке. Ты будешь получать столько же каждый месяц. Встречаемся снова в следующий вторник, сразу после «Мисс Паддингтон». Все подробности в конверте.

— Долли, я... — залепетала Ширли. — Я не знаю, смогу ли... Ведь надо будет стрелять, да?

— Не переживай. Давай договоримся так: если ты не придешь во вторник, это будет означать, что ты не в деле. Хорошо?

Ширли сжала пальцами конверт. Там прощупывалась пачка купюр.

— Просто вернешь мне деньги, вот и все. — Долли понимающе улыбнулась, после чего без лишних слов ушла.

Когда Ширли наконец посмела выглянуть из туалета, то заметила вдалеке мужчину, — судя по всему, он возвращался к своему автомобилю. Перед тем как сесть в машину, незнакомец оглянулся на Долли, удаляющуюся в противоположном направлении с Вулфом под мышкой. «У этой женщины стальные нервы, — восхитилась про себя Ширли. — И вряд ли в отчете полицейского будет этот эпизод с туалетом».

Линда допивала вторую чашку чая, когда они с Долли услышали стук в главные ворота гаража. Появилась Ширли. Она ковыляла на высоких каблуках по неровному полу, задевая об углы чемоданом и извиняясь за опоздание.

— Черт побери, ну и прикид! — воскликнула Линда. — Долли, гляньте, как она вырядилась. И что это у тебя — накладные ресницы, что ли?

Ширли уронила чемодан прямо в маслянистую лужу, и свеженький автозагар на ее ногах покрылся рябью брызг. Девушка отпрыгнула, сломала каблук и, потеряв равновесие, плюхнулась на капот самой грязной машины в помещении. На глазах у Ширли немедленно выступили слезы.

— У меня восьмое место! Я выставила себя полной идиоткой, еще и маме нагрубила!

Линда попыталась утешить подругу:

— Восьмая — так не последняя же, Ширл. Сколько всего вас там было?

— Десять... — жалобно всхлипнула девушка, и Линде пришлось поскорее отвернуться, чтобы спрятать улыбку.

Ширли поднялась с капота и попыталась отряхнуть сзади свое пальто. Нащупав на ткани что-то липкое, она посмотрела на ладонь — оказалось, машинное масло. Бедняжке страшно было подумать, как теперь выглядит ее прекрасное бежевое пальто. Последней каплей стало открытие, что при падении она сломала ноготь. Утирая слезы, Ширли сказала:

— Я не собиралась приходить.

— Тебя кто-нибудь видел? — спросила Долли, втайне довольная появлением Ширли: всегда приятно, когда все идет по плану.

— Нет. Я вышла перед вокзалом, как вы велели.

— А ты сама кого-нибудь видела?

— Ну разумеется, видела! Это же, черт возьми, вокзал в час пик! — вспылила Ширли, но быстро взяла себя в руки.

Долли попыталась успокоить девушку и принялась поглаживать ее по голове — точь-в-точь как Вулфа, а Линду отправила делать кофе.

— Стоило переться сюда через весь город, чтобы бесплатно поработать официанткой, — бурчала Линда, ставя чайник.

Десять минут спустя три женщины, запасшись чаем, кофе и печеньем с кремом, сидели вокруг большого ящика и рассматривали карты и схемы, которые принесла Долли. Линда жевала сласти, Ширли обкусывала обломанный ноготь, стараясь придать ему приемлемую форму, и отмахивалась от дыма сигареты, которую курила Долли, склонившись над планами и методично записывая в ежедневник то, что требовалось купить, сделать, изучить.

— Главная проблема — как все это нести на себе отсюда... — Долли дополнила свою схему туннеля под Стрэндом аккуратной линией, — в то место, где у нас будет припаркована машина. На ней мы скроемся от преследования. Бежать до нее ярдов пятьдесят.

Долли оторвала глаза от схемы и увидела, что Линда поглощена слизыванием крема с печенья.

— Ты слушаешь? — поинтересовалась женщина.

Линда бойко повторила все, что говорила Долли:

— В туннеле краденый грузовик перегораживает дорогу машине инкассаторов спереди. Еще один краденый фургон блокирует ее сзади. Один стрелок держит под контролем водителей остальных авто. Второй стрелок заставляет инкассаторов открыть дверцы их машины. Затем набиваем рюкзаки деньгами.

— Очень тяжелыми деньгами, — уточнила Ширли.

— Очень тяжелыми деньгами, — согласно повторила Линда. — Пятьдесят ярдов бегом до третьей машины, чтобы скрыться от полиции. — Она явно гордилась собой.

«Строптивая сучка», — подумала Долли. Пока она решила закрыть глаза на дерзость Линды, но сделала мысленную пометку о том, что надо будет заняться ее укрощением.

— Кому-то из нас предстоит научиться пользоваться бензопилой, и вот это по-настоящему тяжелая штука, — продолжила Долли.

— В руках у меня совершенно нет силы, — заметила Ширли. — А вот ноги довольно крепкие, так что рюкзак с деньгами не должен стать проблемой.

— Тебе уже доводилось носить за спиной треть миллиона мелкими купюрами? — сухо спросила Долли.

Ширли сникла. Она слишком устала, чтобы подсчитывать, сколько весит эта мифическая треть миллиона в купюрах, поэтому сменила тему:

— Что будет, если на нас набросятся люди из машин в туннеле?

Ей ответила Линда:

— Ты что, не слышала? Я же только что сказала: один стрелок держит под контролем водителей остальных авто. Стрелок — это я. И пусть твоя хорошенькая головка не тревожится: в мою смену геройствовать никто не осмелится. — Линда ухватила еще одно печенье. — А что насчет взрывчатки?

Долли смерила Линду долгим холодным взглядом, после которого никаких слов уже не требовалось. «Если бы взгляды убивали, я бы давно валялась на полу», — подумала Линда.

— Извиняюсь, — сказала она и потянулась, чтобы утешительно похлопать Долли, но женщина отдернула руку и избежала ненужных сантиментов.

— Скоро я встречусь с осведомителем. Судя по записям Гарри, машина инкассаторов всегда проезжает через этот туннель, но время и маршрут могут различаться. Примерно раз в месяц они перевозят особо крупную сумму, и наша цель — именно такая перевозка, ориентировочно — через четыре месяца. Осведомитель должен назвать точную дату и путь следования, после чего нам нельзя будет терять ни минуты.

Долли наклонилась, доставая что-то из сумки, и Линда с Ширли, переглянувшись, закатили глаза. Два месяца, четыре или шесть — она что, всерьез полагает, будто они сумеют совершить вооруженное ограбление?

Когда Долли выпрямилась, в ее руке было два больших коричневых конверта.

— Найдите себе по машине, — велела Долли, раздавая конверты. — Заплатите наличными и убедитесь, что все налоги на машину оплачены и техосмотр пройден. После дела мы от них избавимся.

Линда открыла конверт и чуть не ахнула. У нее заблестели глаза и по коже побежали мурашки: да тут штуки две, не меньше! Заканчивая собрание, Долли раздала девушкам ключи от гаража, и Линда приняла их с улыбкой до ушей.

— Итак, теперь этот ангар будет нашим штабом, — сказала Долли, завершая встречу. — Приходим и уходим с максимальной осторожностью. — Второй комплект ключей она протянула Ширли. — Вот он, твой шанс, милочка. Ты с нами или нет?

Ширли прижала к себе конверт с деньгами, взглянула на Линду — та ободряюще закивала — и взяла ключи.

Долли поднялась, вполне удовлетворенная тем, чего удалось достичь за вечер.

— На сегодня всё, — объявила она. — Наиглавнейшее правило: ни одна из вас не должна звонить мне или приходить ко мне домой, я сама свяжусь с вами, когда будет нужно. Кроме денег, в этих конвертах вы найдете список дел. Действовать будем поэтапно. Перво-наперво решите вопрос с машинами, а ты, Ширли, купи одежду — какую именно, указано в твоем конверте.

Согласия своих сообщниц Долли не ждала — она в нем не нуждалась. Ширли и Линда взяли у нее деньги и ключи. Теперь они были одной командой, и главной здесь была она, Долли. Девушки исполнят все, что она им велит, — так же, как Джо и Терри делали все, что им велел Гарри.

— Уходите поодиночке — как из спа-салона. Последняя закрывает. — И Долли ушла, а верный Вулф потрусил за ней следом.

Линда и Ширли остались сидеть перед ящиком с конвертами в руках. Они слышали, как удаляются за воротами шаги Долли и как зашлась в лае злобная овчарка, потом все стихло.

Ширли заговорила первой:

— Линда, тебе страшно?

— Если бы я поверила, что все это правда, то обделалась бы от страха, дорогуша, — засмеялась Линда и вынула из конверта деньги, чтобы пересчитать их.

С этим Ширли была согласна, но ее беспокоило состояние Долли.

— Она слегка того, да?

— Да она как следует того! Послушай, Ширл, я не знаю, почему Долли все это затеяла, но ей как будто бы легче от всех этих дел. И должна признаться, от этих разговоров я тоже чувствую себя лучше, у меня вон мурашки по всему телу.

— Ты просто будешь делать, что она велит, и все?

— Я не гордая. И мне нужны деньги. Джо оставил меня нищей, и у тебя с Терри то же самое. Долли в конце концов придет в себя, и мы все вернемся к нашей прежней жизни, но пока я не намерена отказываться от денег. Ну а Долли пусть живет в своей маленькой фантазии, мы просто составим ей компанию. — Линда видела, что решение подыграть Долли не дается Ширли так легко, как ей. — Мы делаем ей одолжение, Ширл. Благодаря нам она под присмотром, у нее есть чем себя занять... Без нас она, того и гляди, станет голышом разгуливать по Трафальгарской площади с дорожным конусом на голове.

Для пущей убедительности Линда похлопала Ширли по руке, и та заметила, что на пальце у подруги больше нет обручального кольца. Потом Ширли перевела взгляд на свои длинные тонкие пальцы. Они подрагивали, и от этого ее обручальное кольцо сверкало в тусклом свете гаража. Никакого душевного подъема или, как выразилась Линда, мурашек по всему телу она не ощущала. Если Долли таким способом пытается справиться со своим горем, то смеяться над ней очень стыдно. А если они, три вдовы, взаправду планируют совершить вооруженное ограбление, задуманное их покойными мужьями, то одна мысль об этом приводила Ширли в ужас. Однако конверт с деньгами стал для нее спасательным кругом. Без него она потеряла бы квартиру.

— Ладно, — сказала Линда, помогая Ширли встать на ноги. — Пора по домам.

Шагая по улице к отелю «Дорчестер», Долли отыскала взглядом машину Эндрюса, припаркованную неподалеку. Он был до скуки предсказуем, этот туповатый вояка. Проходя мимо опущенного окошка его машины, женщина не смогла удержаться от насмешливой улыбки. Гостиничному швейцару достались щедрые чаевые, когда он подогнал ей «мерседес», и затем Долли отправилась домой — с видом кошки, наевшейся сливок.

Приехав, Долли заперла гараж, подождала, пока Вулф не сделает свои дела в палисаднике, и наконец вошла в дом. Обычно она пользовалась проходом из гаража в кухню, но сегодня ей хотелось подразнить Эндрюса. Доставая из сумочки ключи от главного входа и отпирая дверь, Долли с гордостью припоминала, с какой ловкостью избавилась сегодня от хвоста. Но едва она вошла в прихожую, самодовольная улыбка сползла с ее лица, с головы до пят ее окатила ледяная волна шока, а глаза обожгли гневные слезы. В ее идеальном доме все было перевернуто вверх дном: ковры в передней сорваны, вазы и статуэтки сброшены на пол, обивка на мебели распорота, растения вытряхнуты из горшков вместе с землей.

Через приоткрытую дверь гостиной лился свет, и Долли неслышно пошла на него, на цыпочках обходя осколки керамики и фарфора. Однако она замерла на месте, услышав звук, с которым пластинка касается проигры-вателя. Потом тишину нарушили слова ее любимой пес-ни: «Что мне жизнь без тебя? Что мне жизнь, если ты мертв...» Долли стала медленно открывать дверь — и за-жала рот рукой. Комната была разгромлена. Из ее пре-красного дивана торчали пружины, рамки с фотографи-ями были сброшены на пол и растоптаны. Долли только-только привела дом в порядок после обысков полиции, а теперь это! Ее охватило бешенство, и Долли пнула дверь так, что створка с грохотом ударилась о стоящий у стены комод.

Боксер Дэвис подпрыгнул и уронил рамку с фотогра-фией Гарри, которую держал в руках. Костюм и волосы верзилы были обсыпаны клочками наполнителя из вы-потрошенного дивана. Он выглядел настолько нелепо, что страх Долли тут же улетучился. Ни слова не говоря, она подошла к проигрывателю и сняла с пластинки иглу. В наступившей тишине заскулил Вулф. Не понимая, что делать, он бегал по комнате и застревал в разорванных подушках.

— Это не я, Куколка, честное слово, — трусливо за-ныл Боксер.

Долли обернулась к нему и заорала:

— Не смей меня так называть!

Боксер со слезами на глазах умолял Долли выслу-шать его.

— Я ничего не мог поделать. Он как с цепи сорвался. Если бы ты была здесь, Долли, он бы и тебя разорвал на куски. Клянусь! Я так рад, что тебя не было! Я и правда ужасно этому рад!

— Кто это сделал? — спросила Долли сквозь стисну-тые зубы.

— Тони Фишер. Он считает, что ты знаешь, где Гарри спрятал свои тетради.

— А ты просто стоял рядом и молча смотрел, как он разносит мой дом?

Боксер топтался вокруг Долли, едва не плача от стыда за то, что произошло, и снова и снова повторял, что сам он ничего не трогал.

— Я пытаюсь помочь тебе, Долли. Беспокоюсь за тебя. Они больше не предлагают денег. Им нужны эти тетради.

Долли присела на распоротое бархатное кресло, и Вулф тут же пристроился рядом.

— Я же сказала тебе, что не знаю, где Гарри спрятал свои тетради. Я сказала это тебе и копам.

— Но они не верят. Зато я верю, Долли, верю, что ты не знаешь. Но все равно эти тетради ведь где-то есть, так? Может, нам стоит поискать их вместе? А Тони Фишер хочет еще наведаться к остальным вдовам.

Долли почувствовала, как внутри у нее все сжалось.

— Какого черта ему от них надо? Если я ничего не знаю, то откуда им знать?

— Тони так не думает, Долли. То есть он вообще не думает, а просто мучает кого-нибудь до тех пор, пока не получит желаемого.

Зажав голову руками, Долли отчаянно пыталась сообразить, мог ли Тони узнать о ее встречах с Линдой и Ширли. Действовала она всегда с крайней осторожностью, но все равно переживала.

Боксер опустился перед женщиной на корточки и принялся похлопывать ее по колену, часто моргая, — вылитый орангутан. Долли боролась с желанием ударить его. Противостоять Фишерам, не имея четкого плана, было чистым безумием, а обратиться за помощью не к кому. Значит, во-первых, ей нужно время, чтобы все обдумать, а во-вторых, надо как-то уберечь от Тони других вдов. У Долли закружилась голова.

— Как Фишер попал в мой дом? — спросила она.

Боксер заулыбался, вытащил из кармана пиджака старую пластиковую карточку и поднял ее повыше, чтобы Долли могла разглядеть.

— Ты что, не знаешь, что за мной и моим домом следят? — подняв глаза на Боксера, спросила вдова.

— Но... ты же меня не выдашь, Куколка? — заблеял тот, явно нервничая.

Выходит, про полицию он не знал и теперь распереживался, что его арестуют за вторжение в чужой дом.

— Перестань меня так называть! По-моему, у тебя и без меня неприятностей хватает: зря ты переметнулся к Фишерам, Боксер, это может быть опасно. Они, в отличие от моего Гарри, не слишком умны. Сам посуди: если копы обыскали мой дом сверху донизу и не нашли эти тетради, то с чего Тони Фишер взял, будто он их отыщет?

Боксер покачивался на пятках и безмолвно смотрел на Долли в ожидании подсказки. Его бедного мозга не хватало на то, чтобы одновременно соображать и говорить.

— А сейчас оставь меня в покое, Боксер. Приходи лучше завтра с утра, поможешь прибраться, и мы вместе с тобой посмотрим, нет ли где тайников, не замеченных копами и Тони.

Боксер просиял, словно ребенок, которому дали самое большое мороженое в мире.

— Приду! — Он радостно вскочил на ноги. — Пораньше, часам к девяти, да?

— К семи.

— В семь еще лучше. Да, буду у тебя в семь. Сегодня мне еще нужно отчитаться перед Фишерами, и я им скажу, что ты готова помогать. А завтра мы как следует поищем, и все будет хорошо.

Долли поверить не могла, что можно быть настолько тупым. Повеселевший Боксер чуть не вприпрыжку побежал к выходу. Долли закрыла за ним дверь и дважды проверила входы в дом. Затем она попыталась хоть немного прибраться на кухне. Все содержимое морозилки лежало на полу перед холодильником; повсюду валялись осколки фарфорового сервиза и столовые приборы. У Долли не было сил наводить порядок, поэтому она сделала себе кофе и снова села на изувеченный диван в разгромленной гостиной.

Женщина понимала, что должна рассуждать здраво, как это всегда делал Гарри, однако ей было не сосредоточиться. Мысли путались, потому что взгляд то и дело натыкался на разбитые статуэтки фабрики «Каподимонте», которые когда-то подарил ей Гарри. Долли посмотрела на Вулфа.

— Что бы сделал Гарри на нашем месте, а, миленький мой? Что бы сделал папочка?

Она подумала о полицейском автомобиле перед домом. Ей захотелось позвонить Резнику и рассказать о том, что его безмозглые подчиненные катались вслед за ней в «Дорчестер», вместо того чтобы помешать Тони Фишеру и Боксеру вломиться в ее прекрасный дом и все тут разрушить. Долли подошла к окну и прищурилась, глядя в узкую щель между плотными бархатными портьерами.

— Идиоты! — прошипела она. — Вы смотрите, как с моего переднего крыльца спускается Боксер, и вам не хватает ума задуматься, каким образом он сюда попал!

Долли отвернулась от окна, и опять перед ее глазами предстала разрушенная гостиная. Вдруг среди обломков и обрывков она заметила фотографию мужа — ту, что уронил Боксер при ее появлении. Сначала Долли стало грустно при виде красивого улыбающегося лица Гарри под треснувшим стеклом, но потом ей показалось, что он пытается ей что-то сказать.

— Что ты говоришь, Гарри? Как мне поступить? — тихо произнесла она, опускаясь на пол и беря в руки портрет. Долли посмотрела в глаза мужу и не смогла сдержаться: — Я любила тебя. О, как же сильно я тебя любила! Боже мой, Гарри, я все еще тебя люблю! Ты бы никогда не позволил этим ублюдкам Фишерам причинить мне такую боль.

Потом, словно Гарри вновь оказался рядом с ней, Долли внезапно успокоилась. Он поможет ей пережить эти несколько месяцев, поможет совершить налет. Долли была уверена в этом. В конце концов, ведь она делает это ради Гарри. Долли искренне поверила в то, что муж будет оберегать ее и не допустит, чтобы с ней случилось что-то плохое.

Этой ночью Долли крепко спала — впервые после того, как узнала о гибели Гарри.

ГЛАВА 9

Долли была на ногах с шести утра — наводила порядок. Поначалу трудно было понять, за что хвататься. Обычно по утрам она обходила дом с пылесосом, но сегодня даже ковра не было видно под разбросанными вещами.

К тому моменту, когда на подъездной дорожке показался Боксер, Долли в самой старой своей одежде, фартуке и с платком на голове выбрасывала в мусор очередной мешок разбитых воспоминаний. Очевидно, для Боксера семь часов было слишком рано. Он шаркал ногами и покачивался, как зомби, однако мысль о поисках записей Гарри пробудила в нем определенный энтузиазм.

Вторым зомби на улице был крайне утомленный молодой полицейский в машине, припаркованной в квартале от дома Роулинсов.

— Вы совсем не следите за тем, что происходит, да? — воскликнула Долли, а потом повернулась к своему верному песику: — Вот глупый коп.

В гостиной Боксер оценивал ситуацию.

— С чего начать? — спросил он.

Уборку, и особенно уборку после погрома нельзя было назвать его любимым занятием.

— Так, — выдохнула Долли. — Выброси все, что нельзя починить, но диванные подушки и гардины сложи в отдельный пакет, с ними еще можно что-то сделать.

Когда освободится ковер, пропылесось его. Пылесос под лестницей в шкафу.

— Все понял, Долли, — просиял Боксер. Короткие точные указания он воспринимал отлично. — Мы быстро приведем тут все в порядок.

Глядя, как Боксер подбирает последние из разбитых статуэток итальянского фарфора, Долли поняла, что ущерба не так много, как ей показалось на первый взгляд. Диван, скорее всего, можно отремонтировать, а уж грязные следы на ковре она сумеет оттереть. Больше всего Долли ранило беспардонное вторжение в ее дом. И полиция, и Фишеры, видимо, пребывали в уверенности, что ее можно ни во что не ставить — и ничего им за это не будет.

На втором этаже с кроватей было снято все белье, и стиральная машина загружена уже в третий раз. Когда Долли собирала одежду, вываленную из шкафа на пол, в дверях появился Боксер.

— Ну как, нашла что-нибудь? — спросил он с обычной своей широкой ухмылкой.

Верзила вел себя так, словно был ее лучшим другом, словно ничего не произошло, словно не он виноват в том, что ее дом перевернули вверх дном.

— Давай я сначала разгребу эти завалы, хорошо? А то леса за деревьями не видно.

— О, прости, Долли.

— Как только мы все разложим по местам и приберемся, то обыщем все уголки, Боксер, не волнуйся. — Она ободряюще улыбнулась, и мужлан потопал вниз.

Улыбка исчезла с лица вдовы, как только он скрылся из виду. Долли понимала, что в наведении порядка и чистоты от Боксера мало пользы, но теперь ей нужно было сохранить с ним хорошие отношения. У нее появился план, и этому тупице в нем отводилась важная роль.

———————

Линда явилась на склад-стоянку подержанных автомобилей задолго до начала аукциона. С брошюрой в руках она бродила по рядам выставленных на продажу машин, осматривала их одну за другой, пытаясь понять, что бы хотела купить. В машинах она немного разбиралась — знала, как выглядит и как звучит хороший двигатель, что нужно проверять при покупке, как завести машину без ключа. Джо многому ее научил — и тому, что происходит под капотом, и тому, что делается на заднем сиденье...

В конце концов Линда решила, что ей нравится красный «форд-капри», и принялась флиртовать с продавцом. Тот легко поддался ее чарам, с готовностью отвечал на вопросы о «капри» и быстро уверился в том, что эта горячая штучка не прочь позабавиться с ним, раз так громко хохочет над его плоскими шутками и позволяет щупать себя за зад. Продавец согласился проверить двигатель «форда». Линда на мгновение прижалась к мужчине всем телом и томно улыбнулась. Она была так занята получением скидки, что не заметила, как к стоянке подъехал серебристый «ягуар» Арни Фишера.

Арни с кожаным портфелем в руке направился через лабиринт автомобилей к офису, где проводились аукционы, но по пути заметил Карлоса и остановился. Молодой человек стоял, прислонившись к капоту «роллс-ройса», который намеревался купить. Арни поправил галстук.

— Так бы и съел его... — прошептал он себе под нос и подмигнул любовнику.

Карлосу нравилось, когда Арни открыто проявлял свои чувства. Это делало его, Карлоса, особенным, а человек вроде Арни мало за кем признавал право на особенность.

На Карлосе был весьма приличный костюм. «Мальчик быстро учится», — отметил про себя Арни, оценивающе глядя на любовника холодными голубыми глазами.

Грубая фактура его не привлекала. Он любил опрятных, стильных мальчиков, хотя в Карлосе и было что-то первобытно-животное. Фишер решил, что, пожалуй, парень слишком увлекается золотыми цепочками. Надо будет поговорить с ним на эту тему, но попозже, когда они останутся наедине.

Карлос стал нахваливать выбранный им «роллс-ройс»: и пробег небольшой, и состояние отличное. Достаточно кое-что подкрасить да настроить получше двигатель — и будет конфетка. Молодой человек поднял крышку капота и склонился над моторным отсеком. Арни ничегошеньки не понимал в двигателях, но полез под капот вслед за Карлосом, чтобы под благовидным предлогом прижаться к любовнику всем телом хоть на минуту. Фишер заметил, что Карлос даже постарался вычистить грязь из-под ногтей; да, этот мальчик далеко пойдет. Арни чувствовал, что все сильнее привязывается к своему бойфренду.

Потрепав молодого человека по щеке, Арни вручил ему портфель:

— Здесь достаточно бабок, чтобы купить этот «роллс-ройс».

— До какой цифры можно поднимать цену?

— Уже все схвачено, Карлос, дорогуша. Выше стартовой цены торг не пойдет. Им известно, что эту машину хочу купить я. Других покупателей не будет.

Арни оказался прав: аукцион на «роллс-ройс» был объявлен и завершен молниеносно. Карлос назвал цену, выиграл за отсутствием конкурентов, расплатился наличными, и менее чем через полчаса парочка уже ехала обедать в шикарный ресторан.

Линда при содействии влюбчивого продавца купила свой «капри» с хорошей скидкой. Пока она отсчитывала банкноты, продавец с похотливой ухмылочкой придвинулся к ней поближе, попытался сунуть ей под плащ руку... и наткнулся на ледяной взор.

— Отвали, или я закричу, — прошипела Линда.

Продавец, конечно, сразу все понял. Когда молодая женщина покидала аукцион, зажав в руке ключи от своей новой машины, то расслышала злобный шепот:

— Чертова шалава!

Грег, брат Ширли, уверял сестру в том, что все было законно и тачку он не угнал, а купил. Однако девушка продолжала сомневаться, несмотря на то что названная братом цена ее устраивала, да и сама машина нравилась. Одри, допивающая пятую чашку чая, заявила, что Грег машину наверняка украл, потому что, судя по объявлениям в газете, такая стоит в два раза больше. Жаркие препирательства Одри и Грега тут же прекратились, когда Ширли бросила на кухонный стол пачку денег. Одри застыла с чашкой в руке, не донеся ее до рта. Грег дернулся, чтобы схватить всю пачку, но Ширли его опередила и отсчитала семьсот пятьдесят фунтов за машину. Тогда Грег отдал сестре ключи с сервисной книжкой и, прежде чем его снова начнут донимать расспросами, исчез.

Ширли знала, о чем сейчас думает мать, а потому, упреждая неловкие вопросы, тут же солгала:

— Деньги были в чемодане Терри. Или ты думаешь, что я смогла бы наторговать собой на тысячу всего за неделю?

— Тысячу? — взвизгнула Одри. — В чемодане? А копы ее не нашли?

Врать Ширли не умела, но решила стоять на своем до конца:

— Да! Деньги были спрятаны за подкладкой чемодана, копы были слишком увлечены флиртом со мной, чтобы тщательно все проверить.

— И когда же ты нашла эту тысячу? И почему мне не сказала?

— При чем здесь ты, мам? — нахмурилась Ширли.

— Вообще-то, мы все еле сводим концы с концами! Та стиральная машина, что ты мне отдала, не пошла ко мне пешком, знаешь ли. Пришлось нанимать грузовик. А это не такое уж дешевое удовольствие! Я просто хочу знать, откуда у тебя эти деньги. Я же твоя мать, в конце концов.

Ширли вытащила из пачки купюру в пятьдесят фунтов и протянула Одри:

— Прости, что моя стиральная машина досталась тебе не совсем бесплатно. Мне очень жаль, мам.

Возможно, другой, более гордый человек на месте Одри ушел бы немедленно, хлопнув дверью, чтобы дочери впредь было неповадно пытаться подкупить мать. Но Одри не ушла, а вместо этого быстро взяла деньги из рук Ширли и тут же спрятала.

— Давай-ка обкатаем твою новую машину — доедем до паба, — предложила она. — Ширли, ты угощаешь.

Малолитражка «мини» не завелась ни с первого раза, ни со второго, но на третий наконец ожила и загудела, потом фыркнула и рывками поехала по дороге. Ширли сказала, что тормоза какие-то тугие, и потом выругалась, потому что отвалился один из дворников лобового стекла.

— Если Грег все это не починит, я ему покажу, — грозно пообещала разъяренная Ширли.

— Может, дело в том, как ты водишь, дорогая, — заметила Одри.

— Терри научил меня водить, и экзамен на права я сдала с первого раза, — горячо возразила Ширли.

Объехав квартал, Ширли решила, что машина не так уж и плоха на самом-то деле. Девушка высадила мать перед пабом и сказала, что хочет устроить своей «мини» проверку посерьезнее. Купить именно эту марку и модель Ширли согласилась из-за большого багажника, куда можно будет сложить все снаряжение, нужное для налета. И цвет у нее был подходящий — ничем не примечательный, в автомобильном потоке она не привлечет внимания. Будь Ширли свободна в выборе, то купила бы машину ярко-желтого цвета, но ничего, еще успеется, с третью миллиона можно будет позволить себе и не такое. Ширли засмеялась над собой: кто бы мог подумать, что она станет приобретать автомобиль, исходя из его удобства для ограбления!

Чем дальше ехала Ширли, тем спокойнее становилась и вскоре вернулась в обычное свое состояние: стала подумывать о том, что неплохо бы зайти в парикмахерскую и сделать прическу и не следует ли заодно освежить мелирование, а может, и чуть высветлить волосы; да и хороший массаж, пожалуй, был бы кстати...

Линда поставила ногу на педаль газа и проследила за стрелкой спидометра — та быстро прыгнула на семьдесят... семьдесят пять... восемьдесят. Ах, какое упоение! Быстрый взгляд в зеркало заднего обзора — никого нет, и нога давит сильнее: восемьдесят пять... девяносто. Удачная покупка, похвалила себя Линда, как вдруг из-под капота вылетел клочок дыма, потом еще один, и вот уже дым повалил валом, так что Линда едва различала дорогу, а потому вырулила на обочину, вышла, пнула переднее колесо и выругалась.

Потом, сидя на капоте еще дымящейся машины, Линда неожиданно для себя развеселилась.

— Какого черта я психую? — спросила она вслух.

Одним из заданий в списке Долли было изучение основ авторемонта. Ну так можно приступать — прямо с починки только что купленной рухляди.

Мимо проносились автомобили; водители-мужчины сигналили, но не останавливались. Линда и не хотела помощи. Ее охватило ощущение собственной силы. В кармане у нее деньги, рядом собственная, хотя и подержанная, машина. Она узнает, как ее починить. Линда позвонит Джино и попросит познакомить с его приятелем-автомехаником. Она будет учиться на практике, а не по книгам и во всем быстро разберется. И уж конечно, не ради этой безумной затеи с ограблением, а ради себя. Линда не могла припомнить, когда в последний раз чего-то добивалась сама. Теперь все будет иначе.

ГЛАВА 10

Боксер сидел за только что отмытым обеденным столом и уплетал яичницу с беконом с такой жадностью, словно неделю ничего не ел. Наконец он вытер куском хлеба тарелку, съел его и, громко прихлебывая, допил чай, после чего удовлетворенно откинулся на спинку стула.

В этот момент в кухню вошла Долли, неся в руках пару старых пиджаков Гарри.

— Встань! — приказала она.

Боксер подскочил, ожидая, что его снова отправят работать. Увидев же, что Долли держит перед ним один из пиджаков для примерки, от избытка чувств на некоторое время онемел и, похоже, чуть не пустил слезу.

Долли помогла Боксеру надеть пиджак и по привычке одернула полы, смахнула пылинки с плеч, как тысячу раз делала для Гарри. Боксер был примерно одного сложения с ее покойным мужем, только шире в талии, поэтому на нем пиджак сходился с трудом. Сам громила тем не менее счел, что выглядит на миллион долларов.

— Ого, чистая шерсть! Очень хорошая вещь, — сказал он Долли, поглаживая ладонями ткань.

С непроницаемым выражением на лице она смотрела на Боксера в дорогой одежде ее покойного мужа.

— Если хочешь, могу отдать еще несколько рубашек и две пары брюк, — произнесла она безразличным тоном.

Боксер помолчал.

— Я буду хранить их как сокровище, — наконец неуклюже произнес он.

— Прости, что не предлагаю ничего получше.

Расставание с любимыми вещами Гарри было для Долли невыносимо. Они так и висели в гардеробе, выстиранные и выглаженные. Долли даже начистила ботинки Гарри, и они тоже стояли в шкафу, словно он просто уехал по делам и скоро вернется.

Понимая, что чувства грозят выплеснуться наружу, Долли вскипятила воду и заварила еще чая — обыденные дела помогают вернуть самообладание, а оно необходимо ей для исполнения задуманного. Пока Боксер обедал, Долли прибиралась в детской. Тони Фишер разбросал вещи их мертворожденного ребенка по всей комнате и потом истоптал грязными ботинками. Колыбель была перевернута, крошечные подгузники для малыша разорваны, фотографии разбиты. В большинстве произведенных разрушений не было никакого смысла — это был акт чистой злобы. При мысли о том, что Фишеры подберут под себя бизнес Гарри, у Долли вскипала кровь. За время, проведенное в детской, у вдовы созрело два решения.

Во-первых, она соберет все вещи в этой маленькой голубой комнате и сегодня же отдаст монастырской школе для раздачи малоимущим и сиротам. Пусть от них будет хоть какая-то польза. После смерти сына Долли находила в религии огромное утешение. Двери монастыря всегда были открыты для нее. Долли могла приходить и уходить в любое время, днем и ночью. Бывали периоды, когда она посещала его ежедневно. Постепенно боль теряла остроту, и визиты становились все реже, но к тому моменту Долли уже полюбила простоту монастырского бытия по сравнению с сумбурной жизнью с Гарри. Она часами напролет рисовала и играла с детьми из школы при монастыре; они хотели от нее только одного — любви, а у Долли было ее в избытке. Дети отвечали ей такой же любовью. В те первые месяцы после смерти малыша Долли погрузилась бы в глубочайшую депрессию, если бы не ее друзья в монастыре; она многим обязана им, взамен же они никогда ничего от нее не просили. Ну так почему бы не собрать всю детскую и не отдать им? Как раз сегодня — время еженедельного визита Долли в монастырь. Пусть вещи помогают живым, а не хранят память о мертвых. Кроме того, пришла пора расстаться с прошлым и двигаться вперед без лишнего груза. Долли оставила себе только одну игрушку из детской сына — маленького белого пуделя.

Во-вторых, Долли решила раз и навсегда избавиться от назойливого внимания Фишеров...

Боксер сидел за обеденным столом и в ожидании добавки любовался новым пиджаком. Долли принесла чайник и наполнила две чашки. Глядя, как верзила насыпает себе три ложки сахара, она приготовилась сказать ему то, что репетировала всю ночь.

— Я должна кое в чем признаться. Видишь ли, Боксер, я солгала насчет тетрадей Гарри. Конечно, я знаю, где они. — (Боксер потерял дар речи.) — Дело вот в чем, — продолжала Долли, изображая озабоченность судьбой этого здоровенного тупицы, — понимаешь... Гарри рассказывал мне, что в его записях, кроме других имен, есть и твое. И если до тетрадей доберется полиция, у тебя могут быть большие неприятности, вплоть до тюрьмы.

Несмотря на шерстяной пиджак, Боксер покрылся мурашками. Говорить он все еще не мог и только по-рыбьему открывал рот, слушая Долли.

— Я много думала и поняла, что в том ограблении должно было быть четверо участников — один спереди, трое сзади. Иначе никак не выходит. Я это знаю; копы это знают. — Долли не сомневалась, что никаких доказательств этому утверждению Боксер не попросит. — Трое мертвы, но четвертый человек выжил. Думаю, тетради у него. Во всяком случае, он должен знать, где их искать. — Вдова сделала паузу и неторопливо глотнула чая.

Слабому мозгу Боксера требовалось время, чтобы выработать правильный вопрос, а Долли не хотела говорить ему все сразу. Это могло показаться подозрительным даже не очень умному человеку.

— И как ты считаешь, Долли, кем был этот четвертый?

Долли сделала вид, будто колеблется, размышляя над ответом.

— Только пообещай, что никому не скажешь, Боксер. Все, что я расскажу, должно остаться между нами. Слышишь? Это может быть опасно для тебя — знать то же, что и я.

— Клянусь! Можешь мне доверять.

— Четвертый преступник, которому удалось скрыться с места неудавшегося налета... мой Гарри.

Вновь Долли умолкла, давая Боксеру возможность осознать сказанное. Крайне важно было, чтобы тупица поверил ей.

— Он не погиб, Боксер. Я похоронила другого члена банды, искренне считая, что хороню Гарри, но теперь знаю, что это был не он.

— Откуда? Как ты узнала? — спросил потрясенный Боксер.

— Потому что видела его живым. Сейчас Гарри прячется от всех, но хочет опять взять тебя на работу — так же, как раньше.

Боксер тут же расправил плечи, словно рядовой, которого только что выбрали для выполнения секретного задания. Страх на его лице сменился широченной улыбкой. «Такой легковерный, — подумала Долли. — Это даже жестоко с моей стороны».

— И вот что Гарри просил тебя сделать. Приглядывай за Фишерами для него, хорошо? Но при этом береги себя, Боксер. Гарри не хочет, чтобы ты хоть чем-то рисковал из-за него. Ты будешь его глазами и ушами, пока Гарри не будет готов вернуться и снова взять все в свои руки. Ты будешь отчитываться мне, а я буду отчитываться Гарри. Никто не должен знать, что он жив, Боксер... обещаешь?

Громила шлепнул себя по бедру и радостно заревел:

— Обещаю, Долли! Старина Гарри, до чего умный, все-таки скрылся. Как же круто он всех провел! Кто бы мог подумать!

Долли взяла его за руку, Боксер смолк и вновь весь обратился в слух.

— Излей свои чувства здесь, Боксер, потому что за порогом этого дома тебе придется держать язык за зубами. Мне нужно, чтобы ты был на моей стороне. Чтобы ты был на стороне Гарри.

В ответ Боксер так сжал ее ладонь, что Долли чуть не вскрикнула от боли. Верзила посмотрел женщине прямо в глаза и произнес абсолютно искренне:

— Я всегда был на вашей с Гарри стороне, ты и сама это знаешь. Клянусь жизнью, Долли, я ни слова никому не скажу!

— Внутренний карман пиджака, — шепнула вдова.

Боксер сунул руку под борт только что полученного пиджака и вытащил оттуда конверт.

— Две сотни от Гарри. Для начала.

Боксер не стал вскрывать конверт: раз Долли сказала, что там две сотни, значит так и есть.

— Я снова на зарплате у Гарри, — радостно прошептал громила.

Долли проводила Боксера взглядом. Тот горделиво шагал по улице, то и дело одергивая на себе обновку. Боксер приветственно кивнул детективам, все еще сидящим в машине неподалеку.

Она же вернулась в свою гораздо более чистую и опрятную гостиную и устало опустилась на вспоротый диван, где к ней моментально присоединился Вулф.

— Привет, миленький, — сказала Долли и погладила песику животик, с готовностью подставленный под ладонь.

Закинув голову на широкую спинку дивана, Долли принялась размышлять.

По ее прикидкам, не пройдет и двух дней, как Боксер проболтается кому-нибудь о том, что Гарри якобы жив. Его разговорчивости наверняка поспособствуют деньги в нагрудном кармане подаренного пиджака. Тупица не устоит перед соблазном отправиться в паб. А как только поползут слухи, до Фишеров они дойдут достаточно быстро, и, по расчетам Долли, братья станут вести себя сверхосторожно. Опасаясь возмездия, они будут держаться как можно дальше от нее и других вдов.

— Еще так много всего надо сделать, мой золотой, — сказала хозяйка песику, погладила его по белой шерстке, поднялась и пошла к письменному столу.

Положив перед собой ежедневник, Долли стала вносить туда зашифрованные пометки. Нужно еще раз сходить в банк и свериться с записями Гарри. Предстояло найти четвертого человека для возглавляемого ею ограбления, и она надеялась, что в тетрадях покойного мужа найдет имя того, кому могла бы полностью доверять. Скорее всего, этот человек будет мужчиной, и Долли предвидела сложности: придется убеждать его не только присоединиться к ним, но и подчиниться ее приказам. Вторым пунктом в ее списке стояли поиски того, кто на самом деле остался жив после неудавшегося налета Гарри и сумел скрыться. Если первыми до него доберутся Фишеры, то ее дерзкая ложь сразу вскроется. Долли молилась, чтобы этот неизвестный ей человек уехал в другую страну и не планировал возвращаться. И наконец, надо как-то сообщить Ширли и Линде о том, что «знает» Боксер. Обе вдовы должны быть в курсе всех планов и действий Долли — только так они смогут быть начеку и в безопасности.

Долли отыскала взглядом Вулфа — тот залез в разорванную обивку дивана и уютно устроился в кусках наполнителя. Чтобы опять превратить этот дом в уютное жилье, требовалось сделать еще очень много... Ладно, это не самое срочное дело. Главное сейчас — не пропустить еженедельный визит в монастырь, а то детективы могут что-то заподозрить. Долли научилась уходить от хвоста, однако нельзя злоупотреблять этим новым навыком. Время от времени все-таки нужно позволять полицейским без помех следить за ее перемещениями, чтобы убедить этих идиотов в том, будто жизнь вдовы Роулинс течет в привычном русле. Дел скопилось немало, и все же Долли чувствовала, что напряженная работа мысли придает ей сил. Постепенно она возвращалась к жизни. С улыбкой Долли повернулась и остановила взгляд на их с Гарри фотографиях, которые Боксер подобрал и расставил на каминной полке в строгом хронологическом порядке. На миг ей показалось, что Гарри снова с ней, и она зажмурилась, чтобы увидеть его как можно отчетливее. Тело пронзила боль от невозможности обнять его.

Ее мысли вернулись к вечеру за два дня до налета. Стоило Гарри войти в спальню, как Долли тут же, каким-то седьмым чувством поняла, что муж то ли прогадал в бизнесе, то ли — что еще хуже — намерен сильно рискнуть. Гарри рыскал по дому, открывал и закрывал двери, садился и опять вставал, раз пять заваривал себе кофе и постоянно поглядывал на часы. В такие моменты Долли мудро держалась в стороне и не задавала вопросов. Супруг сам расскажет, что его беспокоит, когда будет готов.

У них уже несколько месяцев не было секса, но в ту последнюю ночь Гарри скользнул к ней в постель и был страстно настойчив и груб. Долли не возражала; она обожала его руки, его запах, его мощь.

После секса она держала его в объятиях, словно мать своего ребенка. Потом Гарри встал и ушел в другую комнату, а Долли еще долго лежала, с улыбкой глядя в темноту. Даже спустя двадцать лет муж умел заставить ее тело сладостно дрожать. Крепкой мускулистой фигурой мужа Долли гордилась не меньше самого Гарри. В нем не было ни грамма жира. Когда ее любимый мужчина принимал душ или брился, Долли украдкой любовалась тем, как сокращаются и расслабляются его мышцы. Они очень любили друг друга, и теперь, вспоминая, как Гарри смотрел на свои обожаемые часы «Ролекс», Долли задыхалась от боли. На следующее утро Гарри пришел к жене с чашкой чая, разбудил нежным поцелуем и сказал:

— До свидания, любовь моя. Я скоро вернусь.

Однако домой он больше не вернулся. А копы все еще не отдали Долли его любимые наручные часы.

Линда стояла у распахнутых ворот авторемонтной мастерской. В своей жизни она видела достаточно итальянцев, чтобы понять: молодой паренек в грязной, насквозь промасленной спецовке не тот, кого она ищет. А нужен ей был один из приятелей Джино по имени Карлос. Мальчишка выпятил вперед грудь и всеми силами постарался произвести впечатление на сексапильную клиентку. Линда бросила на молокососа пренебрежительный взгляд, и паренек быстро смирился с поражением.

— Карлос! К тебе тут одна цыпочка пожаловала! — прокричал он и продолжил полировать красавца-«ягуара».

Карлос сидел в маленьком офисе и разговаривал по телефону с Арни. Через окно в стене он глянул на новую клиентку, но ее лицо было Карлосу незнакомо. Прикрыв трубку ладонью, он крикнул, что выйдет через минуту.

Краем глаза Линда стала наблюдать за Карлосом, и ей весьма понравилось то, как он проводит рукой по густой курчавой шевелюре. Его старый коричневый комбинезон был расстегнут почти до пояса, и когда молодой человек, все еще говоря по телефону, обернулся к окну, Линда рассмотрела его во всей красе, не упустив ни единой детали. Он был красавцем с большими карими глазами, великолепным телом и трех-четырехдневной щетиной. Было в нем что-то неотразимо брутальное и очень сексуальное. Еще не обменявшись с ним ни словом, Линда твердо решила сделать красавчика своим.

Когда Карлос наконец вышел, молодая женщина представилась как Линда Пирелли и, безбожно флиртуя, спросила, не взглянет ли он на ее «капри».

— Прости, красотка, — небрежно бросил Карлос. — Мы обслуживаем только юрлиц и постоянных клиентов. — Отодвинув Линду в сторону, он опустился на подкатной лежак и, откинувшись на спину, закатил себя под висящий на подъемнике «ягуар» для завершающего осмотра.

Линда приблизилась и села на корточки так, чтобы юбка задралась повыше. Она знала, что Карлосу будут видны ее ноги, и медленно раздвинула колени.

— Послушай, Карлос, — сказала она, — на самом деле я хочу побольше узнать о двигателях и научиться чинить свою машину. Я заплачу за индивидуальное обслуживание...

Выезжая на лежаке из-под автомобиля, Карлос не мог не заметить красные трусики Линды. Потом, все еще лежа на спине, молодой человек перевел взгляд выше. Эта девица была вульгарна и настырна, но тем не менее она ему приглянулась, да настолько, что Карлос, неожиданно для самого себя, велел Линде садиться в «ягуар», которому предстоял тестовый прогон. Молодой механик опустил подъемник, и Линда, улыбнувшись, юркнула на пассажирское сиденье. Карлос не устоял и улыбнулся в ответ. Вот ведь маленькая нахалка!

Линда пристегнула ремень безопасности — в отличие от Карлоса, который стремительно выруливал на трассу М4. Молодая вдова догадывалась, что красавчик берет ее на испуг, однако для этого потребовалась бы скорость повыше ста двадцати миль в час, к тому же Карлос явно был отменным водителем.

Переключая скорости, молодой человек то и дело касался ее бедра, и Линда придвинула ногу еще ближе. По сравнению с Джо, в котором было шесть футов три дюйма, Карлос был невысок — где-то пять и девять, прикинула Линда. Зато он был настоящим красавцем и при этом казался очень милым. А еще ей нравился аромат его одеколона, и когда на крутом повороте молодой человек прильнул к ней, Линда поглубже вдохнула этот запах... Да, она непременно затащит его к себе в постель!

После возвращения в мастерскую Карлос, продолжая удивлять сам себя, вывел «капри» на дорогу для диагностики и потом показал Линде, как поддерживать автомобиль в рабочем состоянии. По его словам, машина хорошая, требуется лишь небольшой ремонт. В радиаторе была пробоина, которую Карлос тут же залатал, а также почистил свечи зажигания, контакты прерывателя, воздушный фильтр и бегунок трамблера, попутно объясняя, что есть что, и позволив Линде выполнить часть работы самой.

Вдова не отходила от механика ни на шаг, то и дело заглядывала ему через плечо, не боясь запачкаться в машинном масле. Карлоса веселило стремление этой цыпочки узнать как можно больше за тот час, который он согласился ей уделить. Линда даже настояла на том, чтобы вместе с ним забраться на подкатном лежаке под машину. Карлос искренне недоумевал: он видел, что Линда изо всех сил заигрывает с ним, и в то же время ее горячий интерес к двигателю «капри» казался неподдельным.

Четыре часа спустя они все еще оставались в мастерской, а двигатель «капри», как выразился Карлос, мурлыкал, как кошечка. Механик смазал руки обезжиривателем и, вытирая их тряпкой, разглядывал ноги Линды, до сих пор торчащие из-под машины. Юбка сбилась кверху, вновь открыв взору молодого человека красные трусики. Когда вдова выехала на лежаке из-под своей «капри», Карлос оказался прямо над ней, расставив ноги по обе стороны лежака. Взгляд Линды скользнул по внушительной выпуклости между ног и остановился на темно-карих глазах механика.

— Сколько я тебе должна?

— Ты имеешь в виду деньги или что-то еще?

Оба засмеялись, и Карлос помог молодой женщине подняться.

На этот раз за руль села Линда, а Карлосу досталось пассажирское сиденье. Пока «капри» разгонялся на эстакаде по направлению к Уайт-Сити, молодой человек не сводил глаз с датчика температуры; потом, когда Линда переключилась на верхнюю передачу, он кивком дал ей разрешение нажать на педаль газа. Машина с ревом понеслась вперед, быстро набирая скорость — девяносто пять, сто, сто десять... Линда бросила вопросительный взгляд на Карлоса: все ли в порядке? Но его теперь интересовали ее ноги, а не спидометр.

В квартире у Линды было не прибрано, о чем она теперь пожалела. Пока Карлос мылся в ванной, Линда побежала в спальню, собрала грязную одежду и расправила на кровати одеяло. Задернув занавески на окне, она перешла в маленькую гостиную и налила две большие порции бренди. Один бокал Линда отнесла в ванную, где Карлос, сняв рубашку, брился оставшимся после Джо станком. У него было великолепное, прекрасно сложенное тело, и Линда постаралась прикоснуться к нему, когда ставила бокал на край раковины. Карлос никак не отреагировал на это и вообще ничего не сказал. Разобиженная Линда молча ушла.

В гостиной она залпом осушила бокал и налила себе еще. Что делать дальше, Линда не представляла: полдня она всячески давала Карлосу понять, что не прочь с ним переспать, а молодой человек пока не выказывал желания сорвать с нее одежду. Послышались шаги, и, обернувшись, Линда увидела Карлоса. Тот, в одних трусах и с бокалом в руке, прислонился к дверному косяку. Он был еще красивее, чем вдове показалось на первый взгляд. Пока Карлос пил бренди, Линда услышала, что в ванне набирается вода. Черт побери, да он совсем как дома тут расположился! Не говоря ни слова, Карлос подлил себе бренди и отправился обратно в ванную.

Линда заставила механика подождать несколько минут и только потом пошла следом. Карлос стоял перед шкафчиком и изучал упаковки с солью для ванн.

— Какую ты любишь? Эту или вон ту?

Линда пожала плечами. Карлос выбрал соль на свой вкус, насыпал в воду и потом придвинулся к Линде.

— Так ты хочешь переспать со мной или нет? — капризно протянула она.

Карлос, ничего не отвечая, начал расстегивать на ней блузку.

«Наконец-то», — пронеслось у Линды в голове, и она притянула Карлоса к себе, одновременно пытаясь скинуть юбку. Боже, она вся дрожала от нетерпения! Она стала пятиться из ванной, потянув за собой Карлоса, но он не пошел. Все так же молча молодой человек вдруг подхватил ее на руки и бросил в ванну, прямо в одежде. Потом со смехом снял трусы, и, когда шагнул к ней в воду, Линда увидела тонкую белую полоску на его бедрах — должно быть, след от узких плавок. Карлос был неотразим.

Детектив-инспектор Джордж Резник в сопровождении Эндрюса и Фуллера направлялся в пекарню «Саншайн». Полицейские проверяли улику, которая могла привести их к хлебному грузовику, задействованному в налете Роулинса. Резник был серьезен и сосредоточен. Наконец-то в их расследовании произошел прорыв. Инспектор больше не чувствовал нужды в напускной браваде, и впервые под оболочкой одержимого неудачника Фуллер увидел проблески настоящего копа. Но все равно продолжал ненавидеть этого несносного толстяка.

Фуллер вел патрульную машину, как старая дева. И в конце концов Резник не выдержал:

— Да нажми на чертов газ, Фуллер, ради всего святого! Включи уже сирену с мигалкой! Мы охотимся за крупнейшей преступной группировкой в Лондоне, а не на пикник едем!

Возле пекарни стоял подозреваемый грузовик под охраной констебля. Уолли Титерингтон из отдела криминалистики уже работал внутри машины, а один из его коллег снимал отпечатки пальцев с сидений. При появлении Резника Уолли поднял голову:

— Он что, думает, будто снимается в вестерне?

— Так! — заорал Резник на управляющего пекарней. — Мне нужен кабинет для проведения допросов.

Управляющий от такой грубости оторопел.

— Сколько продлится ваше вторжение? — пожаловался он. — Кого именно вы собираетесь допрашивать?

— Каждого водителя, каждого механика, каждого работника пекарни и каждого, кто приходил сюда, в том числе и вас. Я намерен побеседовать со всеми, кто когда-либо имел дело с этим грузовиком. А констебль Эндрюс — вот он — возьмет у всех отпечатки пальцев для исключения непричастных лиц.

Видя, как багровеет лицо управляющего, вперед вышел Фуллер:

— Это очень важное расследование, сэр, и мы признательны за вашу помощь. Чем раньше мы сможем начать, тем быстрее избавим вас от нашего присутствия.

По-хозяйски уперев руки в бока и посасывая зажатую в зубах сигарету, Резник оглядывал женскую раздевалку, заменившую кабинет для допросов, о котором он просил.

— Если повезет, то мы все еще будем здесь, когда они придут переодеваться после смены. Что скажешь, Эндрюс? Возможно, ты даже найдешь среди них даму своего сердца.

Эндрюс держался тише воды ниже травы. Он успел вымазать рукава рубашки чернилами для снятия отпечатков пальцев.

— Ты только посмотри на себя! — не замедлил взъяриться Резник. — Как ты умудряешься одеваться по утрам? Ты вообще знаешь, как снимать отпечатки?

— Да, сэр, — промямлил Эндрюс.

— Сильно сомневаюсь! Потому что ты даже не можешь уследить за старой теткой с пуделем, не то что за собой! — Резник подошел к констеблю вплотную, и того чуть не затошнило от неприятного запаха. — Дежурным поступил звонок от пенсионерки, которая пожаловалась, что два молодых оболтуса забросали ее палисадник бургерами и молочными коктейлями. — (Эндрюс виновато ссутулился.) — Еще один такой инцидент, и ты отправишься в пеший патруль, понял меня?

— Понял, сэр, — ответил Эндрюс, стараясь не дышать.

Едва Резник вышел, Фуллер ободряюще кивнул коллеге. Оба понимали, что инспектор просто срывает злость на том, кто не может ему ответить. Резника страшно взбесил тот факт, что в качестве помещения для допросов ему досталась женская раздевалка.

Долли попросила таксиста подождать, а сама отправилась в квартиру Линды на цокольном этаже. Долли держала палец на кнопке звонка до тех пор, пока не увидела, как в дверном окне шевельнулась занавеска и в щель выглянула хозяйка квартиры.

Линду при виде Долли охватила паника. Молодая женщина посмотрела на красивое потное тело Карлоса и почувствовала себя подростком, которого мать застала на месте преступления.

— Ни звука, — шепнула Линда любовнику и замоталась в покрывало.

Долли даже не подождала, когда ей полностью откроют дверь, и шагнула внутрь.

— Почему ты не отвечаешь на телефон?! — возмущенно спросила Долли. — Одевайся! Мне нужно срочно поговорить с тобой и Ширли в гараже.

Из спальни донесся какой-то шорох. Долли застыла, а затем перевела на Линду взгляд, полный негодования. Как может эта девчонка спать с другим мужчиной, когда после гибели мужа прошло так мало времени! Кроме того, Долли ужаснула мысль о том, что глупая, болтливая, часто пьяная Линда разоткровенничается в постели и выдаст их планы неизвестно кому.

— У тебя там кто-то есть? — спросила Долли сквозь стиснутые зубы.

Линде ничего не оставалось делать, кроме как признаться:

— Долли, это просто механик, учит меня чинить машину, ничего серьезного.

Схватив Линду за руку, Долли рывком дернула к себе и яростно прошипела ей в ухо:

— Он меня видел? Черт побери, говори, потаскуха безмозглая, он меня видел? — Дрожа от ярости, она еще сильнее сжала запястье Линды. — У тебя пять минут. Жду тебя в такси. — После чего Долли ушла, гневно хлопнув дверью.

Натягивая в гостиной юбку, Линда заплакала. Она чувствовала себя паршиво, ей было стыдно.

— Что случилось? — спросил Карлос в попытке ее утешить. — Кто это был? Кто тебя напугал? Чем я могу помочь?

— Никто меня не напугал! — взвизгнула Линда и оттолкнула его. — И тебя не касается, кто ко мне приходил! Проваливай отсюда, у меня срочное дело!

— У тебя есть парень, — сердито заключил Карлос. — Ты переспала со мной, чтобы проучить его, да?

Обида в глазах Линды ответила за нее, и, одеваясь, молодой человек извинился, но слишком поздно и слишком кратко.

Линда со слезами на глазах протянула ему пятьдесят фунтов:

— Спасибо, что помог мне с машиной. Теперь можешь идти.

— Линда, прошу тебя. Я не хотел. Мне не нужны твои деньги. — Карлос вложил купюру обратно в ее пальцы, нежно сжал их и еще раз попросил прощения.

Линда посмотрела Карлосу прямо в глаза и крепко поцеловала.

— Мне и правда нужно спешить. Закрой за собой, когда будешь уходить. — Не успев договорить, она выскочила за дверь.

Пока Карлос заканчивал одеваться, он заметил на прикроватном столике перевернутую вниз лицом фотографию и взял ее в руки. Механик не узнал Джо Пирелли, но сделал вывод, что мужчина этот важен для Линды. «Все-таки парень у нее есть. Или муж» — с этой неприятной мыслью Карлос положил фотографию обратно и уже собирался уходить, когда его взгляд задержался на телефоне в прихожей. Карлос отыскал ручку и записал на руке номер.

Надо будет поподробнее расспросить Джино о Линде.

Долли сидела в углу такси, нахохлившись и отвернувшись к окну. До самого гаража она не сказала ни слова.

Линда пребывала в смятении, и на ее лице, словно у провинившегося подростка, отражались все тревожные и бунтарские мысли. «Какого черта она лезет в мою жизнь? — возмущалась она про себя. — Если я хочу с кем-то переспать, то, черт возьми, пересплю! И Долли это вообще не касается». Но в то же время Линда чувствовала себя виноватой. Она долго разбиралась в своих ощущениях, пока наконец не осознала, что самым сильным из них было счастье. Карлос ей очень понравился, и когда она закинула ногу на ногу, чтобы не касаться Долли, то почувствовала, что все еще влажная после секса с ним. Линда искоса глянула на нахохлившуюся женщину. «А когда ты кончала в последний раз?» — мысленно спросила она. Небось, лет двадцать назад. И что мог найти в Долли такой жеребец, как Гарри Роулинс? Для старика он выглядел не так уж плохо, хотя порой был ужасно вредным. Линда решила, что больше не потерпит от Долли ни выговоров, ни рукоприкладства — хоть из-за Карлоса, хоть из-за чего другого. Теперь она будет за все платить той же монетой... Вот только бы не чувствовать себя такой виноватой...

Едва войдя в их тайное логово, Ширли сразу ощутила напряженность, царившую в воздухе. Линда, вопреки обыкновению, была молчалива, сидела, опустив голову на ладони, с каким-то подавленным видом. В адрес Долли она не сказала ни слова, но и Долли со всей очевидностью игнорировала ее.

Ширли решила разрядить обстановку. На ней был один из комбинезонов, которые велела купить Долли для ограбления, и девушка картинно продефилировала в нем взад-вперед, словно по подиуму.

— На эти костюмы была скидка, — сообщила Ширли с радостной улыбкой. — Кроме того, я купила нам всем парусиновые туфли, в них очень удобно бегать.

— О, я как раз такие искала, — съязвила Линда, а Долли фыркнула.

— И еще, как вы просили, я купила три лыжные маски. — Ширли копалась в пакетах с покупками. — Одну черную, одну синюю и одну красную, чтобы мы знали, где чья. Красная — для Линды, этот цвет подойдет к ее черным волосам.

— Спасибо, Ширл. Зимой в нашем игровом зале она будет в самый раз. Когда открывают входную дверь, мою будку продувает насквозь.

Долли переводила взгляд с одной девушки на другую. У нее в голове не укладывалось: как же можно быть такими тупыми?!

— Красная? Вы когда-нибудь слышали о том, чтобы вооруженные грабители носили красные лыжные маски? И этот комбинезон на тебе — он слишком тесный.

— Сидит идеально. — Ширли обернулась вокруг себя с черной маской в руке и пригладила ткань костюма на своей стройной фигуре.

— Я просила тебя купить комбинезоны, а не костюмы! Рабочие, широкие, мешковатые комбинезоны. Мы должны походить на мужчин. А так я вижу каждый изгиб на твоем теле. И только взгляни на свои лодыжки!

Ширли не раз говорили, что лодыжки — одна из самых красивых частей ее тела.

— А с ними-то что не так? — захныкала она, поворачивая ноги то так, то эдак.

— Для начала — их видно! — отрезала Долли. — Ты даже отдавала этот костюм перешить, чтобы подчеркнуть грудь и добавить повсюду эти дурацкие молнии. Зачем они нужны? Помаду складывать? Я ведь тебе говорила — простые черные комбинезоны, на три-четыре размера больше, чем мы носим. Под ними будет наша обычная одежда, и снять комбинезоны нужно будет очень быстро. Эти костюмы бесполезны, совершенно бесполезны.

Ширли поняла, что не права, так же как поняла это Линда, но если для Линды это стало поводом недовольно надуться, то миролюбивая Ширли тут же попыталась исправить ситуацию. Она натянула на голову большую черную лыжную маску и воскликнула:

— Смотрите, Долли! Что скажете? Маска черная и достаточно большая, чтобы спрятать под ней волосы!

Долли сорвала маску с головы Ширли, прихватив клок волос:

— Отверстия для глаз слишком широкие, и я просила купить маски, где нет отверстия для рта. Через него видна твоя помада и автозагар.

Ширли уставилась в пол. Да, Долли говорила все правильно, но девушка целых два дня потратила на поиски этих вещей, была и в Харлоу, и в Виндзоре, везде... Ширли сняла комбинезон. «Двадцать пять фунтов коту под хвост, — подумала она. — То есть семьдесят пять, если считать все три».

Линда, стоя в дверях кухни, слушала их препирательства и кусала ногти. Поход Ширли по магазинам оказался пустой тратой времени и денег, с этим не поспоришь, но это из-за Линды у Долли такое плохое настроение, и молодая женщина признавала свою ответственность. Не в такой степени, чтобы взять всю вину на себя, но, тем не менее... Линда решила сделать всем чай.

Долли видела, что Ширли от огорчения вот-вот расплачется, и сменила гнев на милость.

— Если полностью зашить ротовое отверстие и немного ушить глазные, то маски сгодятся. Только покрась остальные в черный цвет, и можно считать, что часть снаряжения у нас готова. Но костюмы никуда не годятся. Нам нужны обычные рабочие комбинезоны, как я тебе и говорила. Когда купишь такие, отрежь все ярлыки и сожги их, чтобы полиции не за что было зацепиться, если одежду найдут.

Ширли поняла, что так Долли извиняется за резкость.

— Ну а туфли? — спросила девушка.

— Покрась их в черный цвет, и тогда сойдут. — Долли закурила. — Идите сюда, обе, и сядьте. Я позвала вас не для того, чтобы обсуждать костюмы и туфли. — В этот момент на кухне щелкнул вскипевший чайник, и Линда пошла заваривать чай. — Сядь на место! — взорвалась Долли.

Поспешно возвращаясь к сидящим на ящиках Ширли и Долли, Линда споткнулась о Вулфа и пнула его под зад, чтобы убрать со своего пути. Долли свирепо глянула на молодую женщину и подозвала песика к себе. Потом открыла сумку и достала черный ежедневник.

— У нас проблемы, — начала она. — Но все по порядку. Я снова просмотрела записи. В налете участвовало четыре человека, а не три.

— Четыре? — повторила Линда и перевела изумленный взгляд на Ширли.

Та тоже недоумевала.

— Их было четверо, и один из них скрылся. Оставив Джо, Терри и Гарри умирать. — У Линды с Ширли отвисла челюсть, но Долли продолжала как ни в чем не бывало: — Видимо, это был кто-то со стороны. Наверное, водитель. Судя по всему, он ехал на грузовике перед машиной инкассаторов. В газетах о нем ничего не писали. Значит, полиция либо еще не вычислила его... в чем я сомневаюсь... либо вовсю разыскивает.

— И не она одна! — вскричала Линда с красным от гнева лицом и подскочила на ноги. — Ублюдок!

— Линда, — мягко произнесла Долли в попытке утихомирить ее.

— Нет! Я имею право сказать, что думаю. Если он оставил моего Джо умирать... если он мог спасти их, но не спас, то я убью его! Долли, клянусь, что сделаю это!

И опять Долли постаралась успокоить Линду, но ту уже было не остановить.

— Нет, я убью его! Вам, может, и все равно, Долли Роулинс, а мне...

В мгновение ока Долли оказалась перед Линдой, та даже не успела закончить предложение. От тяжелой пощечины молодую женщину качнуло.

— Не смей говорить, будто мне наплевать на мужа! — рявкнула Долли. — Я видела, как тебе не наплевать на своего, так что прекращай истерику, сядь и заткнись!

Линда медленно опустилась на ящик. Прикрывая рукой пылающую щеку, она боролась со слезами горя, боли и смущения.

Ширли словно примерзла к месту. Боже, ну и крутой нрав у Долли! Девушка никогда раньше не видела, чтобы Долли теряла самоконтроль, и теперь с трудом верила своим глазам.

Вдова Гарри Роулинса снова села, сделала очередную затяжку и вернулась к своим записям, как будто ничего не произошло.

Из-под копны черных волос донесся дрожащий голос Линды:

— И почему это вы всегда правы?

Перед тем как ответить, Долли медленно выдохнула длинную струю дыма:

— Потому что тебе двадцать шесть лет, а мне сорок шесть. И я за все плачу. — Она перевела взгляд на побледневшую от страха Ширли. — Ты не заваришь нам чая, дорогуша? — спросила Долли, и девушка без единого звука отправилась на кухню.

На красной скуле Линды медленно проступали следы пальцев.

— Прости, — сказала Долли. — Я не должна была этого делать.

Линда встала и отошла подальше, пока с ее губ не сорвалось что-нибудь дерзкое. Долли ничуть не волновало настроение Линды, и потому она продолжала так, будто ее краткое извинение решило все их взаимные проблемы.

— Вы ведь понимаете, что это значит? Нам тоже придется искать четвертого человека.

— Только не мужчину! — подала с кухни голос Ширли. — Если мы позовем парня, то половина Лондона будет знать, что мы задумали.

— Да, я бы тоже предпочла женщину. В записях Гарри я не нашла никого, кому могла бы полностью довериться, так что, возможно, нам придется все отложить, чтобы хватило времени на поиски подходящей кандидатуры.

— Господи! — нетерпеливо воскликнула Линда. — Если женщина — это все, что нам нужно, то я найду ее вам.

— Я сама ее найду, — отрезала Долли.

Она не допустит, чтобы кто-то другой принимал столь важное решение, как подбор нового члена их команды.

— Ладно, вы же босс, — хмыкнула Линда.

— И если тебя это не устраивает, ты знаешь, что делать! Возвращайся в постель к своему любовничку. Уверена, он всем для тебя хорош. А если и нет, то найдется другой, глазом не успеешь моргнуть.

Выходящая из кухни Ширли понятия не имела, о чем говорит Долли, и уточнять не собиралась. Линда с пылающим взором готова была уже броситься на Долли, но Ширли с чашками чая на подносе поспешно перегородила ей путь, и это заставило Линду отступить. Мольбу в глазах Ширли невозможно было игнорировать, поэто-

— Это шутка! Всего лишь шутка, Ширл.

У Ширли не было настроения шутить. Слишком трудный выдался день.

— Иногда я просто не выношу ее, — шепотом призналась Линда.

Ответ оказался не совсем таким, какой она ожидала:

— Думаю, она испытывает к тебе схожие чувства.

Линда возмущенно покосилась на подругу:

— Она не имеет права говорить с нами, будто мы дети неразумные. По-моему, ты купила очень хорошие костюмы.

— Нет, Линда! Они совершенно не годятся для дела, и ты сама это понимаешь. Долли правильно рассердилась.

— Все равно — почему она кричит на нас и даже лупасит меня? Она же не босс.

— Босс. — Ширли говорила тихо и серьезно. — Если все это взаправду... она среди нас главная.

К десяти часам Линда, что называется, нализалась вдрызг и сидела в будке размена в игровом зале в районе красных фонарей в Вест-Энде с пьяной ухмылкой на лице. Но сколько бы алкоголя в ней ни было, она никогда не ошибалась с разменом. Чарли стоял у входа и с тревогой поглядывал в сторону стеклянной будки, где Линда то и дело прикладывалась к бутылке водки. Он боялся, что придет шеф, увидит, что Линда пьяна и горланит песни, и тогда ее уволят, да и его заодно. Чарли вздохнул и усмехнулся: если не можешь победить врага, стань ему другом. Он выплеснул остатки кофе на улицу, подошел к будке и через стекло посмотрел на Линду. Она не сразу смогла сфокусировать взгляд, но когда сумела, то расплылась в широченной улыбке:

— Чарли, дружище! Как дела?

Чарли поднял свою пустую кружку и показал глазами на бутылку водки.

— Отвали, — прошептала Линда в окошко, через которое выдавала посетителям монетки. — А то все начнут просить. — И загоготала на весь зал. Потом уронила голову вперед, и из-под волос послышалось что-то вроде хрюканья.

Чарли скоро перестал понимать, смеется Линда или плачет. Он уже хотел поинтересоваться, все ли с ней в порядке, но она вдруг резко выпрямилась, зло прищурилась и проговорила сквозь зубы:

— Знаешь что, Чарли? Я, черт побери, просто обожаю эту дыру! Нет, ты только посмотри. Вон местный педик липнет к подросткам, которые пробрались сюда по поддельным документам... Вон на лестнице развалился пьяный... Дилеров тут не меньше, чем нариков... а больше всего здесь проституток, их клиентов и сутенеров. Вокруг меня — сливки общества. Да, я многого достигла. Чарли, твое здоровье! — Одним глотком Линда допила остатки водки.

Чарли поплелся обратно к своему месту у входа, где как раз появилась Белла О'Райли. Линда была права: игровой зал просто наводнили проститутки с их клиентами и сутенерами. Белла приводила и тех и других. В этот вечер прекрасная знойная негритянка была одета в облегающую блузку из желтого атласа и узкие черные джинсы; через плечо она перекинула черный жакет. Обладая внушительным ростом шесть футов, на высоких каблуках проститутка казалась еще выше. Белла остановилась посреди игрового зала и осмотрелась. В нескольких футах позади нее топтался сутенер. Бриолин, как его все называли, начал перешучиваться с двумя китайцами. При разговоре он мял в руках черную шляпу, и золотые перстни на его пальцах мягко поблескивали в свете мигающих огней игровых автоматов. Чарли знал, что

Бриолин договаривается о продаже наркотиков. Он уже говорил ему, чтобы не занимался торговлей в зале, но сутенер только смеялся тем хриплым гнусавым смехом, который появляется от слишком частого вдыхания кокаина. С этим Бриолином никогда нельзя понять, с тобой он смеется или над тобой. Это был опасный человек, который любил с ревом гонять на своем «харли-дэвидсоне». Все девицы ужасно боялись его. Все, кроме одной, его примы О'Райли.

Покачивая бедрами, Белла двинулась по рядам автоматов. Она напоминала матерого рок-музыканта, работающего на сцене, и даже остановилась, чтобы отчитать двух молодых горлопанов за приставания. Что сказала им Белла, Чарли не слышал, но ее слова возымели эффект: юнцы сначала онемели от страха, потом принесли многословные извинения и поспешно ретировались. Белла заметила Линду в ее стеклянной будке и, лучезарно улыбнувшись, направилась в ту сторону. Ей не нужно было просить пройти: все и так рассыпались в стороны при ее приближении.

— Белла! — завопила Линда из будки.

Белла прямо на ходу исполнила короткий стриптиз-танец и потом остановилась перед Линдой, прижавшись к стеклу.

Линда и Белла знали друг друга с давнишних времен. Белла всегда была независимой: с таким ростом она могла сама за себя постоять и потому никого не боялась. Линда, в отличие от Беллы, никогда не работала через сутенера; скорее, она относилась к одиночкам-любительницам, на полноценный секс не соглашалась и удовлетворяла страждущих только ртом или руками — и то задолго до того, как познакомилась с Джо.

— Ты тут еще не оглохла? — спросила Белла.

— Звукоизоляция хорошая, — пошутила Линда. — Ну и водка помогает. Классная у тебя стрижка, Белл.

Свои шикарные волосы знойная темнокожая красотка недавно остригла почти под ноль, в стиле Грейс Джонс. Золотистый обруч для волос, купленный задешево с рыночного лотка, смотрелся на Белле на миллион долларов. Она выглядела настоящей африканской принцессой.

— Как поживаешь? — спросила Линда.

— По-старому. Три выхода за ночь в стрип-клубе и все, что смогу втиснуть в промежутках.

— А как снова в нашей глухомани оказалась?

— Ты же знаешь меня. Все было тип-топ, пока я не обозлилась на одного козла и не вдарила ему. Иностранец, ни слова не понять, что лопотал. Руками своими лез во все дырки, а заплатил не за все, вот я и сказала ему проваливать. А когда он не ушел, я врезала ему прямо в морду. Этот придурок вызвал копов, они меня закатали, и Бриолин внес залог.

— Так ты у него в долгу.

— А то! Поэтому сначала расквитаюсь с ним, а потом буду делать, что захочу. — Белла глянула через плечо на сутенера, тот как раз нашептывал что-то на ухо одному из китайцев и показывал на свою приму. — Кажись, у меня клиент. — Белла посерьезнела, а затем юркнула к Линде в будку, чтобы поговорить с глазу на глаз. — Я слышала о Джо. Сочувствую, подруга. Он был одним из лучших, и вы были отличной парой. Если могу помочь — парой фунтов или еще чем, просто скажи. Скоро я перееду в свою старую квартиру, так что буду заходить почаще.

— Спасибо, Белла. Ценю твою поддержку.

Бриолин свистнул, подзывая Беллу, и она в ответ подняла руку. Линда нежно прикоснулась к ее запястью:

— Ты сумела слезть с иглы?

На мгновение Белла смутилась:

— Ты перепутала, подруга, торчал мой муженек. Передоз три месяца назад. — Потом добавила: — Так что я понимаю, каково тебе.

Линда точно знала, что в прошлом Белла принимала героин, и посчитала сказанное за утвердительный ответ на свой вопрос. Темнокожая красотка не была похожа на торчка — наоборот, выглядела шикарно. На прощание Белла крепко пожала подруге руку и ушла.

Рядом с Линдой возник Чарли.

— Этой черной цыпочке я бы точно вдул, — сказал он, почесывая яйца и незаметно принюхиваясь к своим подмышкам.

Наивность Чарли рассмешила Линду:

— Она и сама тебе вдунет, только вряд ли ты сможешь ходить после этого. Один взгляд — и ты в нокауте.

— Не больно и хотелось, — пошел на попятную Чарли. — Еще подцепишь чего-нибудь... — Ковыляя прочь, он продолжал бубнить: — Она все равно слишком на мужика смахивает.

Линда посмотрела вслед Белле, уходящей из зала вместе с клиентом-китайцем. Со спины оба выглядели близнецами — в куртках и с короткими черными волосами. Линда усмехнулась и открыла ящик стола, где у нее была припасена еще одна бутылка водки.

ГЛАВА 11

Арни Фишер налил два бокала шампанского и отнес их к кожаному дивану, на котором растянулся Карлос с журналом в руках. Арни присел рядом и положил ладонь любовнику на бедро. Карлос взял бокал, а другую руку закинул на спинку дивана, без слов приглашая Арни сесть поближе. Мужчины чокнулись бокалами и пригубили шампанское.

В новом костюме из кремового шелка Арни выглядел франтом. Он встал, полюбовался своим отражением и, довольный, обернулся к Карлосу:

— Хочешь такой же? Тебе бы он очень пошел.

Арни обожал наряжать Карлоса, словно тот был куклой. Молодой человек и не возражал: ему нравилось, что о нем заботятся. Он кокетливо кивнул и выпил еще.

Раздался звонок — это Глория просила разрешения войти, но, не дожидаясь, тут же распахнула дверь. Она остановилась на пороге, разодетая в пух и прах, с огромной грудью, вываливающейся из бюстгальтера третьего размера.

— Там Боксер, просится на пару слов... Пустить?

Глория была любимицей Арни. Будь он традиционной ориентации, обязательно закрутил бы с ней. Они неплохо ладили, потому что Фишер мог орать на Глорию сколько угодно, а ей хоть бы хны. Хорошая девчонка, сколько лет уже с ним — сначала была официанткой в клубе, потом стала слишком стара для этого дела и перешла в офис. Печатала она до сих пор двумя пальцами и с правописанием не дружила, но как-то умудрялась держать все в порядке и при этом отлично смотрелась за своим столом в приемной.

Глория направилась к бутылке шампанского, налила себе и встала рядом с Арни перед зеркалом — тоже хотела полюбоваться своим телом. Она считала Карлоса очаровашкой и не могла понять, как он терпит объятия Арни. Но потом решила, что гомики все одинаковы — на что угодно готовы ради выгоды. Да и она сама, если на то пошло, не стала бы отталкивать Арни, если бы получала за это шелковые костюмы и крутые тачки. Карлос неплохо доил ее босса, особенно если учесть тех клиентов, которые потекли в автосервис молодого красавца. Интересно, гадала Глория, долго ли продлятся эти отношения? Обычно мальчики Фишера менялись раз в пару месяцев. Такой уж он ветреный, этот Арни, но с Карлосом они вместе вот уже недель восемь, и никаких признаков охлаждения. Ну а если ее босс все-таки бросит любовничка, уж Глория сумеет утешить мальчишечку.

— Я собираюсь домой, — сказала секретарша, залпом осушив бокал. — Так пустить Боксера или что?

Карлос поднялся, готовясь уйти.

— Останься. Это всего лишь Боксер Дэвис, — сказал Арни. — Зови его, — велел он Глории.

Секретарша, крутя задом, ушла, а вместо нее появился Боксер, и при виде его Арни испытал некоторое потрясение. Громила не только сходил в парикмахерскую, где его постригли и причесали на косой пробор, отчего стали заметнее крупные уши, но — что куда более странно — Боксер где-то раздобыл почти приличный костюм.

— Ну, что там у тебя? — спросил Арни, закуривая.

Боксер немедленно все выложил. Он-де был у Роулинсов и добыл кое-какую информацию, которая дорогого стоит, но она не для чужих ушей... Боксер покосился на Карлоса в расчете, что тот оставит их с Арни вдвоем.

Фишер кивком велел Карлосу принести новую бутылку шампанского. Как только молодой человек ушел, Боксер сел, не попросив разрешения. Это было что-то новенькое. Боксер никогда не позволял себе лишнего ни с одним из братьев, а сегодня казался каким-то самоуверенным, что ли. Арни решил пока спустить это неуважение с рук, настолько его заинтриговало необычное поведение верзилы и обещанная им новость.

— У меня сведения насчет Гарри Роулинса, мистер Фишер. Я был у Долли, пытался вернуть ее доверие, и вот — она открылась мне. — Боксер выдержал драматичную паузу, а затем продолжил: — Он жив. Гарри Роулинс жив.

Такой реакции Боксер не ожидал: Арни сел за свой стол, откинулся на спинку стула, снял очки и вдруг разразился пронзительным лающим смехом. Потом остановил на Боксере ледяной взгляд и скривил губы в презрительной усмешке:

— Жив! Она вешает тебе лапшу на уши, безмозглый ты идиот!

— Это правда, мистер Фишер. Он предложил мне работу. Будет платить мне, все по-настоящему. Долли даже отдала мне его пиджак — Гарри ей велел. Потому что он хочет, чтобы я, работая на него, выглядел прилично.

— Ты просто жалок. Я же был на его похоронах, вместе с копами. Кого она хочет обмануть, а? Я собственными глазами видел, как его закопали!

— Это был не он.

Арни поднялся из-за стола, отчего Боксер испуганно заморгал.

— Это был он! А ты только что облажался, Боксер. С тобой покончено, слышишь! У тебя был шанс, и ты его просрал. Стягивай свой дерьмовый костюм и возвращайся собирать бутылки, это все, на что ты способен. Как вдруг много ты о себе возомнил — говоришь со мной так, будто ты тут хозяин, садишься без приглашения. Смотри, поосторожней! А той сучкой я теперь займусь сам. И узнаю наверняка, жив Гарри Роулинс или нет. Из могилы выкопаю ублюдка, если понадобится!

Боксер поднялся, негодуя на то, как с ним только что обошлись. Арни — самодовольный придурок, рядом с которым Боксер чувствовал себя замарашкой и рохлей. Ну так вот — он не рохля. Вместе с Гарри они в порошок сотрут этого мелкого голубого дристуна.

— Скажу вам одно, мистер Фишер, — заговорил Боксер спокойным и грозным, как он надеялся, тоном. — Тони разгромил дом Роулинсов, и Гарри это не понравилось. — Пока громила говорил, в комнату вошел Карлос со второй бутылкой шампанского. — Совсем не понравилось. Так что передайте своему брату: Гарри очень сердит на него. Это Тони надо быть теперь поосторожней, а не мне. Обо мне позаботится Гарри, со мной все будет в порядке.

Едва разжимая губы, Арни прошипел:

— Проваливай!

Боксер молча покинул кабинет Фишера.

У Арни от переполнявшей его злости глаза чуть не вылезли из орбит. Карлос с шампанским в руках стоял посреди комнаты. Он видел, что Арни сейчас взорвется, но все-таки, поставив бутылку, рискнул приобнять любовника за плечи. Арни оттолкнул было Карлоса, однако тут же прошептал, хватая молодого человека за руку:

— Не надо, дорогой. Не сейчас.

Когда Ширли появилась в их тайном логове, Линда уже сидела на одном из ящиков из-под апельсинов. Вид у нее был ужасный: вся косметика растеклась по лицу.

Ширли подбежала к подруге. Неужели к ней приходил Тони Фишер и сделал что-то отвратительное?

— Да в порядке я, в порядке, — отмахнулась от ее расспросов Линда. — Не шуми так, ладно? Голова раскалывается.

— Так для чего мы здесь? Ты же знаешь, встречи может назначать только Долли. Ради чего такого важного ты нас собрала, Линда?

Из кухни вышла Белла и вручила Линде чашку кофе. Ширли только разинула рот, не зная, что сказать или куда смотреть.

— Чай? — спросила у девушки Белла.

Ширли так и продолжала стоять с открытым ртом. Кто эта женщина? Почему она здесь? И самое главное, что Линда успела ей рассказать?

— Это Белла, — произнесла Линда, как ни в чем не бывало прихлебывая кофе. — Она будет четвертой в нашей команде.

Ширли раскрыла рот еще шире, и Линда не удержалась от смеха:

— Да брось ты, Ширл. Белла дороже золота и тверже кремня. Она ровно то, что нам нужно. Знаю, о чем ты думаешь, но Долли все поймет, как только ее увидит. А если нет, то к черту. Белла стоит десяток таких, как Долли. — Но тут Линда ткнула Беллу в бок и сказала ей: — На самом деле, она голова и стоит десять тысяч таких, как ты!

Наконец Ширли смогла вымолвить хоть что-то:

— Тебе влетит за это, Линда.

— У Беллы не меньше прав на деньги Долли, чем у нас с тобой. Она заслужила хоть немного удачи... и она вдова, как и мы. Долли это оценит.

Ширли замотала головой, не желая слушать пьяный бред подруги, и в этот момент раздался лай Вулфа. Все три девушки посмотрели в сторону входа, потом Ширли метнулась на кухню, потащив за собой Беллу.

— Сама с ней объясняйся, — бросила Ширли Линде. — Это твоя затея.

Линда сжала голову ладонями, прогоняя головную боль.

В помещение ворвалась Долли, спустила Вулфа на пол и ринулась к Линде.

— В чем дело? — встревоженно спросила она. — Ты в порядке? Что случилось?

Когда Линда подняла голову и Долли почуяла водочный перегар, ее тревога моментально сменилась гневом.

— Ты пьяна, Линда! — вскипела Долли. — Ты собрала нас среди ночи, потому что у тебя закончилась водка?

Ширли наблюдала за ними из открытой двери кухни. Она никогда еще не видела Долли в таком неприбранном виде. Без макияжа, с немытыми волосами, утомленная до такой степени, что ввалились щеки. Впервые на памяти Ширли Долли выглядела пожилой женщиной... пожалуй, даже старше Одри. Хотя, с другой стороны, Долли и правда годилась девушке в матери.

— Ничего я не пьяна. Ну, выпила немного, кто ж спорит, но я не пьяна.

Тем не менее алкоголя в ней было достаточно, чтобы не замечать, до какой степени разъярена Долли. Со своего места Ширли видела, как вздулись на шее их босса вены. Но ни Долли, ни Линда не успели больше ничего сказать, потому что из-за спины Ширли вышла Белла.

Высокий рост и статная фигура гостьи не смутили Долли. Белла улыбнулась и двинулась к женщине с протянутой для пожатия рукой. Ширли вспомнила, как вела себя Долли во время их последней ссоры с Линдой — тогда, отвешивая подруге пощечину, больше всего она напоминала родителя, наказывающего ребенка. Теперь Долли выглядела еще жестче, в ней проявились почти мужские черты, как будто эта ситуация потребовала от нее каких-то необычных качеств. Когда Долли наконец заговорила, голос у нее был низким и хриплым. Она оглядела Беллу с ног до головы, а затем снова посмотрела на Линду:

— Кто это, черт возьми?!

Благодаря водке Линда чувствовала себя всемогущей. Она спокойно представила новенькую:

— Это Белла.

— Что она здесь делает? — Долли из последних сил сдерживала бешеную ярость.

— Она хочет вступить в нашу команду. Вы сказали, что нам нужен четвертый участник, поэтому я ей все рассказала, и она...

— Что именно ты ей рассказала?

С трудом встав с ящика, Линда продолжала:

— Все. Я рассказала ей все еще там, в игровом зале. Посмотрите на нее, Долли, она идеально нам подходит.

— Ты тоже в этом замешана? — перебив Линду, рявкнула Долли все еще стоящей в дверях кухни Ширли.

— Я уже спала, когда она позвонила. Не надо меня впутывать, я так же потрясена, как и вы.

— Заткнись, мисс Паинька, и дай мне закончить! — закричала на Ширли Линда.

— О, ты уже закончила, не волнуйся. — Долли замахала перед лицом Линды указательным пальцем, борясь с желанием опять отхлестать ее по щекам. — Собирай свое барахло и проваливай! И эту черную девку можешь тоже взять с собой!

— Дайте же объяснить...

— Объяснить — что? Почему ты напилась и растрезвонила всему свету о нашем плане? Сколько еще шлюх ты привела? Пошла вон, поняла? Вон отсюда!

Долли схватила Линду и попыталась вытолкать ее за дверь, но на этот раз, подогреваемая водкой, Линда оказала сопротивление.

— Хватит обращаться со мной как с дерьмом! Вы к собаке своей относитесь лучше, чем ко мне! — Подступили слезы, и Линда поняла, что обратного пути нет. Она заорала в лицо Долли: — Я предлагаю решение всех наших проблем, а ты швыряешь мне его обратно, фря этакая...

Вдруг между ними встала Белла. Она оттащила Линду в сторону и хлестнула ее по щеке. В наступившей тишине Долли и Белла, стоя нос к носу, оценивающе смотрели друг на друга. Потом Белла впервые за все время заговорила:

— Хотите сцепиться — пожалуйста, но без меня. — Глубокий низкий голос Беллы звучал ровно и сдержанно, и только в глазах сверкало немое предупреждение. — Послушайте, миссис Роулинс, я уже забыла все, что она мне рассказала. Так что не волнуйтесь. Меня это не касается. И спасибо за кофе. — Белла подхватила сумочку и пошла к воротам.

Линда посмотрела на Долли.

— Минутку. — Оклик Долли заставил Беллу остановиться и глянуть через плечо.

— Это вы мне, миссис Роулинс? — Белла источала невозмутимость, как фонарь — свет. — Вообще-то, у меня есть имя, и это не «шлюха» и не «девка». Меня зовут Белла. И я сюда не просилась, меня позвали. Эти две девчонки, возможно, считают ваш план безумием, а я — нет. Мне известно, что вы задумали, и я бы не пришла, не реши, что могу участвовать в этом деле. — (Долли напряженно слушала, не сводя с Беллы глаз.) — Кто, по-вашему, годится для такого? Да и кто согласится? — Так как от Долли ответа не последовало, Белла продолжила путь к выходу. — Можете засунуть свой план куда подальше, — бросила она через плечо.

— Стой. Что она тебе рассказала? — спросила Долли.

— Ничего. — Теперь в голосе Беллы звучал сарказм — свою точку зрения она высказала. — У меня слабая память. Линда, если хочешь, пошли со мной, я провожу тебя до дому.

Линда встала между Долли и Беллой, словно ребенок между пререкающимися родителями.

— Прошу вас, Долли, подумайте. Я хотела как лучше. Простите меня. Но вы же не можете все отменить, Долли, только не из-за меня. Ее нельзя упускать, Долли, она то, что нам надо, я точно знаю.

— Кому еще ты растрепала о нас?

Линда затрясла головой:

— Никому! Клянусь, чем хотите, — никому!

— Что скажешь, Ширли? — спросила Долли.

Ширли не привыкла, чтобы ее мнение кого-то интересовало. Беллу она не знала, и ее огорчило, что Линда договаривалась о чем-то без их ведома. Однако своей подруге Ширли доверяла.

— На вид она и правда то, что надо, — ответила Ширли после кратких раздумий. — А раз она и так уже в курсе, то нет смысла ее прогонять.

— Ты замужем? — спросила Долли.

Белла шагнула обратно к Долли, Линде и Ширли.

— У меня никого нет, миссис Роулинс. Я просто работаю в стрип-клубах и на улицах.

— Она тебе сказала, что мы будем пользоваться оружием?

— Да.

— Водить умеешь?

— Да.

И снова Долли и Белла вперили друг в друга взгляды, но на этот раз не как две альфа-самки, борющиеся за лидерство. Теперь в их глазах читалось уважение. Наконец Белла решила разрядить напряженную атмосферу:

— А еще я играю на губной гармошке.

Долли пришлось постараться, чтобы не рассмеяться в ответ. Белла оказалась сильной, независимой женщиной, которой никто не указ, но в то же время она была умна и стала бы отличным дополнением к их команде.

Линда и Ширли обнялись, тревожно дожидаясь решения их босса.

— Хорошо, Белла. Называй меня Долли.

ГЛАВА 12

Эксперты сообщили инспектору Резнику о том, что задний бампер хлебного грузовика был укреплен толстым металлическим штырем. Благодаря этому грузовик выдержал столкновение с инкассаторской машиной, но запачкался ее краской. Не было сомнений в том, что именно этот автомобиль участвовал в неудавшемся налете.

Целых пять дней в пекарне «Саншайн» кипела работа. У всех сотрудников и сотрудниц компании сняли отпечатки пальцев, а затем сравнили с теми, которые обнаружились в хлебном грузовике. Это была долгая, утомительная процедура, но Резника ничто не могло остановить.

Пока полиции не удалось найти среди работников пекарни ни одного человека с криминальным прошлым, а все отпечатки пальцев в грузовике принадлежали исключительно персоналу. Кто-то вел двойную жизнь. Примерно за неделю до налета начальнику гаража пекарни сообщили, что данный грузовик отправлен на ремонт, поэтому Резник начал с двух механиков. Разумеется, оба отрицали какую бы то ни было связь с преступлением и не опознали на предъявленных им фотографиях ни Гарри Роулинса, ни Терри Миллера, ни Джо Пирелли. Резник сделал вывод, что один из механиков лжет.

— Это видно по глазам, Фуллер, и по языку тела. В данном случае нам противостоит не злой гений, а маленький, несчастный человечек, который не устоял перед парой сотен, а теперь ходит ни жив ни мертв с тех пор, как ограбление накрылось медным тазом.

— Мне кажется, — спорил Фуллер, которого утомило «шестое чувство» Резника, — что ему достаточно просто держать язык за зубами. Роулинс с приятелями погибли, его никто не сдаст.

— Есть еще четвертый налетчик, Фуллер. Этот четвертый может сдать всех, потому что у него тетради Гарри Роулинса. Нет, это точно один из механиков, и я узнаю, кто именно.

Дональд Фрэнкс сидел перед Резником и мял в руках замасленную ветошь. Он определенно нервничал, но из-за чего? Инспектор заставил механика попотеть ровно столько времени, сколько, по мнению Резника, нужно для оптимальной подготовки человека к допросу, и только собирался приступить к делу, как ему позвонили.

— Что еще? — рявкнул Резник в трубку, но быстро успокоился и продолжил уже довольно миролюбиво: — Хорошо, Элис, спасибо. Да, я буду в четыре. Обещаю, Элис, обещаю. — И Резник положил трубку. — Последи за временем, Фуллер, — приказал он. — К четырем мне нужно быть в участке.

Не прошло и пяти минут от начала допроса Фрэнкса, как Резник понял: механик нервничал не из-за того, что работал на Роулинса. Вместе со вторым механиком они отмечались в начале смены, а потом один из них сматывался до конца дня в какой-нибудь паб.

— Пожалуйста, не рассказывайте никому, сэр, — бормотал Фрэнкс. — Для нас двоих дел тут немного, но нам не на что будет жить, если мы тоже останемся без работы, понимаете?

— Тоже? — прищурился Резник, предчувствуя, что сейчас последует нечто важное.

— Да, сэр, раньше нас было трое. Лена сократили три месяца назад. Нас с Бобом тоже могут уволить. Пожалуйста, не говорите никому!

— Хватит ныть! — приказал Резник. — Мне глубоко насрать на ваши с Бобом проделки, но если не выложишь сейчас же все, что знаешь об этом Лене, клянусь, я раскрою твоему боссу глаза на то, что творится в его компании.

И Фрэнкс рассказал Резнику, что Лен Галливер был заподозрен в воровстве, чему сам Фрэнкс не поверил ни на секунду. Скорее всего, таким образом компания просто хотела избавиться от неугодного работника. После дальнейших расспросов Резник выяснил, что у каждого механика есть ключ от гаража, чтобы можно было улизнуть в паб при первой возможности. Если никто из начальства не знал, что у Галливера есть ключи, то, вполне вероятно, они по-прежнему у него, то есть он запросто мог быть тем человеком, который помог Роулинсу выкрасть хлебный грузовик. Резник распорядился, чтобы Лена Галливера разыскали и арестовали. Впервые за много недель у них появился реальный след. От таких новостей инспектор пришел в благодушное настроение и поставил десятку на то, что Лен Галливер знает, кто был четвертым в банде Роулинса.

Однако супруга уволенного механика заявила, что Лена нет. Но ее нежелание впустить полицию в квартиру показалось Резнику подозрительным. Женщина все причитала, жалуясь на плохое обращение хлебопекарни с ее Леном: обошлись, как с собакой, или даже хуже того.

— Пятнадцать лет службы — и вдруг ни с того ни с сего: вы уволены. Да еще возвели напраслину, будто он что-то там стащил! Но разве станут совать человеку две сотни, чтобы он ушел, не поднимая шума, если уверены, что он вор. Вот вы бы стали?

Полагая, что этот Лен сделал ноги, а жена его покрывает, Резник не стал спрашивать о местонахождении механика и собирался уже уходить, когда ему вдруг пришло в голову показать миссис Галливер фотографии подозреваемых. Женщина, к его удивлению, узнала Джо Пирелли.

— Да, вот этот к нам заходил, — бесхитростно рассказывала хозяйка дома. — У него было какое-то дело к моему мужу. А вот этот человек, — она показала на портрет Роулинса, — ждал его снаружи. Я видела его через кухонное окно, он сидел в темно-сером «мерседесе».

От радостного возбуждения у Резника свело живот. Похоже, миссис Галливер и правда ничего не знает о криминальных делишках супруга. Инспектору не терпелось взять этого Лена Галливера в оборот.

— Так где сейчас ваш муж? — спросил он.

Миссис Галливер заплакала и махнула рукой в направлении гостиной.

Резник, несколько сбитый с толку ее слезами, подошел к двери и толчком распахнул ее настежь.

— Ты арестован, Лен! — рявкнул он и остолбенел.

В гостиной на большом обеденном столе стоял гроб.

— Рак, — объяснила стоящая у инспектора за спиной миссис Галливер сквозь слезы. — Хорошо хоть все быстро закончилось, ему не пришлось долго мучиться.

Долгожданного прорыва в деле не случилось. Фуллер, выйдя на улицу, никак не мог остановиться:

— «Ты арестован, Лен!» — передразнивал он инспектора. — Это пойдет в народ.

Когда они сели в машину, Эндрюс сказал Резнику, что Элис дважды выходила на связь по рации. Один раз — чтобы сообщить о звонке осведомителя по кличке Гнилозубый, а второй — чтобы передать вопрос старшего инспектора Сондерса о том, где черти носят этого Резника.

— Проклятье! — заорал инспектор на Фуллера. — Я же просил тебя следить за временем! К четырем мне нужно было быть в участке.

— Что-то важное? — спросил Фуллер, заводя машину, хотя прекрасно знал, что Резник договорился о совещании с Сондерсом не только для того, чтобы рассказать о ходе следствия, но и для того, чтобы обсудить свои шансы на повышение.

Фуллер-то считал, что шансы эти близки к нулю. Теперь, когда Резник пропустил совещание, они стали и того меньше. Встретившись с Эндрюсом взглядом в зеркале заднего вида, Фуллер весело подмигнул напарнику.

Резник велел двигаться к дому Роулинсов, чтобы переговорить с командой слежки. Фуллер медленно проехал мимо жилища Долли. Там было темно, шторы на всех окнах задернуты. Сержант притормозил у машины наблюдения, и Резник вышел. Хоукс чуть не проломил крышу автомобиля, подпрыгнув почти на полфута, когда инспектор забарабанил по стеклу кулаком. Докладывать им было нечего, никакого движения, никаких посетителей... только приезжал грузовичок и забрал кроватку, постельные принадлежности и другие детские вещи. Когда грузовик уехал, его догнала патрульная машина, и был произведен тщательный обыск. Ничего подозрительного обнаружено не было.

— Вези меня в участок, — буркнул Резник. — Будем надеяться, что Гнилозубый припас для меня что-то посущественнее, чем эти дармоеды.

Арни Фишер наклонился к самому лицу Тони и говорил тихо и медленно. Тони знал, что в таких случаях лучше просто слушать.

— Это было простое задание. Забрать спиртного на двадцать штук, заплатить за него двенадцать и привезти сюда. Бить никого было не нужно. Трахать жену чувака, у которого покупаешь выпивку, тоже было не нужно. Ну что у тебя в голове, а? — спросил Арни и пальцем ткнул Тони в висок. — Почему ты все время творишь какие-то глупости?

Тони ничуть не смутился:

— Она оказалась миленькой блондиночкой с большими сиськами и не жаловалась на то, что я ее пощупал. — По его лицу расползалась довольная ухмылка. — Зато жаловался ее свинорылый муженек! Ты бы видел, как я вырубил этого толстого придурка. Один приемчик — и он готов.

— И что потом? — спросил Арни.

Тони пожал плечами:

— Хм, да, выезжая с парковки, я помял «ягуар», но есть и хорошая новость: я помял его о «бумер» этого придурка из Манчестера. Да не переживай, Карлос починит твою красотку. Послушай, Арни, — оживился Тони, вспоминая о своих похождениях, — за мной гнались копы — с сиренами, мигалками, все дела, а я от них ушел, представляешь? Все живы-здоровы, фургон со спиртным добрался до Лондона, а я унес ноги. Никаких проблем!

— Проблема в том, что манчестерские ребята больше не захотят вести с нами бизнес. — Арни начинал выходить из себя. — А это большая потеря для нас, потому что они чертовски хорошие партнеры!

Тони откинулся на спинку вращающегося стула:

— Да пусть эти подонки сгниют в своем Манчестере! Чего ты так разошелся из-за каких-то мелких деляг с севера, лучше подумай, как прибрать к рукам тетради Роулинса.

— Как будто я не думаю об этом! — огрызнулся Арни. — Почему, по-твоему, я отправил тебя в Манчестер? Чтобы ты тут лишнего шума не устраивал. Мне нужно, чтобы все было тихо-мирно. Мне нужны мозги и тактика.

Тони выпрямился, внезапно посерьезнев:

— Если копы доберутся до записей, Арни, мы с тобой огребем по пятнашке, а то и больше. С этим сукиным сыном Роулинсом мы три крупные сделки провернули, скупая краденое, и можешь не сомневаться, у него записано каждое пенни, которое мы для него отмыли.

— Уж мне-то можешь не напоминать! — вспылил старший Фишер.

— Слушай-ка, Арни, это твое «тихо-мирно» больше не работает, — сказал Тони и встал со стула. — Теперь вдовами вместо Боксера займусь я сам. И заставлю их рассказать все, что нам нужно.

Арни молчал, и это было очень странно.

— Что-то случилось? — спросил Тони.

— Боксер сумел кое-что выудить из Долли, — произнес Арни. — Она призналась ему, что Гарри Роулинс все еще жив.

Тони на время замер с разинутым ртом, потом заготогал:

— Ради бога, Арни, что за чушь! Она опознала его и лично похоронила, все россказни Боксера — полный бред.

Обеспокоенность старшего Фишера стала очевидной. Он сел за свой письменный стол и снял очки:

— Мы не знаем, чушь это или нет.

Тони вздохнул:

— Братишка, доверься мне, я со всем разберусь. И тебе не надо ни о чем тревожиться. Я вытрясу всю правду и из Боксера, и из Долли Роулинс.

— Только держи себя в руках, — сказал Арни, нервно полируя стекла очков. — У нас с тобой неплохой бизнес. Поговори с Боксером и Долли — без мордобоя! — а к двум другим не ходи. От Пирелли и той, второй, мы не слышали ни писка, так что лучше их вообще не трогать.

— Ширли, — произнес Тони мечтательно. — Ее зовут Ширли. — Он едва не пускал слюни. — Классная цыпочка.

— Да-да, — равнодушно отмахнулся Арни. — Только руки не распускай, Тони, ты меня понял?

Открылась дверь, и вошел Карлос. Тони ястребом налетел на него:

— Эй, ты! Стучать надо перед тем, как войти, гомик хренов!

— Я пришел, чтобы забрать «ягуар»... опять. Тони, тебе бы следовало ездить поаккуратнее.

Надвигающуюся перебранку остановил властный голос Арни:

— Остынь!

Карлос с вызовом посмотрел на Тони, уверенный в том, что Арни защитит своего бойфренда. Однако Арни шевельнул пальцем в направлении дивана, и Карлосу пришлось ретироваться.

Старший брат поманил к себе младшего.

— Веди себя осторожнее, — тихо произнес Арни. — Ставки очень высоки.

— Послушай, дорогуша, — ответил Тони, — Гарри Роулинс мертв. Насчет него нам уж точно не нужно беспокоиться. Единственная проблема, которую мы должны срочно решить, — это его тетради, и если бы мне предоставили свободу действий, они уже были бы у нас! Так, первым делом я наведаюсь к его кузену Эдди Роулинсу, а затем по душам побеседую с вдовушкой и уж после притащу сюда этого недоумка Боксера. Вот тогда сравним их показания.

Тони причмокнул губами, посылая издевательский воздушный поцелуй в адрес любовника своего брата, и решительно промаршировал к выходу.

Карлос посмотрел на Арни.

— Неприятности? — спросил он, откупоривая бутылку.

— Не бери в голову, малыш. — Арни встал позади Карлоса и принялся поглаживать его по крепким ягодицам. Фишер был ниже автомеханика, и ему пришлось задрать

голову, чтобы положить подбородок на широкое, муску-
листое плечо Карлоса. — Просто надо подчистить кое-какие хвосты. После того как Роулинсу с Миллером и Пирелли пришел капец, осталась парочка дел.

Карлос вздрогнул при упоминании фамилии Пирелли,
однако ничего не сказал и молча разлил шампанское по
бокалам. Желая сменить тему и отвлечься от тревожных
мыслей, Арни кивком велел Карлосу открыть большую
подарочную коробку, стоящую на диване. Внутри лежал
аккуратно сложенный костюм из белого шелка. Карлос
расправил его на вытянутых руках.

— Мне очень нравится, — сказал он, сверкая белозу-
бой улыбкой. — Пирелли... — добавил он как бы между
прочим. — Кажется, я уже слышал это имя.

Арни суетился вокруг Карлоса, помогая надеть пиджак.

— Да, тот еще сукин сын. Его жена работает размен-
щицей в игровых автоматах в Сохо. Та еще шлюха. Но
Джо — он был неплохим малым. — Фишер отступил от
Карлоса на шаг и окинул любовника удовлетворенным
взглядом: костюм сидел превосходно.

Карлос вспомнил перевернутую фотографию у кровати Линды.

— Костюм отличный, Арни, — сказал он.

Эдди Роулинс сидел в своем грязном, сыром кабинете,
закинув ноги на стол. Это был его рабочий офис — в старой развалюхе посреди автомобильной свалки в Камбер-
уэлле. Старые машины тут были навалены в три-четыре
ряда. Все свои дни Эдди проводил, сидя в кабинете и меч-
тая о небесно-голубом «роллере», который купит, когда
разбогатеет. Гарри давным-давно обещал, что подарит
кузену дорогой современный автопресс для утилизации
машин, чтобы бизнес стал более прибыльным. Однако
обещание так и осталось невыполненным.

Сейчас Эдди говорил по телефону с приятелем, который держал небольшую букмекерскую контору в Эпсоме. Кузен Гарри раздобыл инсайд по заезду в три пятнадцать в Хейдоке и поставил пять фунтов на первую и вторую лошадь. В том, что касается игры на тотализаторе, Эдди был весьма осмотрителен, но при этом мог спустить сотню на какую-нибудь проститутку. Листая газету в поисках скакунов для еще двух-трех надежных ставок, он отметил про себя, что большинство его женщин такие же малорослые, как и лошади, на которых он ставит.

Болтовню по телефону прервал звук подъезжающей машины. Когда Эдди увидел, кто к нему пожаловал, его окатила ледяная волна страха. Он скинул ноги со стола, бросил телефонную трубку и, стараясь вести себя как можно беззаботнее, достал из ящика стола бутылку скотча.

— Не против, Тони? Ты как раз вовремя для послеобеденного глоточка виски. Выпьешь со мной? — Эдди метнулся к стеллажу, где вместо канцелярских папок стояли стаканы, и украдкой кинул взгляд на «форд-гранада» чудовищного зеленого цвета.

Уф, по крайней мере, Тони Фишер приехал один!

Эдди не мог остановить поток пустого трепа, который лился из него будто сам по себе:

— Бизнес на нуле, понимаешь. В этом деле никто сейчас особо не процветает. А как у тебя дела, Тони? Ваш с братом ночной клуб, кстати, очень хорошее местечко. — Эдди начал наливать виски.

— Что тебе известно о тетрадях твоего кузена Гарри? — любезным тоном поинтересовался Тони.

Рука Эдди дрогнула, и струя полилась мимо стакана. Тони Фишер был мастером своего дела, и вообще, во многих отношениях он олицетворял то, к чему стремился Эдди: быть таким вот крепким мужчиной с буграми мышц, но в хорошей модной одежде, всегда со свежей стрижкой и ухоженными ногтями, с маленьким бриллиантом в мочке уха. Тони сел напротив Эдди и скрестил ноги, открыв взгляду начищенные ботинки от «Гуччи». Это Арни научил Тони следить за внешностью, хотя бриллиантовую сережку не одобрял. Тони же считал, что она делает его сексуальным. И правда, женщины находили младшего Фишера привлекательным, однако всю красоту портил холодный, бездушный взгляд.

Тони никогда не смотрел людям в глаза, вместо этого он намеренно смотрел им в лоб. Теперь же Фишер лениво оглядывал грязную убогую комнатку, прекрасно осознавая, какой эффект это оказывает на Эдди. Тони нравилось вызывать в людях страх.

— Ты ведь знаешь Боксера Дэвиса, да? — спросил Тони деловитым тоном.

— Д-да, — заикаясь, выдавил Эдди. — Он вроде работает на вас, если это можно так назвать. С вашей стороны это больше похоже на благотворительность. Не видел его с похорон.

— Так вот, он тут кое-что растрепал о твоем кузене. Направо и налево говорит о том, что Гарри Роулинс жив-здоров. Но мы ведь оба понимаем, что это невозможно, да?

— Жив? — Эдди казался удивленным. — Гарри мертв, Тони... Я все-таки его родственник. Мне бы он открылся раньше, чем какому-то болвану Дэвису.

Тони ободряюще улыбнулся, отчего Эдди заметно полегчало. Тогда младший Фишер достал из кармана носовой платок и потянулся через стол к стакану с виски, но на полпути к цели молниеносно протянул руку к Эдди, схватил его за волосы, подтянул к себе через стол и затолкал платок ему в рот. Потом рывком сдернул Роулинса со стола и, швырнув к стене, ударил головой в лицо. Все это заняло не больше пары секунд. В полубессознательном состоянии Эдди скользнул вдоль стены на пол и откинулся навзничь. Тони присел рядом на корточки, вынул изо рта своей жертвы носовой платок и заботливо стер кровь из разбитого носа Эдди. Пригнувшись к самому лицу своей жертвы, Тони зловеще прошептал:

— Ну-ка, расскажи мне, что ты знаешь о тетрадях Гарри Роулинса.

С трудом сдерживая слезы, Эдди взмолился:

— Я ничего не знаю об этих тетрадях, Тони, Богом клянусь!

— Но ты все-таки его родственник, — повторил Тони слова Эдди. — Тебе бы он открылся раньше, чем какому-то болвану Дэвису. А если болван Дэвис в курсе, то логично предположить, что и ты знаешь.

— Не знаю! Клянусь жизнью, не знаю! Гарри мне никогда ни о чем не рассказывал. Я просто бахвалился, Тони, ты же знаешь, каково это. У Гарри было все, а у меня... только эта дыра. Мы с Гарри не были близки; он меня недолюбливал. И ничего мне не рассказывал, честное слово.

Тони поднял руку, чтобы почесать голову, и Эдди от страха чуть не обмочился.

— Пожалуйста, только не бей меня! — закричал он.

Пока Тони продолжал запугивать его, Эдди держал руки перед лицом, закрываясь от удара, и только кивал или тряс головой вместо ответов.

— Значит, у Гарри было все, так? — продолжал Тони свой допрос. — Ну, так теперь это «все» у меня, понял? У меня и моего брата. И нам по фигу, жив Гарри или подох, потому что он теперь никто. Из чего следует, что ты даже меньше, чем никто. Согласен? — Тони нежно погладил Эдди по щеке. — Итак, держи ухо востро... — Тони резко вдавил Эдди лицом в оргалитовый пол. — ...и дай мне знать, как только выяснишь что-то про Боксера Дэвиса или тетради Гарри. — Фишер несколько раз шлепнул Роулинса по щеке и поднялся.

Эдди не смел шевельнуться. Он лежал на грязном полу и беззвучно плакал, крепко зажмурившись в ожидании пинка в лицо. Глаза он открыл только после того, как услышал заведенный вдали двигатель автомобиля. Эдди тяжело поднялся с пола, придерживая разбитую голову, и выглянул в окно, чтобы быть на сто процентов уверенным: Тони уехал. А потом снял телефонную трубку.

В крошечной конуре на Портобелло-роуд на звонок ответил Билл Грант. Он слушал, пока Эдди дрожащим, тонким от пережитых страданий голосом пересказывал произошедшее. В конце концов Билл не выдержал:

— Заткни свою плаксивую пасть, Эдди! Что ты ему сказал?

— Я ничего ему не говорил. Его информация от Боксера Дэвиса, — заверил его Эдди.

— А где он?

Эдди смолк и прикрыл глаза: Боксеру теперь несдобровать. Билл Грант был во сто раз хуже Тони. Билл Грант — по-настоящему бессердечный ублюдок, который убивает людей за деньги любым удобным ему способом: быстро, медленно — не важно. Сильной стороной наемника было то, что он казался гораздо умнее Тони. Потому-то почти никто и не знал, что Билл вернулся. Этот безжалостный убийца не стремился быть на виду, он умел оставаться незамеченным. Внешне Билл не производил какого-то особого впечатления, но, Бог свидетель, с ним было лучше не связываться. Этому ублюдку нечего терять, вот почему он был самым опасным человеком из всех, кого знал Эдди. Билл только что вышел на свободу после двенадцати лет тюрьмы, но сразу оказался в гуще событий. Эдди открыл глаза, услышав, как Билл повторяет свой вопрос:

— Где он сейчас?

Красный от стыда, Эдди пытался убедить себя, что собственная шкура дороже чьей-то чужой. Даже Боксера Дэвиса.

ГЛАВА 13

В гараже вовсю кипела работа: три женщины были поглощены каждая своим делом. В углу Ширли занималась двумя парами темно-синих комбинезонов, которые купила в этот день: тщательно срезала все бирки и ярлычки и бросала в железную канистру, чтобы потом сжечь. Белла и Линда с пульверизаторами в руках перекрашивали фургон «форд-эскорт» в белый цвет. На обеих женщинах были маски, но все равно от запаха краски разъедало глаза. Надетые на них комбинезоны были уже не синими, а белыми, как автомобиль.

— Не знаю, как ты, Белла, а я без сил. Пожалуй, пока хватит. Нужно, чтобы краска подсохла перед следующим слоем, — сказала Линда.

Белла кивнула, однако продолжила закрашивать начатый участок и только потом отсоединила шланг от пульверизатора и сняла маску.

— Думаешь, она придет сегодня и принесет нам денег? — Белле не хотелось задавать этот вопрос, но, чтобы прийти сюда, ей пришлось отказаться от выступления в клубе, а жить на что-то надо.

Линда пожала плечами:

— Надеюсь! Краска-то недешевая, и мы тут горбатимся уже полдня. Как считаешь, Ширли?

— Я просадила все деньги на эту экипировку, так что, черт побери, надеюсь, что Долли возместит нам потраченное!

Белла села на один из ящиков и стала стягивать плотные резиновые перчатки.

— По-моему, нам надо кое-что обсудить — нам троим. Линда, ты говорила, что мы подыгрываем ей ради бабок, но такое ощущение, что все гораздо серьезнее. Либо она сошла с ума от горя и не понимает, что делает, либо она и в самом деле задумала ограбление.

— Я согласна, — сказала Ширли. — Зачем тратить на нас и все эти вещи столько денег, если то, что она говорит, неправда?

— Если это все взаправду, то нам достанутся миллионы... — Казалось, эта мысль приводит Беллу в восторг.

— Один миллион, — поправила ее дотошная Ширли. — На четверых.

Белла не сдержала сарказма:

— О, тогда, конечно, надо выбросить все это из головы и идти по домам. Кто захочет столько вкалывать ради жалкой четверти миллиона? — Женщины прыснули, и Белла продолжила: — Что я хочу сказать. Долли считает, что все уже распланировано и нам осталось только выполнить намеченное. Лично я вся горю от нетерпения, когда смотрю на то, что мы тут сделали.

Ширли смущенно заулыбалась, потому что она тоже уже размечталась о том, как здорово было бы заполучить эти двести пятьдесят тысяч фунтов и больше никогда не переживать из-за денег. Теперь, когда Белла открыто об этом сказала, идея показалась еще более привлекательной.

Линда, как всегда, смотрела на вещи с практической точки зрения:

— Если бы ленивая старая кобыла соизволила прийти, можно было бы прямо ее спросить. Но дело-то в том, что она давным-давно здесь не появлялась. Мы тут втроем играем в гангстеров и на эти игры потратили все деньги, что у нас были. Так что, может, у нее все распланировано и мы все разбогатеем, а может, ее маленькое безумие закончилось и она просто о нас забыла. Скорее всего, сидит сейчас дома, в своей башне из слоновой кости, пьет виски и держит на коленях свою шавку.

— Ты совсем не доверяешь людям, Линда, — покачала головой Белла. — А они могут очень удивить тебя, если только ты им позволишь.

— Да неужели? Что-то давненько никто меня не удивлял. С меня хватит, я иду домой.

Линда стала собираться, а Ширли тем временем бросила в канистру спичку, намереваясь сжечь срезанные с комбинезонов ярлыки. Неожиданно из канистры с резким шипением вырвался столб пламени, и Ширли с диким визгом отскочила — у нее обгорела челка.

— О господи, Ширл! — воскликнула Белла. — Что ты туда налила?

— Полбутылки скипидара...

Женщины снова залились смехом, но вдруг Линда подняла руку — послышался лай овчарки в соседнем ангаре.

— А вот и она, — сказала Белла, — наша предводительница.

Линда была ближе всех к двери. Она замерла, прислушиваясь:

— Без каблуков. И без Вулфа.

Белла и Ширли стали оглядываться в поисках укромного местечка. Но было уже поздно. Скрипнули ворота, и внутрь вошел мужчина в темно-зеленом пальто и кепке. Ширли пискнула и подскочила на месте, перепуганная до полусмерти, Белла подхватила ломик, а Линда громко заорала:

— Кто вы и зачем приперлись сюда?

Долли стянула с головы кепку.

— Значит, меня можно принять за мужчину, — сказала она, очень довольная собой. — Прошу прощения, что долго не выходила на связь. Эта чертова полицейская машина так и торчит перед моим домом. Следят за мной днем и ночью. Поставь чайник, Линда, у меня в горле пересохло. Пришлось попрыгать через заборы в чужих садах, а в ботинках Гарри это не просто, скажу я вам. Такие тяжелые.

Три женщины в немом изумлении смотрели, как Долли снимает рюкзак и выпускает оттуда Вулфа. Он стрелой помчался к свежеокрашенному «форду» и помочился на колесо.

— Нет! — хором воскликнули три молодые вдовы и в который раз за день зашлись от хохота.

Долли к веселью не присоединилась. Они все чертовски устали. Долли сняла пальто, закурила и принялась вынимать из карманов записные книжки. Линда поспешила на кухню варить кофе, Белла отправилась за бензопилой, а Ширли наблюдала за тем, как догорает ее маленький костер.

Тишину взорвал рев бензопилы — это Белла завела ее и легко подняла тяжеленный инструмент.

— Отлично, Белла! — восхитилась Долли. — Когда ты помашешь бензопилой перед охранниками, они точно все разбегутся. Никто не догадается, что ты не парень. Ширли, комбинезоны что надо, и, Линда, — «эскорт» замечательно покрашен.

Все три девушки просияли от радости, словно дети, которых похвалила мама. Ни одна из них не могла бы объяснить, чем они так горды, но слова Долли доставили им массу удовольствия.

Из-за ревущей пилы они не слышали, что в ворота ангара кто-то барабанит, но зато маленький Вулф залился лаем, а ему в ответ начала голосить овчарка из соседнего гаража. Белла заглушила пилу, Долли знаком веле-ла девушкам соблюдать тишину. Линда шагнула к тай-нику в полу, чтобы достать обрез, но Белла удержала ее на месте.

— Ради бога, Линда, остынь, — прошептала Долли. — Кем ты себя считаешь... героиней боевика?

— Я управляюсь со стрелка́ми и днем и ночью у себя в игровом зале, так что знаю, что делаю, — так же шепо-том огрызнулась Линда.

— Да, но там стреляют пневматикой с мелкими пуль-ками, а не патронами, набитыми дробью!

— Тише, вы, двое, — зашипела на них Ширли, потому что в ворота опять заколотили.

Долли уже бежала к выходу, с верным Вулфом по-зади, готовым защищать ее, если понадобится. Она вы-ключила свет, потом медленно приоткрыла маленькую дверцу в воротах — всего на пару дюймов — и выглянула в щель. Девушки сбились стайкой неподалеку и внима-тельно слушали.

— Меня зовут Билл Грант, — сказал человек, стоя-щий у ворот. — Я друг Гарри Роулинса, у меня такой же гараж тут неподалеку. Вы ведь миссис Роулинс, верно?

— Что вы хотите? — вместо ответа спросила Дол-ли. — Я очень занята.

— Можно мне войти? — спросил Билл.

— Нет, — ответила Долли. — Я не хочу открывать дверь, боюсь, моя собачка сразу убежит.

— Ладно, — не настаивал Билл. — Мне просто было интересно, раз уж Гарри, ну, вы понимаете... о, и примите мои соболезнования, кстати... так вот — если вы надума-ете продавать гараж или сдавать в аренду, может, скаже-те мне первому?

Долли фыркнула.

— Признательна за соболезнования, — произнесла она сухо. — Просуньте номер своего телефона под дверь, и я позвоню вам, когда у меня будет время все обдумать. — Захлопнув дверь, Долли проверила, что она надежно заперта.

Медленно шагая обратно к трем девушкам, Долли нахмурилась и закурила сигарету.

— Из вас кто-нибудь слышал о Билле Гранте? — Долли выдула очередное облачко дыма.

Девушки переглянулись и пожали плечами, а потом все вместе вернулись во внутреннее помещение гаража, где Долли тут же взялась за свой ежедневник и затушила окурок.

— Возможно, у нас проблема, — произнесла она. — Этот незнакомец сказал, что был другом Гарри и владеет соседним гаражом. Сказал, что видел, как я сюда шла, и хотел убедиться, все ли в порядке.

— Так в чем проблема?

— Гарри никогда и никому не рассказывал об этом гараже, ни-ко-му. И снял он этот ангар на вымышленное имя.

В наступившей тишине вдовы обдумывали, что из всего этого следует.

— Ой... а что, если его послали Фишеры? — заверещала Ширли. — Тогда мы серьезно влипли!

Линда попыталась успокоить ее:

— Тони Фишер никогда бы не поручил другому такое дело. Он обожает запугивать сам.

— А может, он боялся, что столкнется здесь с Гарри? Об этом ты не подумала? Тони ведь опасался Гарри, да, Долли?

— Подожди-ка! — перебила подругу Белла, которую тоже увлекла эта игра в загадки. — С чего Тони Фишер взял, что Гарри — это ведь ваш Гарри, правильно, Долли? — что он жив?

Линда и Ширли одновременно повернулись к Долли.

— Потому что я убедила Боксера Дэвиса в том, что Гарри не погиб при взрыве, и сделала это специально, зная, что этот тупица выболтает все Фишерам. Я хотела, чтобы они от нас отстали, — ровным голосом пояснила Долли.

— Если мы полагаем, что сегодняшнего типа подослал Тони, то выходит, что идея оказалась не слишком удачной, — авторитетно заключила Белла. Она не сводила глаз с Долли — та размышляла так напряженно, что казалось, из головы вот-вот повалит пар. — А по-вашему, кто его подослал?

Долли вынула из пачки новую сигарету:

— Не знаю. Грант в принципе мог быть тем самым четвертым человеком, но я почти уверена, что в тетрадях Гарри его имя не встречается. Завтра я снова съезжу в банк и все проверю. А заодно возьму для вас наличных.

С этими словами она углубилась в свои записи, а остальные женщины молча переглянулись. Линда кивнула Белле, словно подначивая задать вопрос, который волновал всех, но та промолчала. В предвкушении новой порции наличных, обещанных Долли, Белла не хотела рисковать. Это были самые легкие деньги в ее жизни.

Долли перевернула страницу в ежедневнике:

— Ширли, ты должна раздобыть большие рулоны ваты, как те, что используют в больницах. Они нужны, чтобы набить комбинезоны.

Уставшая Ширли жалобно протянула:

— Почему все покупки делаю я?

— Потому что у тебя это хорошо получается, — быстро ответила Долли. — Так, еще нужно заполнить чем-то тяжелым рюкзаки. Линда, поручаю это тебе.

Белла взяла один из кирпичей, сложенных тут и там по всему гаражу.

— Нам всем не мешало бы потренироваться, — предложила она.

Линда тут же ухватилась за идею:

— Пойдемте все вместе в тот спа-салон, в тренажерном зале я видела гантели!

После тяжелой работы ей хотелось награды, и мысль о сауне была весьма привлекательной. Линда чувствовала себя гораздо храбрее с тех пор, как опять стала регулярно заниматься сексом.

Долли нахмурилась:

— Наша задача — не поразвлекаться с гантельками, а научиться переносить тяжелые грузы. Линда, на нас будет снаряжение, а потом мы набьем рюкзаки деньгами, и со всем этим добром придется быстро бежать к машине.

Ширли разглядывала мужскую одежду, которая была на Долли.

— А что, у нас тоже будут мужские ботинки вместо тех парусиновых туфель, которые я купила? — спросила она нерешительно.

— Нет, купленные тобой туфли прекрасно подойдут, — поспешила заверить ее Долли.

— Да нет, я как раз не против ботинок. — Ширли помялась, но все же набралась смелости и задала свой вопрос: — Просто если у нас будут ботинки, могу я оставить парусиновые туфли себе? Понимаете, они очень подойдут к тем костюмам, которые я купила в тот же день. Ну, те, которые для налета не годятся...

— «Очень подойдут к тем костюмам», — передразнила подругу Линда.

Долли не верила собственным ушам.

— Может, вернемся к кирпичам? — как можно спокойнее сказала она.

— Простите, Долли, — льстиво улыбнулась Линда, все еще надеясь на приглашение в спа-салон. — Так сколько кирпичей положить в каждый рюкзак?

— Ради бога, положи столько, сколько, на твой взгляд, весит миллион налички, поделенный на три! — Долли теряла терпение. — А теперь замолчите все и сосредоточьтесь, на это вы, надеюсь, способны? У нас будет всего один шанс, и каждый шаг должен быть тщательно продуман и отрепетирован. — Долли достала карту заброшенного карьера на окраине Лондона и разложила ее на верстаке. — У Гарри есть запись о том, как он проводил тренировки в этом старом карьере. Находится он в глухом месте и давно уже не используется, поэтому лучше площадки не найти.

Глаза Ширли наполнились слезами, она прикрыла рот рукой и начала плакать. Линда обняла ее.

— Извините. Это я так. Продолжайте, Долли, — всхлипывала Ширли.

— Нет-нет, Ширли, если тебя что-то огорчило, скажи нам, — настаивала Долли. — Мы должны быть сильными, чтобы выполнить задуманное без ошибок. Так в чем дело, дорогая?

— Вспомнилось кое-что, вот и все. За неделю до того, как... за неделю до налета Терри пришел домой в белых от пыли брюках и ботинках. Наверное, он был в том карьере? Тренировался с Джо и Гарри?

Линда и Долли посмотрели друг на друга. Похоже, догадка Ширли была верной. Хотя Долли и не помнила, чтобы Гарри приносил в дом карьерную пыль. Но причина в том, что ее муж был куда опрятнее Терри. Линда вытерла слезы подруги своим платком:

— Не припомню, чтобы Джо приходил домой весь в пыли. Должно быть, грязную одежду он оставил у любовницы.

В словах Линды не было злости; это была простая констатация факта. Она всегда знала, что Джо ходил налево, а теперь неожиданно поняла, что пришла пора сказать это вслух.

— Я найду другое место для наших тренировок, — негромко пообещала Долли.

— Да нет, не надо. Не обращайте внимания.

— Ширли, мы не будем там тренироваться. — Долли приняла решение и менять его не собиралась. — Это наше ограбление, не их. Поэтому у нас будет собственное место для репетиций. — И с этими словами Долли стала собираться. — Завтра объявляю выходным днем, отдохните как следует. Встречаемся послезавтра в девять утра и будем отрабатывать ограбление шаг за шагом, пока от зубов не будет отскакивать. О том, куда приехать, я сообщу завтра по телефону.

Девушки смотрели, как Долли раскладывает записные книжки по карманам. У ее ног суетился маленький Вулф, явно сбитый с толку — он чуял и хозяина, и хозяйку.

Долли заметила, что девушки за ней наблюдают, и почувствовала, как в горле встал комок. Ей так приятно быть с ними, этими молодыми женщинами. Все они делают одно дело и заботятся друг о друге. Да, порой они ссорятся, но это следствие неравнодушного отношения, а не ненависти. Долли открыла рот, чтобы сказать это, однако... не смогла выдавить из себя ни слова благодарности.

— Не забудь кирпичи и рюкзаки, Линда! Все остальное я принесу. — Это все, что она смогла сказать.

С этими словами Долли ушла. Ширли высморкалась и пошла убедиться, что огонь в канистре окончательно потух, не оставив никаких следов бирок. Счастливая, что у нее получилось выполнить поручение правильно, она обратилась к остальным:

— Долли такая молодец, что поменяла место тренировок, да?

— Да, Ширл, это было мило с ее стороны, — согласилась Белла. — Правда, она могла бы хоть раз задержаться и помочь нам с уборкой.

Белла собрала рюкзаки, сложила стопкой, чтобы Линда их не забыла, и взялась за грязные чашки.

Линда продолжала стоять посреди гаража, уставившись на дверь, которую только что закрыла за собой Долли.

— Хотела бы я посмотреть, что там в этих тетрадях.

— А я нет, — откликнулась Ширли. — Я не хочу знать ничего из того, что мне знать не нужно.

— И как ты поймешь, что тебе нужно знать, а что нет? Что, если в тетрадях нет ни слова об ограблении, а Долли просто съехала с катушек? Это тебе нужно знать, как считаешь?

— О нет, я больше не вынесу этих разговоров, — вздохнула Ширли и взяла сумочку. — Мне пора. Через двадцать минут начинается сериал «Даллас».

Линда с Беллой проводили Ширли взглядами. Им обеим еще предстояло работать сегодня, и ехать домой не было смысла.

Налив себе чая в свежевымытую кружку, Линда опять принялась жаловаться. Белла не останавливала ее, потому что знала: Линде полегчает, если она выскажется. Правда, долго слушать ее нытье было утомительно.

— Она обращается с нами как с прислугой, — изливала наболевшее Линда. — Фамилия Роулинс не дает ей права все время помыкать нами. Ведь мы команда, разве нет? В смысле, не очень-то это по-командному, если вся работа достается нам. — Линда вручила Белле кружку обжигающе-горячего чая. — Тебе так не кажется?

Белла осторожно обхватила кружку ладонями — ей хотелось согреться.

— Мы не команда, Линда. Она босс, и нам остается только подчиняться. Я не могу заплатить ипотеку за Ширли, или купить тебе новую машину, или положить себе в карман достаточно денег, чтобы хотя бы месяц-другой не раздеваться по пять раз на дню. А ты можешь? — Линда ничего не сказала, и Белла продолжила: — И я тоже не горю желанием узнать, что там в этих тетрадях. Потому что, если все это взаправду и нас поймают, я буду все отрицать. И чем меньше я буду знать, тем мне будет легче.

Линда заулыбалась: очень ей нравилась прямота и дальновидность подруги. Молодая женщина допила чай и пошла складывать кирпичи рядом с рюкзаками.

Белла осталась стоять, опираясь на кухонный стол руками. Было в Долли что-то такое, что не давало ей покоя, но что именно — Белла так и не могла определить. Она надеялась, что Долли с ними честна, потому что очень хотела провернуть это дело. «Ладно, — наконец сказала Белла себе, — пока буду действовать со всеми заодно, но с Долли Роулинс с этого момента не спущу глаз».

К игровому залу Линда приближалась полуживая от усталости, но, когда была уже у самой двери, заметила идущего мимо Карлоса.

— Эй, куда направляешься, красавчик? — позвала она его.

Карлос остановился и широко ухмыльнулся, а Линда подскочила к нему и обняла.

— Я встречаюсь тут с парнем, у которого фирма по аренде машин. Попробую договориться о ремонте его парка. Если скажет «да», мне светят неплохие бабки.

Карлос посмотрел Линде за спину — на игровой зал. В первый момент молодая женщина смутилась; после целого дня в гараже выглядела она ужасно. Ее бойфренд шел заключать серьезную сделку, а ей предстояло гонять грязных стариков, пристающих к парням у автоматов. «Да и хрен с ним, — подумала она. — Я — это я». И прямо на виду у всей улицы поцеловала Карлоса взасос.

Линда расплылась в улыбке до ушей, оглядывая своего любовника с головы до пят. Джо был красивым мужчиной, но грубоватым. Линде это даже нравилось, однако Карлос был куда круче: у него есть стиль, красота и какая-то животная грубость.

— Ты опаздываешь! — крикнул Чарли из-за спины Линды. — У меня давно должен быть перерыв.

Улыбка тут же испарилась с лица молодой женщины.

— В перерыв ты только и делаешь, что пялишься на задницы проходящих баб. Они никуда не денутся, так что отвали.

Чарли мрачно уставился на Карлоса. «Вот из-за кого ты теперь такая бойкая», — думал он.

Тем временем Линда договорилась с Карлосом о свидании на следующий день. На прощание она еще раз страстно поцеловала своего красавчика и прижалась к нему всем телом. Чарли уже несколько лет приударял за Линдой, но та его даже в гости ни разу не позвала. Карлос же явно умел себя подать: светлый костюм, шапка кудрей... Чарли обошел Линду и встал на тротуаре, так что ей ничего не оставалось, кроме как войти в зал и занять свое место в будке для размена.

На другой стороне оживленной улицы Боксер Дэвис уплетал огромную порцию жареной картошки с рыбой. В этой части Сохо с наступлением темноты жизнь начинала бить ключом — допоздна работали забегаловки, клубы, пабы и игровые залы. Клуб Фишеров относился к наиболее популярным, но было и множество мелких и малоизвестных заведений — на любой вкус и кошелек. Улицы являли собой пеструю смесь из сногсшибательных франтов, вроде Карлоса, потрепанных горемык, вроде Чарли, и ничем не примечательных шестерок, вроде Боксера. Бизнесмены уединялись с проститутками, преступники проворачивали темные делишки, парни и куколки напивались. Никто не оставался в стороне: и восемнадцати-, и восьмидесятилетние развлекались как могли.

Боксер видел, как Карлос целовался с Линдой, и не мог поверить своим глазам. В этот момент мимо него в закусочную прошел Чарли.

— Как дела, Чарли? — бросил Боксер. — Ты сейчас с кем разговаривал — не с вдовой ли Джо Пирелли? Это я интересуюсь, потому что был знаком с ее мужем.

Чарли кивнул, но поддерживать разговор желанием не горел. Он сто лет уже не встречался с Боксером и был совсем не против не видеть его и следующие сто лет. В глазах коллеги Линды Боксер был жалким пьяницей в поисках подачки. Бросив взгляд через плечо, Чарли заметил, что на Боксере дорогой и неплохо сшитый пиджак, в кои-то веки он выглядит почти прилично... «Должно быть, дела его идут не так уж плохо», — решил Чарли и соблаговолил выдавить из себя:

— Еще увидимся, Боксер... и если что нужно — я работаю неподалеку, в игровом зале.

Боксер в ответ заулыбался и помахал рукой:

— Знаю, Чарли. Знаю.

Чарли сначала почувствовал укол зависти, а потом разозлился: «Последнее дело завидовать такому тупому верзиле, как Боксер Дэвис». В очереди перед прилавком Чарли пошарил в карманах и обнаружил, что у него хватит денег только на самую маленькую порцию картошки и пирожок с рыбой. Черт, когда же он выберется из этой дерьмовой дыры! И нога разболелась, как всегда в холодную погоду, заставляя его по-стариковски прихрамывать. Чарли с детства был слаб здоровьем: из всей школы жертвой полиомиелита пал именно он; с тех пор и хромает. Сжимая в потном кулаке монеты, другую руку бедолага опустил в карман и нежно обхватил яички. Это немедленно его утешило, и Чарли, с ленивой ухмылкой на лице, стал разглядывать задницы проходящих мимо баб.

ГЛАВА 14

Резник носился по коридорам участка, как разъяренный бык, и жаждал ссоры, однако никто, как назло, под руку не попадался. Инспектор надеялся сгладить конфликт с Сондерсом перед тем, как ехать на встречу с Гнилозубым, но не успел. Ко времени его возвращения участок практически опустел, если не считать маляров и штукатуров, которые оккупировали коридоры с единственной целью путаться у него под ногами! Дурдом какой-то! Да еще, не спросив самого Резника, на время ремонта его переселили в малюсенькую комнатушку. Он видел планы и знал, что в конце концов окажется в стеклянной пристройке. Сама мысль о том, что на него будут смотреть, пока он копается в бумагах, думает и курит, приводила инспектора в ужас. Резник был закрытым человеком, доверявшим очень малому числу людей. А его сажают в аквариум, где он будет у всех на виду! Резник весь кипел от ярости.

— Элис! — заорал он. — Эл...

Одна из дверей приоткрылась, и оттуда высунулась секретарша. В руках у нее была коробка с папками, собранными со стола Резника. Сверху лежал сэндвич из торгового автомата.

— Ваш сейф с документами в моем кабинете, заперт на ключ. Эти папки будут храниться в одном из ящиков моего стола до тех пор, пока не будет готов ваш кабинет, а Сондерс ушел домой, потому что от запаха краски у него разболелась голова. Завтра он продолжит ревизию текущих дел, и не вздумайте опять опоздать. Он так сказал, не я. — Элис подбородком указала на сэндвич: — Сыр и ветчина. Полагаю, вы еще не ели.

— Спасибо, Элис. — Резник взял бутерброд и отправился беседовать со своим осведомителем по кличке Гнилозубый.

— Как прошел день? — крикнула ему вслед Элис.

— В пекарне нашелся человек, который, вероятно, помогал Гарри Роулинсу, но допросить его я не смог, потому что он умер.

Никакие слова Элис не изменили бы этих фактов, но Резнику сейчас, как и во многих других случаях, важна была моральная поддержка.

— Ну, надеюсь, у Гнилозубого для вас будут хорошие новости. Хорошего вечера, сэр.

Секретарша мило улыбнулась и исчезла за дверью.

Всего десять минут спустя Резник уже разложил на заднем сиденье полицейской машины свой портфель с отчетами. Фуллер сидел за рулем. Они направлялись в сторону Риджентс-парка. Эндрюс украдкой скосил глаза через плечо — он был зачарован глубочайшей сосредоточенностью на лице старого инспектора. Взгляд Резника прыгал со страницы на страницу в поисках того, что могло бы привести его к тетрадям Роулинса. Особенно интересными оказались отчеты о передвижениях Долли Роулинс: парикмахерская, спа-салон, банк, парикмахерская, монастырь, банк, парикмахерская...

— Эндрюс, спроси группу наблюдения, где сейчас Долли Роулинс.

— Дома. Ребята связывались с нами по рации, пока вы были в участке.

— Ты видел, сколько раз она ходила в парикмахерскую? Нет? А в банк? Сколько раз она уходила от тебя, Фуллер? А от тебя, Эндрюс? — (Ни Фуллер, ни Эндрюс не ответили. Эндрюс, по крайней мере, выглядел пристыженным. Фуллер же откровенно скучал.) — Как думаете, она просто играет с вами или у нее что-то на уме?

— Откуда мне знать, сэр?

— Да неоткуда, безмозглый ты... — Резник слишком устал, чтобы придумывать ругательства для Эндрюса. — Вот еще тебе вопрос, на который ты не знаешь ответа: это Долли Роулинс так хорошо умеет уходить от полицейской слежки или вы так плохо эту слежку ведете? Похоже, мы никогда этого не узнаем, а?

Резник закурил сигарету и глубоко затянулся. Фуллер начал опускать окно, недовольно морщась в клубах дыма.

— Закрой! — гаркнул Резник. — Сзади дует.

Взвизгнули тормоза — автомобиль резко остановился. Бумаги Резника посыпались на пол, и он испепелил Фуллера яростным взглядом.

— Риджентс-парк, как вы просили... сэр. — Фуллер умел досадить начальнику.

Инспектор собрал бумаги, затолкал в портфель и открыл дверцу. Перед тем как выйти, он оглянулся на своих «лучших людей»: Фуллер с дурацкой ухмылкой смотрел прямо перед собой, а Эндрюс зевал. «Бог мой, ну и остолопы же мне достались», — подумал Резник, хлопнув дверцей. Ну, может, хоть с Гнилозубым ему повезет. Денек выдался такой, что хорошая новость была бы сейчас очень кстати.

Резник дошел до парка, сел на скамью и принялся за сэндвич — это была его первая еда за целый день. Над инспектором качались ветки деревьев. Резник смотрел на них, завороженный. До чего же он устал! Инспектор знал, что Гнилозубый наблюдает за его прибытием и выйдет не раньше, чем будет готов.

И точно: когда машина с Фуллером и Эндрюсом скрылась из виду, Гнилозубый вырос как из-под земли и бочком приблизился к скамейке, где сидел Резник. Словно оголодавший пес, он уставился на сэндвич. Резник отдал ему недоеденный сэндвич, после чего пришлось дожидаться, пока Гнилозубый затолкает все в рот и прожует.

В конце концов Резник спросил:

— Ну, что у тебя для меня?

— Появился один слух, мистер Резник, и разлетается он быстрее ветра, — промямлил Гнилозубый, оросив пальто Резника слюной и крошками; инспектор отодвинулся и закурил. — И слух этот про Гарри Роулинса.

— Да уж надеюсь. — Резник стряхнул с себя мокрые крошки.

— Тот, кто заполучит его тетради, может считать, что у него лампа Аладдина... Просекаете?

— Ну и у кого же они?

— У него самого. У Гарри Роулинса.

Резник сплюнул:

— Я что, приперся сюда на ночь глядя, чтобы выслушать эту чушь?

— Нет, это не чушь, он говорил всерьез, — настаивал на достоверности своей информации Гнилозубый.

— Откуда, черт побери, ты можешь это знать?! — вскипел Резник. — Вряд ли Гарри Роулинс числит тебя в своих приятелях! Откуда у тебя эта информация?

— Боксер Дэвис сорит деньгами и треплет языком. Он даже носит одежду Роулинса.

Резник прищурился: а вот Боксер Дэвис вполне годился Гнилозубому в друзья. Может, в этих слухах действительно есть доля правды?

— Боксер много лет работал на Гарри, а теперь всем рассказывает, что Роулинс снова взял его на зарплату.

Резник бросил окурок в траву и поднялся, чтобы уйти.

— Подождите! — засуетился Гнилозубый, побежал за Резником и схватил его за руку.

Инспектор вырвал рукав своего пальто из лап осведомителя:

— Я плачу тебе не за слухи. И не лапай мое пальто. Ты посмотри — испачкал меня сыром! Это ты должен мне платить за дезинфекцию, черт бы тебя побрал!

Гнилозубый хлюпнул носом и выковырял из зубов налипший хлеб. Резник сунул ему пятерку и отправился к выходу из парка.

В третий раз объехав вокруг парка, Фуллер притормозил у главных ворот и на этот раз заметил Резника. Тот справлял за деревом малую нужду.

— О господи! — с отвращением отвернулся Фуллер. — Да разве я дождусь повышения, если оно зависит от рекомендаций этого типа?

Резник вытер ладони о штаны и пошел к машине, закуривая на ходу. Эндрюс хмыкнул:

— Теперь он рассядется зассанным задом на твои чистые сиденья и будет дымить тебе в лицо.

Но Резник был непривычно тих, когда снова сел в машину.

— Гнилозубый говорит, что Боксер Дэвис вдруг разбогател. И что он треплет повсюду, будто снова работает на... — Он умолк, переваривая услышанное. — А-а, ладно, все это чушь собачья!

— Почему вы сомневаетесь в его информации? — спросил Фуллер.

Его порадовало, что сведения Гнилозубого оказались чушью, но попытался разузнать все до конца, чтобы пополнить свой список проколов Резника.

Инспектор вздохнул:

— Он хвастается, будто снова работает на Гарри Роулинса.

Эндрюс потер лоб:

— Что? Гнилозубый работает на Роулинса?

Инспектор фыркнул и выплюнул окурок в окно:

— Да не Гнилозубый! Боксер Дэвис, идиот! Вроде бы Боксер щеголяет в дорогих костюмах Гарри и в его ботинках. И в карманах у него завелось достаточно бумажек, чтобы оставлять их повсюду без особой надобности.

Все еще потирая лоб, Эндрюс вскинул брови и повернулся к Резнику:

— А может, Боксер работает на Долли? Он же приходил к ней домой, и не один раз.

Фуллер нахмурился:

— Это невозможно. Старая карга то в парикмахерской торчит, то у монашек зависает. Зачем бы ей понадобился мелкий жулик вроде Боксера?

— Да заткнитесь вы оба! Фуллер, езжай в Сохо. Хочу поискать там Боксера Дэвиса, а если найду, то арестую.

— Но уже почти полночь! — вырвалось у сержанта.

— Тем выше вероятность, что мы его там встретим, согласен? Эти жулики не ложатся баиньки ровно в девять, как вы, пай-мальчики.

Фуллер и Эндрюс молча посмотрели друг на друга, потом Фуллер тронулся с места и взял курс на Сохо.

С остатками рыбы и картошки Боксер вернулся в убогую съемную комнатку и в третий раз пересчитал полученные от Долли деньги. Верзила даже порозовел от удовольствия, пока раскладывал на кровати аккуратные пачки. Долли говорила, что Гарри все еще скрывается и советует Боксеру вести себя потише, а лучше бы ему вообще уехать из Лондона на неделю-другую. Долли дала громиле адрес одной симпатичной гостиницы за городом и пообещала до отъезда подбросить еще наличики. А Гарри, мол, свяжется с ним прямо там, в гостинице, когда придет время. Боксер поверил всему, что наплела ему Долли, — от первого до последнего слова.

Взяв с прикроватной тумбочки выцветшую фотографию без рамки, Боксер ненадолго задумался. На снимке были запечатлены он и его сын. Маленький мальчик сидел у папы на плечах и махал фотографу. Боксер потер приплюснутый нос. Должно быть, его малышу уже лет восемь. Верзила затряс головой, негодуя на себя за то, что не в состоянии запомнить возраст родного сына. Может, стоит разыскать бывшую жену Руби и договориться о встрече? Ей будет приятно узнать, что ее бывший супруг до сих пор в завязке, а мальчонка, пожалуй, будет гордиться отцом в таком красивом новом костюме и блестящих ботинках.

Боксер аккуратно прислонил фото к настольной лампе. Если не считать тоски по сыну, чувствовал он себя отлично. При мысли о том, как его старый друг и босс Гарри Роулинс обвел всех вокруг пальца, громила замотал головой, посмеиваясь. Потом он набил рот холодной, размякшей жареной картошкой, однако в таком виде у еды был настолько отвратительный вкус, что Боксер выплюнул ее обратно в бумажный кулек, смял его и засунул в переполненное ведро для мусора. Взгляд скользнул по замызганной, нищенски обставленной каморке.

— Ну и дырища! — сокрушенно пробормотал Боксер, однако быстро вернулся в прекрасное расположение духа, ведь скоро все изменится к лучшему: Гарри Роулинс проследит за тем, чтобы его работник переселился в приличное жилище и ни в чем не нуждался. — Я на подъеме, сынок, — сказал верзила фотографии. — И хотел бы взять тебя к себе. Надеюсь, ты разрешишь мне хотя бы попытаться это сделать.

С трудом уместив свою массивную тушу в колченогое потертое кресло, Боксер прикрыл глаза и углубился в мысли о Гарри. Он видел его как живого, словно старый друг был тут, в комнате, и стоял прямо перед ним.

Впервые Боксер встретил Гарри Роулинса во время матча по боксу в Йорк-Холле в Бетнал-Грин. Боксер как раз собирался нырнуть под канатное ограждение и шагнуть на ринг, когда почувствовал, что кто-то тянет его за халат. Обернувшись, он увидел молодого человека с сигарой во рту.

— Меня зовут Гарри Роулинс, — представился тот. — И сегодня вечером я поставил на тебя штуку, старина, так что врежь ему как следует — и получишь две сотни.

Схватка закончилась в третьем раунде, но странный парень свое слово сдержал. Он был благородным вором, восхищенно вспоминал Боксер, и это больше всего нравилось громиле в Гарри: с ним ты всегда знаешь, на что рассчитывать.

Воспоминания Боксера прервал громкий стук в дверь, от которого хозяин убогого жилища чуть не подпрыгнул. За дверью кто-то кряхтел, пытаясь отдышаться.

— Эй, Боксер! Ты дома? Боксер, открывай, слышишь?

Это была Фран — огромная, ярко накрашенная, пышногрудая квартирная хозяйка Фрэнсис Уэлланд. Как-то раз, когда Боксер еще пил, она стала приставать к нему, и он, к своему большому сожалению, ответил хозяйке взаимностью. К счастью, собственно секс в голове тогда еще забулдыги не отпечатался, однако Боксер отчетливо помнил, как проснулся и увидел ее рядом с собой в постели. Он знал, что Фран хочет продолжения отношений, и был решительно настроен не дать этой женщине даже повода для флирта.

Задергалась дверная ручка.

— Боксер! Я знаю, что ты там. К тебе пришли. Открой дверь!

Боксер неохотно выбрался из кресла. Посетителя загораживало необъятное тело Фран, поэтому Боксер не знал, кто к нему пожаловал, пока гость не вышел вперед. И тогда на лице Боксера заиграла радостная ухмылка.

— Эдди Роулинс, приятель! Заходи, заходи.

Боксер затащил Эдди в комнату и захлопнул дверь прямо перед носом Фран, не забыв, правда, криво улыбнуться хозяйке, потому что не хотел оказаться вышвырнутым на улицу.

Подойдя к кухонной плитке в углу комнаты, Боксер поставил кипятиться чайник.

— Так здорово, что ты зашел, Эдди! Прости, нечем тебя угостить... Может, выпьешь чая?

— Нет-нет, — запротестовал Эдди. — Давай-ка как следует отметим встречу. — Он вынул из кармана плаща бутылку солодового виски и со стуком поставил на стол. — Стаканы найдутся?

У Боксера заныло в животе от воспоминаний о прежнем пристрастии, однако он с мужественной улыбкой заявил:

— Крепкий алкоголь не пью, Эдди, уж несколько месяцев, как завязал. Но ты меня не стесняйся. — Боксер передал Эдди плохо вымытую треснутую кружку, и они уселись за маленький столик под окном.

— Да брось ты, Боксер. Выпей хоть капельку... за Гарри.

От такого предложения верзила отказаться не мог. Должно быть, Эдди известно, что его кузен жив-здоров и намерен вернуть свое влияние, поставив Фишеров на место.

— Ради такого, — сказал Боксер, — капельку виски можно себе позволить. — Радость переполняла его: их старая команда вновь собирается вместе.

Он поставил на стол вторую кружку, и Эдди налил обоим, а затем, под неумолчные рассказы о жене и детях, о своей автосвалке, принялся подливать в грязную посуду виски — и каждый раз Боксеру в два раза больше, чем себе. Спустя полчаса хозяин комнаты уже был вдрызг пьяный.

Эдди не давал Боксеру вставить и слова в свою болтовню. Громила же горел желанием поговорить о Гарри, но сдерживался: решил, что Эдди сам поднимет эту тему, когда сочтет нужным. Когда Роулинс в который уже раз поднес бутылку к его кружке, Боксер накрыл ее рукой:

— Я уже давно так не напивался, Эдди. И теперь виски сразу ударил мне в голову. Пора завязывать.

— Да не волнуйся, Боксер, дружище, — ласково потрепал его по руке старый приятель. — Я не налью тебе лишнего.

Боксер убрал ладонь, и Эдди вылил в грязную кружку все, что оставалось в бутылке. В это время из вестибюля донесся телефонный звонок. Боксер, прихлебывая виски, пожал плечами:

— Это наверняка звонят Фран.

Однако телефон не унимался.

— Вот ведь жирная лентяйка.

Вскоре послышались шаги: это Фран оторвала-таки свою задницу от стула и сняла трубку.

— Боксер! Это тебя! — заорала она так громко, что Эдди вздрогнул.

Боксер, теперь уже совсем пьяный, поднялся и, уронив по дороге стул, побрел к двери.

Фран стояла в вестибюле, тяжело дыша. Боксер, хватаясь за перила, неуверенно спустился к ней по лестнице.

— Я уж думала, ты совсем оглох, — сказала квартирная хозяйка и передала громиле трубку.

Боксер обхватил толстуху, прижал к себе и поцеловал.

Фран охнула и захихикала.

— Когда твой дружок уйдет, загляни ко мне, — шепнула она в ухо пьяному громиле. — У меня припасена бутылка отличного джина. И постель согрета электропледом.

С бессмысленной улыбкой на лице Боксер помахал вслед уходящей Фран; его взгляд остановился на ее безразмерном заду — чрезвычайно соблазнительном после такого количества выпитого.

— Але, кто это? — еле ворочая языком, промычал Боксер в трубку. Получив ответ, он взревел: — Куколка! Как дела?

— Ты пил? — сердито поинтересовалась Долли.

Она позвонила Боксеру только для того, чтобы проверить, собрал ли он вещи и готов ли перебраться в указанную ею гостиницу.

— Самую малость, Долли, но ты не переживай, все под контролем. — Боксер икнул. — Я собрал вещи и готов ехать. Да, кстати! Угадай, кого я видел в Сохо, — ты будешь смеяться — вдову Джо Пирелли с итальяшкой по имени Карлос. Ей, похоже, нравятся итальянцы! Но знаешь, что самое смешное? Этот Карлос, оказывается, тот самый автомеханик, которого трахает Арни Фишер!

Боксер так громко гоготал, что не слышал, как Долли строго переспросила:

— Какой Карлос? — Но в ответ женщина услышала только, как Боксер, поперхнувшись, закашлялся прямо в трубку. — Боксер! Что еще за Карлос?

Однако ее собеседник, уже мало что соображая, продолжал разглагольствовать:

— Нет, славно как, а, Куколка? Мы с тобой и эта шлюшка отобрали у Арни все, а он даже не догадывается! — От нового приступа смеха Боксер выронил из руки телефонную трубку. Когда он, подняв ее, с трудом выпрямился, за его спиной на лестнице вырос Эдди. — Ик! Ты ни за что не угадаешь, кто ко мне сейчас пришел...

Рука Эдди в кожаной перчатке молнией метнулась к телефону и нажала на рычаг. Боксер хотел повернуться и посмотреть, кто это, но закачался и чуть не упал. Эдди поймал его.

— Хватит трепаться, — сказал он Боксеру с улыбкой до ушей. — Поедем в клуб. Я угощаю.

Боксера не требовалось приглашать дважды.

———————

Резник с Фуллером припарковались у дома, который значился в полиции как последний известный адрес Боксера Дэвиса. Тот указал его полгода назад, будучи арестованным за пьянство и хулиганство. С крыльца захудалого доходного дома спустился Эндрюс и сел в машину:

— Здесь его нет, но квартирная хозяйка дала мне адрес в Лэдброук-Гроув, где он может быть.

Фуллер тронулся с места, а Резник натянул шляпу на самые глаза.

— Боксер Дэвис — это огромный кусок нашей головоломки, попомните мои слова. Огромный, противный, безмозглый кусок. Он расскажет все, что нам нужно. — Улыбаясь самому себе, Резник закрыл глаза и через несколько секунд захрапел.

В клубе «Спортс» пьяный в стельку Боксер едва складывал слова в предложения. Он стоял возле бара вместе с Эдди в окружении горстки тех, кто не прочь был послушать рассказ о последнем матче некогда успешного бойца. Стены клуба скрывались под поблекшими портретами борцов и боксеров; был среди них и Дэвис. Его слушатели знали, кто он такой, но также им было известно, что пик его карьеры давно миновал и что матч, который бедолага сейчас описывает, состоялся лет двадцать назад. И все-таки они слушали, а один или двое даже подбадривали и подзадоривали рассказчика. Боксер окунулся в воспоминания и словно вновь оказался на ринге: боксировал с тенью, махал кулаками, нырял и делал обманные маневры. В какой-то момент он сделал резкий разворот и разлил выпивку на человека, стоящего за его спиной. Сильно извиняясь, Боксер похлопал незнакомца по щеке и смачно поцеловал его в лысину.

Единственным, кто не слушал Боксера, был Эдди. Он наблюдал за входом в клуб от стойки бара. Наконец Роулинс увидел того, кого дожидался: неприметного мужчину в джинсах и кожаной куртке. Тот появился ненадолго, промелькнул, полускрытый в тени, и кивнул Эдди. Хотя лица его не было видно, Роулинс знал, кто это, и кивнул в ответ.

Еще один крутой замах, и Боксер повалился на стойку бара, сбив поднос с грязными стаканами на пол. Терпение бармена лопнуло, и он сказал Эдди уводить Боксера через заднюю дверь. Не хватало еще, чтобы этого выпивоху стошнило прямо на входе.

Эдди и невысокий лысый человек, облитый пивом, выволокли Боксера в темный проулок позади клуба. Из окрестных кафе и баров лилась музыка, вокруг служебных выходов грудились пустые коробки и пивные бочки, среди помойных баков деловито копошился старый бомж.

Едва глотнув холодного воздуха, Боксер упал на колени. Эдди заметил, как в конце проулка мигнули автомобильные фары. Теперь ему оставалось только избавиться от облитого пивом помощника.

— А не завалиться ли нам в стриптиз-бар, а, парни? — предложил Эдди, изображая пьяного. — Как, Боксер, есть настрой поглазеть на сиськи и зады? Я плачу. И ты давай с нами, друг... — обратился Эдди к облитому пивом незнакомцу и вдруг стал хлопать себя по карманам. — Черт, забыл бумажник в баре. Не выручишь, а, приятель? — спросил он. — Сбегай в клуб за моим бумажником, а я пока подниму нашего героя с земли.

Незнакомец с готовностью бросился обратно в клуб. Едва он скрылся из виду, Эдди стремительно двинулся в сторону, противоположную той, где мигнули фары. Опираясь на мусорный бачок, Боксер поднялся на ноги и застонал:

— Подожди меня, Эдди, не уходи!

Коротко просигналила машина, по-прежнему стоящая в конце проулка. Боксер обернулся на звук. Внезапно вспыхнул яркий дальний свет, и верзила покачнулся, прикрывая ладонью глаза. Потом фары опять погасли, мотор взревел, и автомобиль понесся вперед, сбивая баки и разбрасывая мусор. Боксер, все еще ослепленный вспышкой фар, толком ничего не видел, только слышал, что в его сторону мчится автомобиль, однако ноги отказывались подчиняться одурманенному алкоголем мозгу. От удара Боксер взмыл вверх, кувырком перелетел через машину и с тошнотворным хрустом шмякнулся на асфальт. Стремясь укрыться от опасности, он барахтался среди обрывков бумаги, пустых бутылок, размокших от дождя коробок и другого мусора.

Автомобиль с визгом затормозил. В зеркало заднего вида водитель увидел, что Боксеру удалось подняться на четвереньки.

— Крепкий какой попался, — буркнул он себе под нос и задним ходом переехал Боксера не один раз, а два, и с такой скоростью, что вдребезги разбил о каменное ограждение бампер.

Наконец автомобиль уехал, помигивая поврежденными поворотниками.

Боксер остался лежать в грязи, изувеченный и окровавленный. Он сипло и часто дышал, пытаясь наполнить легкие воздухом. Яркие фонари улицы горели совсем рядом, однако его самого в темноте проулка было не видно. Огромное количество алкоголя в крови частично уберегало его от неимоверной боли, и Боксер сумел проползти к свету несколько футов, до того как провалился в беспамятство посреди помойки. Его могли бы заметить с улицы, если кому-то пришло бы в голову всматриваться в темную подворотню, однако из-за мусорного бака видна была только рука несчастного. Валяющийся пьяница — обычное зрелище для этой части города и этого часа ночи.

Из задней двери клуба на аллею вышел облитый пивом собутыльник Боксера.

— Нет там твоего бумажника... — Начал было он, но в проулке было безлюдно. — Черт, надули меня, ублюдки, — разочарованно протянул лысый мужчина. — Хоть бы они там заразу какую подцепили.

ГЛАВА 15

В монастырской кухне Долли чистила картошку. Обычно она только накрывала столы для детей и подавала обед, но сегодня решила прийти пораньше. Долли переполняла энергия, и нужно было найти ей выход.

Подъезжая к монастырской школе около семи часов утра, Долли прикидывала, что Белла к этому времени только возвращается домой после работы. Как трудно дается этой девушке ее скромный заработок! И при этом Долли, пожалуй, не встречала таких сильных людей, как эта темнокожая красотка. Линда, скорее всего, еще спит. Эта соплячка никого не слушает. Ну а Ширли... При мысли о ней Долли улыбнулась. Ширли постепенно менялась... в нужную вдове Роулинс сторону.

Сначала Долли помогла детям заправить кровати, а потом отправилась кормить малышей. Когда она вошла в детскую, у нее перехватило дыхание при виде младенца, лежащего в колыбели ее нерожденного сына. Долли знала, что подаренным ею вещам найдут применение, и радовалась этому, но все равно потрясение было сильным. Одна из монахинь вручила Долли бутылочку с теплым молоком и вышла.

Долли медленно приблизилась к кроватке и посмотрела на ребенка, который нашел тут приют после того, как от него отказались родители. К бортику была прикреплена табличка с именем: «Бен».

— С добрым утром, Бен, — прошептала Долли, и от звука ее голоса малыш потянулся и открыл глазки.

Несколько мгновений они смотрели друг на друга, после чего оба пришли к решению, что, несомненно, поладят. Сердце Долли разрывалось между печалью оттого, что какая-то женщина могла не захотеть Бена, и гордостью при мысли о том, что она сама была бы замечательной мамой. После смерти сына ей доводилось кормить много разных младенцев в монастырском приюте, но впервые она нагнулась над той самой кроваткой, которую купил когда-то Гарри, и вынула из нее идеального, прекрасного мальчика. Теплым калачиком он свернулся у нее на руках, и в этот миг вся боль Долли улетучилась, и вдова сосредоточилась на том, что было здесь и сейчас.

— Я Долли, — сказала она и капнула молока себе на запястье, проверяя, не слишком ли оно горячее. — Сейчас будем завтракать.

Когда начищенная и нарезанная картошка отправилась в огромную кастрюлю с кипятком, Долли обжарила мясной фарш с луком и морковкой, заправила его соусом и выложила на огромный противень. Потом она растолкла картофель в пюре, положила его толстым слоем на мясо и отправила в духовку запекаться.

Натирая большой кусок сыра для хрустящей корочки, Долли поглядывала в окно на детей, играющих в саду. За оградой, как всегда, стояла полицейская машина без опознавательных знаков: два скучающих копа следили за монастырскими воротами.

— Следите, следите, — прошептала Долли, посыпая сыром запеканку. — Потому что я это сделаю... и сделаю прямо под носом у Резника.

Из монастыря Долли уехала только после обеда и направилась в район Найтсбридж. Там она припарковала машину на стоянке универмага «Хэрродс». Войдя в здание через центральный вход, Долли обошла несколько отделов и наконец остановилась, чтобы примерить шляпку. Вертясь перед зеркалом в обновке, она успела вычислить приставленного к ней копа. Он находился достаточно далеко, чтобы Долли успела выскочить из магазина через угловую дверь и по людной улице добежать до подземки.

В вестибюле метро Долли купила газету и встала в очередь за билетом до Лестер-сквер. Долли не сводила взгляда со стеклянной стенки кассы, в которой отражались стоящие за ее спиной люди. Того копа, что следовал за ней до «Хэрродса», среди них не было, однако бдительность терять было нельзя. Любое из этого моря незнакомых лиц может оказаться другим копом в штатском, сидящим у нее на хвосте.

Выйдя из метро на нужной станции, Долли зигзагами двинулась к банку и множество раз меняла направление, чтобы сбить со следа полицию. На Стрэнде Долли остановилась перед витриной военторга, но, разумеется, ее больше интересовали отражения в стекле, а не ассортимент магазина. Убедившись, что никто ее не преследует, Долли направилась в банк. Нужно было проверить, упоминается ли в записях Гарри Билл Грант, и взять денег для остальных.

Одри, мама Ширли, промерзла настолько, что уже не чувствовала ног. В такой собачий холод не помогали даже ее подбитые мехом сапоги. Она подпрыгивала и дула на руки в шерстяных варежках. Погода распугала покупателей, и с десяти утра Одри еще ничего не продала. Глоток горячего кофе был бы очень кстати, однако Одри старалась пить поменьше, ведь потом непременно захочется в туалет. Значит, придется просить торговца из соседней палатки присмотреть за ее товаром. Вот и получается: десять пенни для Одри, десять пенни для соседа. Как объяснишь зеленщику, почему выручки меньше, чем проданного товара?

Она попыталась занять себя наблюдением за прохожими и вскоре заметила подъехавшего к рынку на шикарной машине Тони Фишера. Знакомы они были с давних времен — их матери вместе работали на рынке Ковент-Гарден еще до того, как его перенесли в Найн-Элмс. Последнее, что слышала Одри: мать Тони устроилась уборщицей в крупную фирму в Олдвиче.

Тони вышел из машины. Видный мужчина, подумала Одри, и до чего же хорошо одет: должно быть, одно только кашемировое пальто обошлось ему в несколько сот фунтов. Его бедная мать моет полы в кабинетах, а он расхаживает, словно модель со страниц модного журнала! Укоризненно качая головой, Одри подровняла стопку бумажных пакетов на прилавке.

Когда мать Ширли подняла взгляд, то увидела, что Тони шагает прямо к ней. Пришлось спрятать охвативший ее страх и растянуть губы в улыбке. Фишер кивнул в знак приветствия. «У, сейчас этот шельмец станет требовать яблоко за бесплатно или еще что похуже», — подумала Одри. Несмотря на давнее знакомство, ничего хорошего она от Тони не ждала — такая уж у него была репутация. Одри нервно затеребила свою шерстяную шапку и заметила, что продавец в соседней палатке с интересом переводит взгляд с нее на Тони и обратно.

— Чего надо, приятель? — спросил у него Фишер достаточно миролюбиво, но сосед Одри моментально повернулся к ним спиной.

Краем глаза мать Ширли увидела, что другой продавец только раз глянул на Тони и тут же склонился над прилавком. Оба быстро сообразили, что будут целее, если станут держаться подальше от этого типа.

— Яблочки у тебя аппетитно выглядят, — сказал Тони, широко улыбаясь.

Нахальства ему и в молодости было не занимать, но теперь от парня исходила угроза, и трудно было понять его истинные мотивы. Одри обтерла для него большое яблоко и положила в пакет, лелея слабую надежду, что этим молодой бандит и ограничится. Теперь она страшно ругала себя за то, что не соблазнилась кофе. Сейчас бы сидела в туалете, а с Тони разбирался продавец соседней палатки.

Фишер с удовольствием откусил яблоко. Одри перевела дух, понимая, что разговор не окончен.

— Свежее, сладкое, — сказал Тони. — Точь-в-точь как твоя Ширли. — (Улыбка сползла с лица Одри.) — Где она живет?

Одри слишком хорошо знала, что люди, подобные Тони Фишеру, приходят не для того, чтобы вести светские беседы; обычно их появление означает, что им что-то от тебя нужно — как правило, то, что ты отдавать не хочешь. При мысли о том, что Тони что-то нужно от Ширли, Одри содрогнулась.

— После похорон Терри я ее почти не видела. Она говорила что-то насчет поездки в Испанию... Фотосъемка для журнала мод или что-то вроде того, — неубедительно соврала Одри.

В последнее время у Ширли откуда-то появились деньги... Неужели ее девочка связалась с Фишерами?

Тони ухватился за край прилавка:

— Я спрашиваю, где она живет.

— Ширли часто переезжает. Иногда живет у друзей. Знаешь, как это бывает...

Одним движением мускулистой руки Тони тряхнул прилавок, и лежащие сверху фрукты скатились прямо в сточную канаву, идущую вдоль всего рынка.

— Пожалуйста, не делай так, Тони.

— В следующий раз в канаву полетит весь прилавок. Мне просто нужно поговорить с ней, вот и все.

— Оставил бы ты ее в покое, Тони. Ей столько пришлось...

Фишер заметил, что Одри, оборвав фразу на полуслове, смотрит ему через плечо и едва заметно качает головой.

— Привет, мам, ты не видела Грега? Машина, которую он для меня купил, опять чудит, и я... — Когда Ширли заметила Тони, конец предложения застрял у нее в горле. Девушка побледнела.

— Привет, Ширли, как там в Испании? — Тони медленно повернулся и со зловещей ухмылкой уставился на молодую вдову.

Одри поспешно встряла:

— Я как раз говорила Тони, что ты была в Испании, а теперь вот вернулась.

Тони смерил Ширли взглядом, задержавшись на груди девушки:

— Чудесно выглядишь, Ширл.

— Спасибо, — еле выговорила несчастная.

Она понятия не имела, как себя вести с людьми вроде Тони Фишера.

— Я просто хотел с тобой немного поболтать. Поедем к тебе; там нам никто не помешает.

Одри вновь затараторила:

— Раз ты здесь, отнеси-ка кое-что домой. — Она отчаянно пыталась успокоиться, пока заворачивала в бумагу несколько морковок. — Я как раз говорила Тони, что ты пока живешь у меня. Я тоже скоро приду. Очень скоро.

Конечно, она не могла помешать Тони уйти с рынка вместе с ее дочерью. Однако Одри надеялась, что на ее квартире будет Грег со своими дружками-бездельниками.

— О чем вы хотите поговорить со мной? — спросила Ширли, нервно теребя бумагу от моркови, пока она не порвалась.

Тони схватил девушку за руку:

— Поехали. Поговорим в доме твоей матери.

Он повел Ширли к машине, сжимая ее локоть с такой силой, что девушка не способна была сопротивляться.

Ширли оглянулась на мать, которая беззвучно, одними губами, пообещала, что приедет следом, однако насколько быстро у Одри получится выполнить обещание, они не знали. Как только машина Тони скрылась из виду, Одри бросила поясную сумку с деньгами продавцу-соседу и помчалась в паб со всей мочи. Там она надеялась уговорить кого-нибудь подвезти ее до дому. Если никто не сможет ей помочь, Одри пойдет домой пешком, а точнее, побежит, подгоняемая страхом за свою Ширли. Что собирается сделать с ее девочкой этот ублюдок?

Тони Фишеру пришлось высоко поднимать ноги, чтобы пробраться через завалы грязного белья и мешков с мусором в кухне Одри. На гладильной доске громоздилась куча мятой одежды, с кухонного стола еще не убрали посуду после завтрака, а раковина и вся рабочая поверхность заставлены немытой посудой. Это было отвратительно.

— Ты дома, Грег? — крикнула Ширли, но ответа не получила. — У меня к тебе дело. С машиной опять проблемы!

Тони снял кашемировое пальто, сложил аккуратно и положил на гладильную доску.

— Тут только мы с тобой, — жутким шепотом проговорил он, подтянул к себе два стула, сел на один и указал пальцем на второй. — Сядь!

Ширли трясло от страха. Как ни старалась, она не могла унять дрожь.

— Я сделаю нам кофе, — выдавила она из себя.

Что угодно, лишь бы быть подальше от этого бандита.

Тони начал заглядываться на Ширли лет пять назад, когда ей еще не было и двадцати. Почему она вышла замуж за этого барана Терри, ему было не понять. Терри однажды приводил ее в клуб на закрытую вечеринку.

Ей тогда было лет шестнадцать или семнадцать, но даже в столь юном возрасте Ширли имела пышные формы. Тони скрестил ноги и сел поудобнее, чтобы не жало между ног. Мысли о том, что бы он хотел сделать с этой красоткой, возбудили его.

Ширли с трудом открыла трясущимися пальцами дверцу холодильника. Тони пожирал девушку глазами, пока она, наклонив безупречную головку, принюхивалась к молоку в полупустой бутылке.

Ширли поморщилась.

— Придется пить черный, — тонким голосом сказала она и поставила чайник на огонь.

Тони молчал и все так же неотрывно смотрел на девушку. Каждое движение Ширли казалось ему сексуальным; чем заметнее девушка боялась, тем сильнее привлекала его.

Чтобы достать кофе, Ширли пришлось протискиваться мимо Тони, и в этот момент он схватил ее и усадил к себе на колени. Ширли сидела ни жива ни мертва, с прямой, как палка, спиной. Фишер уткнулся носом ей в шею и втянул в себя исходящий от нее аромат свежих лимонов. Тони прикоснулся к чистой нежной коже и стал водить пальцами вверх и вниз, чувствуя, как все тело его жертвы дрожит от страха. Затем Тони начал расстегивать на Ширли блузку:

— Ты ведь знаешь, что сводишь мужчин с ума. Тебе это нравится?

— Нет, — пролепетала Ширли. — Не знаю... Я ничего специально не делаю.

Она попробовала остановить Тони, отталкивая его от себя, но он одной рукой крепко сжал ее запястья, а другой расстегнул очередную пуговицу. Фишеру захотелось залезть девушке под блузку, и он выпустил ее руки. Тогда Ширли умудрилась соскочить с его коленей и вернулась к кофе.

Тони засмеялся, глядя, как Ширли трясущимися руками пытается насыпать гранулы в чашку, налить кипяток и застегнуть блузку — все сразу. Он закурил и встал за спиной Ширли, прижавшись к ней всем телом, затем забрал у девушки чайник и стал разливать горячую воду в чашки. Ширли постаралась улизнуть, но Тони обнял ее за талию.

— Так как — поговорим? — спросил он.

— Если хотите, — едва слышно ответила Ширли.

— Ты что-нибудь слышала о тетрадях Гарри Роулинса? — (Ширли замотала головой.) — Терри никогда о них не говорил? — продолжал Тони.

— Нет. Я ничего о них не знаю. То есть я даже не знаю, что это такое.

Тони сделал затяжку и оставил сигарету во рту, не желая выпускать Ширли. Девушка терпеть не могла табачный дым, но сейчас едва замечала его, оцепенев от ужаса.

Рука Тони крепче сдавила бедро Ширли. Она ощущала его возбуждение по тому, с какой силой он прижимал ее к себе. Ширли не сомневалась: сейчас ее изнасилуют. Тони отставил чайник и, задрав на девушке блузку, грубо схватил ее грудь.

— Прекрасно, — прошептал он, окутывая Ширли дымом.

— Что вы хотите? — дрожа всем телом, пролепетала она.

— Всему свое время, — ответил Тони, продолжая ласкать ее. — Прекрасно. Упругие, но в то же время мягкие. — (Дрожание Ширли его отвлекало.) — Расслабься, а? Ничего плохого я тебе не сделаю. Мне только нужно узнать о записях Гарри, дорогуша, и все.

— Я не...

Прежде чем Ширли успела закончить, Тони прижал ее руки к бокам, вынул сигарету изо рта и поднес к белоснежной груди девушки.

— Боже мой, нет! Пожалуйста, не надо! — закричала Ширли.

— Ты по-прежнему участвуешь в конкурсах красоты, да? Думаю, со шрамами на теле тебя на пушечный выстрел не подпустят к подиуму. Сволочи лицемерные! Я бы все равно обожал каждый дюйм твоего тела, Ширл, так что не переживай. А теперь скажи, где тетради?

— Я не знаю, Тони, клянусь!

Тони почти коснулся сигаретой Ширли, но та сумела как-то вырваться и оттолкнуть от себя его руку, выбив при этом сигарету.

— Сука! — взревел Тони и с силой ударил девушку по лицу.

Она рухнула на пол. Из разбитой губы потек тонкий ручеек крови — алый, как мак, на пепельно-сером лице. Тони схватил Ширли за волосы, расстегнул молнию на брюках и притянул ее голову к своей промежности.

Но тут дверь в кухню распахнулась, и на пороге появился Грег в панковском кожаном прикиде, с пирсингом в ушах и с выкрашенными в желтый и розовый цвет волосами, а также два его дружка — Арч с ирокезом и в футболке с леопардовым рисунком, и Фрутти-Тутти в черном кожаном пальто до пят, обритый наголо и с густо подведенными черным глазами. Они походили на персонажей из третьесортного фильма ужасов. Сначала, увидев, что Тони Фишер быстро застегивает ширинку, Грег решил, что застиг сестру за любовными утехами. Он уже собрался поскорее оставить парочку вдвоем, но заметил перепуганное и окровавленное лицо Ширли. Ему ничего не оставалось, кроме как встать на защиту сестры.

— Ты в порядке, Ширл? — спросил парень, напуганный не меньше, чем Ширли. О Тони Фишере он был наслышан.

От приятелей Грега обычно не было никакого толку, но сейчас Фрутти-Тутти при виде разбитой губы Ширли и не догадываясь, кто такой Тони, галантно вышел вперед, чтобы сразиться с обидчиком. Грег придержал товарища и затряс головой. Даже втроем им не справиться с Тони Фишером, не то что одному.

Тони со смехом взял свое пальто, набросил на плечи, затем подошел вплотную к мальчишкам.

— У меня отличная память на лица, — сказал он, обращаясь к Тутти, и, похлопав парня по щеке, ушел.

Тутти и Арч не имели ни малейшего представления о том, чему они стали свидетелями. Грег опустился рядом с Ширли на колени и обнял сестру впервые за много лет, а она, чудом избежавшая изнасилования, зарыдала в его костлявых объятиях, по-прежнему вся дрожа. Грег обнимал сестру все крепче, пока у Ширли не осталось никакой возможности дрожать.

Постепенно девушка успокоилась, слезы высохли. Грег помог сестре подняться с пола и повел в ее комнату, но тут в квартиру ворвалась их мать. Одри взмокла от пота и была краснее свеклы; ей действительно пришлось бежать почти весь путь до дому. Ширли только взглянула на мать и снова разрыдалась. Одри шагнула к ней и заключила дочь в объятия. Разбитая губа ничто по сравнению с тем, что Тони Фишер мог бы сделать, будь у него время.

Одри посмотрела на Грега:

— Разберись, что там с машиной. Сейчас же. Иди.

Грег, Арч и Тутти без единого слова вышли, а Одри отвела Ширли в гостиную и усадила на диван.

— Как тебя угораздило связаться с Фишерами, дочка? — Одри говорила спокойно, но твердо. — Я их знаю с детства. От них ничего хорошего ждать не приходится. Ничего хорошего.

Ширли помотала головой и глубже зарылась в материнское плечо. Она зажмурилась, пальцами ощупывая саднящую губу.

— Я твоя мать, Ширли, пожалуйста, не молчи. Я не смогу тебе помочь, если ты не расскажешь мне, что происходит.

Ширли сделала глубокий вдох:

— Он стал приставать ко мне, мама! Я его оттолкнула, он разозлился и ударил меня по лицу за то, что я не даю ему того, что ему нужно.

Одри гладила Ширли по ее чудесным длинным волосам:

— Ты уверена, что дело только в этом? У тебя в последнее время завелись деньги.

— Честно — дело только в этом. Я же тебе сказала, откуда у меня деньги. Я по-честному нашла их в чемодане Терри.

Ширли никогда не умела врать, и Одри знала: если дочь часто повторяет слово «честно», значит говорит неправду.

Девушка поднялась и пошла в ванную. Там она сполоснула лицо холодной водой и рассмотрела разбитую губу в зеркале. В своем отражении она неожиданно для себя увидела силу, которой раньше в себе никогда не замечала, во всяком случае — не в своих глазах. В глазах Терри — не раз, особенно когда он обманывал ее, стремясь уберечь от правды о том, куда он идет и что делает. Теперь Ширли поступала точно так же, оберегая свою мать.

Одри нельзя знать о том, что Ширли получает деньги от Долли Роулинс и собирается ограбить инкассаторский фургон вместе с тремя другими вдовами. Ширли едва могла думать об этом — настолько абсурдной была сама идея вооруженного налета.

Но что сделать было необходимо, так это все рассказать Долли Роулинс, и как можно скорее. Если от Ширли Тони Фишер не добился того, что ему нужно, остальные вдовы — на очереди у этого негодяя.

———

Из-за вчерашнего опоздания Линде велели выйти на работу раньше, чем обычно. Должно быть, это Чарли наябедничал боссу — больше некому. Господи, как бы она хотела сказать им обоим, чтобы они шли куда подальше со своей паршивой работой!

Когда Линда подошла к игровому залу, то заметила у входа Чарли. Он разглядывал кареты «скорой помощи» и полицейские машины, припаркованные чуть дальше по улице, возле клуба «Спортс».

— Жаль, ты не пришла пораньше, — возбужденно заговорил Чарли, глядя на суматоху у клуба.

— Сегодня я пришла чертовски рано!

— Нет-нет, я не про смену. Просто ты все пропустила. Ну, все эти сирены, мигалки...

— Плевать мне на проблемы других людей, Чарли, — ответила Линда и направилась к своей будке.

— А на Тони Фишера тебе плевать? — (Линда обернулась и уставилась на встревоженное лицо Чарли.) — Он тут заходил, спрашивал о тебе.

— Когда это было? — как можно беззаботнее уточнила Линда.

— Вчера, сразу после того, как ты ушла.

Все тем же небрежным тоном молодая женщина спросила:

— Что он сказал?

— Тебя спрашивал.

— И ты ответил...

— А что я мог ему ответить? Сказал, что тебя нету, потому что тебя и не было. — (Линда молчала, соображая, что делать.) — Но я бы сказал, что тебя нету, даже если бы ты была на месте. Тони, блин, Фишер! Линда, что происходит?

— Он запал на меня, Чарли, разве непонятно? — И она ушла прежде, чем Чарли успел задать новый вопрос.

Линда сидела за кассой, делая вид, будто пересчитывает деньги, но на самом деле она просто раскладывала монеты в столбики, не в силах сосредоточиться. Когда у окошка будки появился Чарли и предупредил, что отойдет ненадолго — посмотрит поближе, что там в клубе случилось, — Линда от страха рассыпала все монетки на пол.

Прошло минут десять, Чарли не возвращался. Линда стала подозревать, что он сбежал выпить пива. Но вдруг увидела, как Чарли трусит к ее будке. Никогда раньше он при ней не бегал, с его-то ногой, а тут вдруг мчится, что твой олимпиец, аж раскраснелся.

— Боксер... Это Боксер Дэвис! — Тяжело дыша, Чарли прижался лицом к стеклу будки. — Кто-то переехал бедолагу, я в жизни такого не видывал — везде кровища... Его нашли в проулке за клубом «Спортс», валялся за мусорными бачками. Я слышал, как один из врачей говорил копу, что Боксер пролежал там всю ночь и весь день. — Чарли никак не мог отдышаться, и от его дыхания стеклянная стенка запотела.

Линда молча смотрела на своего коллегу. Когда новость дошла до ее сознания, молодая женщина вся похолодела и кровь отлила от ее лица.

— Боксер? Ты уверен? — спросила Линда, но тут же поняла, что вопрос излишний: сплетником Чарли был непревзойденным.

— Разумеется. — Чарли поднял на Линду удивленный взгляд. — Вчера я сам видел его тут, в забегаловке через дорогу, он ел рыбу с картошкой. Мне еще показалось, что дела у него пошли на лад — такой классный костюм был на нем, и... — И вдруг он смолк, встревоженный какой-то мыслью.

— Что? — прошептала Линда, хотя не хотела больше ничего знать. — И что, Чарли?

— Он спрашивал о тебе.

— Что... что спрашивал?

— Ничего особенного. Просто он увидел тебя и спросил, не была ли ты замужем за Джо Пирелли.

Не говоря ни слова, Линда вышла из будки и направилась к выходу. Там она встала среди других зевак и посмотрела на карету «скорой помощи», припаркованную на тротуаре. Люди вокруг выдвигали догадки: наверное, парень перешел дорогу сутенеру или дилеру? Переспал с женой не того чувака? Или просто оказался не в том месте не в то время? Если бы они только знали...

Рядом с Линдой возник Чарли.

— Почему Боксер Дэвис и Тони Фишер интересовались тобой в один и тот же день? — спросил он. — Ты ведь не связана с этими людьми, а?

— С этими людьми? Не притворяйся, будто знаешь, кто они, «эти люди», — отчеканила Линда, чувствуя необходимость вылить свою злость хоть на кого-то. — Я возвращаюсь к работе. А ты стой здесь, сколько тебе заблагорассудится, и тащись от чужой беды. Потому что, пока Боксер лежит там мертвый, ты не самый жалкий неудачник на улице. Так, Чарли?

— Он не мертвый... — пробормотал Чарли вслед разгневанной Линде.

— Что? — обернувшись, спросила Линда.

— Он не мертвый. Похож на отбивную, да, но живой.

Линда вернулась в свою будку. От страха ее подташнивало. Когда в игровой зал вдруг является Тони Фишер — это одно, но когда в тот же вечер о ней расспрашивает Боксер — это совсем другое. А теперь он едва живой валяется среди крысиного помета и мусора. Линду охватил ужас. И ей совершенно не с кем поговорить, здесь ее никто не поймет. Сейчас ей хотелось одного — оказаться рядом с Долли, Беллой и Ширли и предупредить их о... о чем? Линда понятия не имела, что все это означает, но за всю свою жизнь она впервые не чувствовала под ногами твердой опоры.

Примерно час она размышляла. И мысли ее неизменно возвращались к Белле. Та непременно разобралась бы в происходящем и поняла бы, что делать. Наконец Линда приняла решение.

— Прикрой меня, Чарли, ладно? — крикнула она, перебросила через голову куртку и на лету ловко просунула руки в рукава.

— Нет! Тебе нельзя уходить! Твоя смена только началась! — запричитал Чарли вслед убегающей Линде.

Она остановилась. Что-либо объяснять Чарли Линда не собиралась, но хоть что-то нужно было сказать, иначе он не согласится прикрыть ее. Правильно Долли с самого начала говорила: надо заниматься своими делами, как обычно, чтобы никто ничего не заподозрил и не поднял тревогу. Сейчас тревогу подняли все инстинкты Линды, не время настраивать Чарли против себя.

— Не будь занудой, Чарли. Мы же всегда друг друга прикрываем.

— Ничего подобного, — возразил Чарли. — Это я тебя прикрываю. Меня не нужно прикрывать, потому что я не прогуливаю работу, в отличие от некоторых. — Он был похож на школьника, обиженного девочкой, которая ему нравилась.

— Послушай... мне и правда надо срочно уйти, — сказала Линда. — Я не могу объяснить почему. Но я в долгу не останусь, вот увидишь. — Она попыталась улыбнуться.

Но Чарли эта вымученная улыбка не одурачила.

— Если уйдешь, я доложу начальству и тебя уволят.

— Ну почему ты такой?! — вскрикнула в отчаянии Линда.

— Потому что, по-твоему, я самый жалкий неудачник на этой улице, если не считать отбивную в проулке за клубом! А жалкий неудачник совершает жалкие поступки, например сдает своих друзей, когда те обращаются с ним как с дерьмом.

— Знаешь что, Чарли, да пошел ты в задницу вместе с этой поганой работой!

Линда выскочила на улицу, и Чарли метнулся вслед за ней — как раз вовремя, чтобы увидеть, как захлопываются дверцы кареты «скорой помощи». Машина медленно двинулась сквозь толпу, которая, несмотря на мигалки и сирены, не желала расступаться.

К тому времени, когда Белла сошла со сцены стрип-клуба, белая как мел, Линда вот уже некоторое время мерила шагами ее гримерку и начала говорить, едва Белла открыла дверь:

— Боксера избили до полусмерти. Он приходил в игровой зал, спрашивал про меня, как до него Тони Фишер, и...

Белла, на что и надеялась Линда, немедленно взяла ситуацию под контроль.

— Так, прежде всего тебе надо успокоиться. Я ни слова не понимаю из того, что ты говоришь. Вдохни поглубже и повтори все, что ты сказала.

Линда послушно сделала глубокий вдох и повторила сказанное. Когда Белла вошла в курс дела, Линда добавила:

— Все это, должно быть, из-за того, что Долли наврала Боксеру, будто Гарри жив. Как считаешь?

— По-моему, ситуация выходит из-под контроля. И похоже, Фишеры перепугались.

— Перепугались? Черт побери, Белла, это я чуть не обосралась от страха! Придется Долли с этим что-то делать. Сама посуди: если это Тони отделал Боксера, то что он может сделать с нами!

— Разве мы знаем, что это был Тони? — спросила Белла, стараясь мыслить здраво.

Линда пришла к такому заключению, потому что и Тони, и Боксер наведывались в игровой зал в один и тот же день. Но при этом оба они спрашивали про Линду — и вот это вызывало серьезное беспокойство. Белла не спешила делать выводы; она думала, пока утирала пот со лба и переодевалась.

— Я позвоню в монастырь и оставлю для Долли сообщение о том, что жду ее здесь по срочному делу. А у тебя есть с кем провести эту ночь? — Хитрая улыбка, промелькнувшая на губах Линды, сказала Белле, что за подругу можно не волноваться. — Позвони ему, пусть заедет за тобой сюда. А Ширли как, в порядке?

Улыбка исчезла с лица Линды так же быстро, как появилась. Ей даже в голову не пришло, что Тони мог взяться за Ширли.

— Так, ты звони своему приятелю, — сказала Белла, — а я свяжусь с Ширли и Долли. И не переживай. Лучше как следует развлекись сегодня ночью. Все будет хорошо.

Долли сидела в растерзанном кресле, прихлебывала бренди и перечитывала записи, сделанные во время ее последнего визита в банк. На кофейном столике перед креслом лежали три конверта с деньгами, а Вулф, как всегда, устроился у хозяйки на коленях. В тетрадях Гарри не было и намека на Билла Гранта. Долли не нашла ни просто Билла, ни Уильяма, ни хотя бы БГ. Возможно, подумалось ей, человек, постучавшийся к ней в гараж, назвался не своим именем. Надо будет расспросить Боксера. Если он что-то знает, она это выяснит.

Забренчал телефон, и от неожиданности Долли подпрыгнула в кресле. Так поздно ей никогда еще не звонили. Это была сестра Амелия из монастыря.

— У меня для вас сообщение от мисс О'Райли. Она просит вас немедленно приехать к ней на работу. Дело касается вашего общего друга мистера Фишера, — сказала монахиня таким тоном, как будто передавать миссис Роулинс послания подруг было ее основной обязанностью.

Сохраняя спокойствие, Долли поблагодарила Амелию и положила трубку, потом допила бренди и выглянула в щель между гардинами. На том месте, где обычно стоял полицейский автомобиль, было пусто. Долли проверила оба конца улицы — везде стояли только машины местных жителей. И все равно она решила, что попетляет — на тот случай, если полиция сменила тактику. Долли Роулинс должна быть уверена в том, что за ней не следят.

В клубе, где работала Белла, было темно и грязно, пахло пивом, табаком и потом. Никто не обратил внимания на Долли, потому что все глаза были устремлены на сцену. Вдова встала у дальней стены, наблюдая за девушкой на сцене и слушая, как зрители обсуждают между собой стриптизершу. От их грубых сальностей Долли тошнило, но пьяные выкрики в адрес танцовщицы были еще отвратительнее. Пока девушка пыталась снять с себя бюстгальтер и при этом устоять на четырехдюймовых каблуках, публика ругала ее на чем свет стоит, а когда стриптизерша закончила номер, вслед ей полетели пустые бутылки.

Долли попыталась протиснуться к сцене. На каждом шагу подошвы туфель прилипали к пивным пятнам на полу. Мужчины принимали ее за такого же, как они, зрителя, жаждущего найти местечко поближе к выступающим, и не расступались. Придется дожидаться перерыва, поняла Долли, обхватила сумочку обеими руками и съежилась, чтобы ни к кому ненароком не прикоснуться. Многие из этих мерзких типов держали руки в области ширинки.

Когда зазвучала следующая песня, публика оживилась, а потом затихла. Долли выискала просвет между головами тех, кто стоял впереди, и увидела, что сцену заняла Белла. Натертое маслом тело блестело и двигалось с грацией пантеры. На Белле была мини-юбка из черной кожи, черный кожаный бюстгальтер и высокие сапоги. В руке у нее был длинный кожаный хлыст, которым она размахивала над головой. Покачиваясь в такт музыке, с вызовом глядя на мужчин, Белла излучала первобытную необузданность и неодолимую сексуальность. Она встречала взгляды зрителей — каждого из них, и все они без исключения попадали под ее чары.

Вместе с публикой выступлением темнокожей красотки была зачарована и Долли, но по совершенно иной причине. «Какая она сильная!» — думала женщина. В Белле Долли узнавала себя: видела в ней такую же потаенную, почти мужскую силу, дающую власть над людьми вроде Боксера Дэвиса. Но в Белле было кое-что еще. Долли оглядела зал и увидела, что никто из публики не переговаривается, не смеется и не шутит. Не было ни презрительных выкриков, ни насмешек, ни оскорблений. Все были словно околдованы. Вот тогда Долли окончательно поверила в то, что Белла станет идеальным четвертым членом их команды. Пока мужчины воображали Беллу обнаженной, Долли видела ее в комбинезоне и лыжной маске, с винтовкой в руках вместо хлыста. Она улыбнулась про себя: «Инкассаторы наделают в штаны от страха».

Номер Беллы шел своим чередом, и Долли с ужасом увидела, как лифчик и юбка летят на пол, после чего на Белле осталась только узкая полоска стрингов и сапоги. Широко расставив ноги, Белла двигала тазом вперед и назад прямо над головами первого ряда зрителей. Мощный вопль волной прокатился по залу, мужчины стучали по доскам сцены, свистели и ухали. Крики стали еще громче, когда Белла медленно повела головой из стороны в сторону, облизнула губы и изогнула их в хищном оскале. Долли, потрясенная, сжимала сумочку. Белла со скучающим, почти отсутствующим видом умудрялась контролировать всю эту толпу мужчин, жаждущих ее гладкого, крепкого тела. Казалось, никто и ничто не могло ее коснуться. «Через месяц-другой тебе не придется этим заниматься», — мысленно пообещала ей Долли.

Когда номер Беллы закончился, большинство зрителей повалило в бар, и Долли воспользовалась моментом, чтобы добраться до сцены, куда тем временем поднялся следующий выступающий — трансвестит. Встречен он был улюлюканьем и пронзительным свистом.

— Белла! — Долли пришлось перекрикивать весь этот гвалт, чтобы быть услышанной.

На Белле по-прежнему не было почти никакой одежды. Она встала перед Долли, уперев руки в бока.

— У нас проблемы, — сказала темнокожая пантера. — Тони Фишер вышел на тропу войны. Вчера вечером он явился в игровой зал и расспрашивал о Линде. К счастью, ее там не было, а сейчас она дома с каким-то парнем, который присмотрит за ней. Я пыталась дозвониться до Ширли, чтобы узнать, все ли у нее в порядке, но она не отвечает. И потом еще эта история с Боксером...

Долли не представляла, как все это объяснить и что отвечать, поэтому решила сначала выяснить подробности.

— Какая история?

Белла застегнула бюстгальтер.

— Неужели вы не слышали? Вчера Боксера нашли в переулке за клубом «Спортс». Его переехал автомобиль. Долли... Линда сказала, что зрелище было не для слабонервных.

В этот момент какой-то пьяный за спиной Долли задел ее. Она обернулась и так толкнула забулдыгу, что тот влетел в дверь мужского туалета. Долли же, как будто ничего не случилось, продолжила разговор с Беллой.

— Боксер должен был уехать из города! — сказала она. — Я дала ему денег и назвала адрес, где можно остановиться. Я не в силах предусмотреть все и не виновата в случившемся.

Белла внимательно посмотрела на Долли:

— Я вас и не виню, но... раз вы сами об этом упомянули... Долли, это ведь вы обрядили Боксера в одежду своего мужа, снабдили его бабками, чтобы он напился, и внушили, будто Гарри жив, — с расчетом на его неспособность держать язык за зубами. — Даже в одном кожаном белье Белла оставалась трудным собеседником.

Но на этот раз Долли не стала оправдываться, просто сменила тему:

— С кем сейчас Линда? Кто ее парень?

— Она не сказала, а я не расспрашивала, но, по крайней мере, она не одна. А вот как дела у Ширли, я понятия не имею, потому что она не отвечает на звонки.

— Я постараюсь дозвониться до нее. Ты-то сможешь за себя постоять?

Едва задав вопрос, Долли поняла, что он был лишним. И Белла не стала утруждать себя очевидным ответом.

— Уверена, завтра Ширли придет на встречу, как договаривались, — сказала она. — Тогда и расскажем ей про Тони и Боксера. Но все равно надо будет обсудить ситуацию, Долли, — серьезно добавила она. — Ни одной из нас не нравится происходящее, и нужно принять меры, пока никто не пострадал.

Долли импонировало, что Белла не ходит вокруг да около, а говорит в лоб все, что думает.

— Послушай, Белла, я вовсе не собираюсь делать вид, будто случившееся с Боксером и расспросы Тони Фишера ничего не значат. Что бы ты ни думала, для меня главное — ваша безопасность. Я изо всех сил забочусь о том, чтобы вы — все вы — были целы и невредимы. Да, мы обсудим ситуацию, но Линде с Ширли о случившемся надо сообщить деликатно. Они не такие, как мы. Завтра надо сосредоточиться на наших планах, а не отвлекаться на Фишеров или на алкоголика, который, быть может, просто оказался в неподходящем месте в неподходящее время.

— Вы ведь сами в это не верите, Долли Роулинс. И никто другой не поверит, — сказала Белла с улыбкой.

———

С бьющимся от тревожных мыслей сердцем Долли пробиралась к выходу из клуба. Ей отчаянно хотелось оказаться на свежем воздухе, избавиться от вони потных мужских тел и пролитого пива. На улице она прислонилась к стене и перевела дух.

Надо успокоиться. Иначе ситуация выйдет из-под контроля.

Конечно, Белла права. Долли понимала, что неприятности Боксера связаны с ее хитроумной ложью о том, что Гарри жив. Это она виновата в том, что верзила чуть не погиб.

Ей было жаль, что так вышло, однако особого сочувствия к Боксеру Долли не испытывала. Она-то все сделала, чтобы он остался цел. И с ее стороны это не бессердечность, убеждала себя Долли, просто Боксер для нее далеко не так важен, как вдовы и ограбление, которое они решили совершить. Тем не менее Долли пообещала себе, что помолится за Боксера Дэвиса, как только доберется до дому.

ГЛАВА 16

Резник сидел в коридоре реанимационного отделения под табличкой «Не курить» и дымил сигаретой. Пепельницу он принес с собой из комнаты ожидания для родственников. Там он не высидел — терпеть не мог беспомощных людей. И сейчас ему требовались ответы, а тишина пустого коридора располагала к размышлениям.

После обеда Резник ездил на съемную квартиру Боксера, поговорил с квартирной хозяйкой, однако узнал только, что днем ранее Боксер ушел с каким-то своим приятелем да так и не вернулся. Описать этого приятеля хозяйка не смогла или, что более вероятно, не захотела. «Неприятности мне не нужны», — то и дело повторяла она.

Резник уже собирался пойти домой, когда в участок позвонили и сообщили, что в одном из закоулков Сохо нашли Боксера — искалеченного, в бессознательном состоянии. Как ни странно, Резник не поехал на место происшествия, а потащил Фуллера обратно на квартиру Боксера, чтобы вновь допросить квартирную хозяйку, хочет она того или нет.

Когда они приехали, то обнаружили, что входная дверь выбита. На полу вестибюля, словно выброшенный на берег кит, лежала Фран: лица не видно под синяками, из носа течет кровь, на лбу глубокий порез.

— Не надо! Пожалуйста, не надо! — завопила она, когда Резник и Фуллер ворвались в дом. — Не знаю я, где Боксер, клянусь, не знаю! Пожалуйста, не делайте мне больно! — Прошло несколько секунд, прежде чем она смогла разглядеть Резника и понять, что опасность миновала.

— Тише, тише, — произнес Резник, склоняясь над Фран. — Мы из полиции. Я приходил сюда днем, помните? Теперь вам ничего не грозит. «Скорая помощь» уже в пути.

Фран вспомнила Резника и вскоре успокоилась, но категорически отрицала, что видела лицо избившего ее человека. Инспектор не стал говорить ей о том, что Боксер при смерти, он только повторял, что с ней все будет в порядке. Как только Фран более-менее пришла в себя, Резник стал выуживать из нее информацию.

— Вас избил тот же самый человек, что приходил к Боксеру вчера вечером?

— Не знаю! — взвыла Фран. — Мне так страшно...

Инспектор ни на секунду не усомнился в том, что квартирная хозяйка хорошо разглядела лицо бандита, избившего ее до полусмерти. Однако, по-видимому, рассказывать что-либо полиции эта женщина не собиралась.

В ожидании «скорой помощи» Резник и Фуллер осмотрели жалкое жилище Боксера. Односпальная кровать была перевернута, вся мебель сломана. На потертом ковролине валялись разбросанные вещи, но пара носков все еще оставалась внутри чемодана: судя по всему, Боксер планировал уехать из города. Также на полу валялись купюры различного номинала. Боксер не относился к людям, у которых имелись сбережения, и Резнику вспомнился рассказ Гнилозубого. Если его осведомитель говорит правду насчет внезапного богатства Боксера, то, быть может, он не соврал и насчет Гарри Роулинса?

От прибывших в карете «скорой помощи» медиков Резник узнал, что Боксер жив, но состояние его критическое. Не обращая внимания на недовольное лицо Фуллера, инспектор велел подчиненному ехать прямо в больницу.

Там он без церемоний ворвался в реанимацию, и дежурный врач сообщил, что Боксер Дэвис цепляется за жизнь вопреки всем законам медицины. Теперь уже стало понятно, что это не избиение, а наезд. У Боксера были повреждены все внутренние органы, переломаны почти все кости. С такими травмами не выживают, а если и выживают, то остаются на всю жизнь инвалидами.

— Послушайте, док, его сбила не случайная машина, — сказал Резник. — Мы с вами оба знаем, что его переехали несколько раз. Мне очень важно поговорить с ним.

Доктор пожал плечами:

— Это если только вам сильно повезет.

— Ну должно же мне когда-то повезти... почему бы не сегодня, — буркнул Резник.

Шли часы, но в коридоре реанимационного отделения было по-прежнему пусто. Хотя инспектор понимал, что Боксер не очнется, он продолжал сидеть и дымить сигаретой. Нет, пока Боксер дышит, он не уйдет. Боксер — разгадка всей этой шарады, у Резника не было сомнений. В голове крутились сплошные вопросы. Почему Боксер собирался уехать из города? Чего он боялся? Или боялся кто-то другой и заплатил Боксеру, чтобы тот исчез? С кем Боксер ушел из дому прошлым вечером? Ясно было одно: человек, который избил Фран, не знал, что кто-то уже пытался убить Боксера, то есть он не мог быть тем человеком, который увел Боксера из квартиры и заманил прямо в ловушку. Значит, их было двое. Два человека, и обоим по какой-то причине Боксер сильно мешал. Чем именно?

Резник снова вспомнил беседу с Гнилозубым. Тот утверждал, будто Боксер сорит деньгами и красуется в обносках Гарри. Он также говорил о тетрадях Роулинса так, будто за них идет борьба. Резник зажмурился, в отчаянии от собственного бессилия. Он, похоже, был как никогда близок к разгадке, но опять опоздал, и человек, который помог бы ему раскрыть дело, вот-вот покинет этот мир. Сначала умер Лен Галливер и унес в могилу то, что так нужно было знать Резнику, а теперь и Боксер намерен сделать то же самое. Нет, разумеется, не может такого быть, чтобы Гарри Роулинс остался жив! От одной только мысли об этом у Резника вскипала кровь. И все-таки он должен услышать это из уст Боксера, пока доктора не отключили бедолагу от аппаратов, чтобы освободить койку для кого-то еще.

Спустя пачку сигарет и восемь стаканчиков кофе Резник все еще сидел, ссутулившись, в пустынном коридоре, в съехавшей на глаза шляпе. Только к шести утра его разбудил врач осторожным похлопыванием по плечу. Говорить что-либо не было нужды. По лицу медика инспектор сразу понял, что Боксер умер.

И Резник, ссутулившись, побрел восвояси, оставив после себя гору смятых стаканчиков из-под кофе, россыпь окурков и слабый запах немытого тела. «Просто чудо, что этот коп еще на ногах, — думал врач, — столько часов просидел здесь без еды и практически без сна, поглощая в невообразимых количествах никотин и кофеин». Доктор надеялся, что инспектор идет домой, где его ждет ванна и уютная постель, однако все говорило о том, что надежды эти тщетны.

Резник вернулся в участок, плюхнулся в кресло в своем кабинете и, перебирая в уме события этого долгого дня, съел половину черствого пирога со свининой. Выбросив вторую половину в урну, инспектор распечатал новую пачку сигарет, затянулся и раскрыл папку с отчетами о наружном наблюдении. Оказалось, что со вчерашнего дня их не обновляли. Возмущению Резника не было предела: на утренней летучке команду ждет хорошая взбучка. Он не допустит, чтобы недочеты в документах помешали следствию. Его подчиненные были отправлены на улицы собирать информацию в связи с наездом на Боксера Дэвиса, и это означало, что выходные отменяются. Конечно, все были страшно недовольны, но инспектор работал наравне с остальными, поэтому пусть не бухтят. Если в ближайшее время он не сможет предъявить начальству хоть какой-нибудь результат, его отстранят от следствия, а это дело — последний шанс на повышение. В работе Резника сейчас все должно быть безупречно, особенно после того, как он пропустил совещание с Сондерсом.

Резник рыгнул, ощутил вкус несвежей свинины во рту и глубоко затянулся сигаретой. Постукивая по столу карандашом, он признал, что в его распоряжении имеется всего один-единственный свидетель — Фран, квартирная хозяйка Боксера. Только она настолько перепугана, что отказывается назвать или хотя бы описать того, кто напал на нее. Придется действовать жестче. Боксер умер. Теперь Резник расследует не ограбление, а убийство. Испуг не дает права на молчание. Как только Фран выпишут из больницы, он привезет ее в Скотленд-Ярд и заставит пересмотреть фотографии всех, кто хоть каким-нибудь боком связан с Фишерами или Гарри Роулинсом. Толстуха будет сидеть в комнате для допроса до тех пор, пока не опознает человека, покрывшего ее лицо синяками и шрамами.

Инспектор откупорил бутылку виски, налил в кружку с остатками кофе большую порцию и чуть не проглотил кусок зеленой плесени, всплывший со дна. Поморщившись, Резник попробовал выудить плесень, не переставая прокручивать в голове известные полиции факты. Его мысли то и дело возвращались к четвертому человеку, которому удалось скрыться после взрыва «форда». В конце концов Резник бросил попытки вынуть плесень из виски, отыскал кружку чуть чище первой и налил новую порцию. Выпив, он встал и подошел к ряду фотографий, приколотых к стене кабинета, на которых были запечатлены все известные ему подельники Гарри Роулинса.

— Один из вас и есть этот четвертый, — бормотал инспектор себе под нос. — Не потому ли Боксера заставили замолчать? Было ли бедолаге что-то известно наверняка?..

А в мозгу продолжала стучать мысль: «Господи милостивый, ведь этим четвертым не может быть Гарри Роулинс?»

Еще Резника очень смущали деньги, раскиданные по квартире Боксера. Да, верзила хвастался всем и каждому, что Гарри Роулинс снова взял его на работу и выдал аванс. Но почему тот бандит, что разгромил жилище Дэвиса и едва не прикончил Фран, оставил деньги нетронутыми? Потому что, судя по всему, деньги его не интересовали. Его целью было что-то очень конкретное. Не рассчитывал ли он найти у Боксера тетради Гарри?

И еще одна интересная деталь привлекла внимание Резника: человек, который увел с собой Боксера, тщательно вымыл и вытер одну чашку — несомненно, ту самую, которой пользовался. Кроме этой чашки, в квартире не было ни единого чистого предмета посуды. То есть этот таинственный гость был близок с Боксером настолько, что бедолага с радостью согласился выпить с ним и отправиться на ночь глядя в клуб.

— Осторожные негодяи не осторожничают без причины, — напомнил себе Резник. Он прошел вдоль стены к портретам трех погибших грабителей и уставился на лицо Гарри Роулинса, самого осторожного из всех известных ему негодяев. — Это был ты, Роулинс?

Резник не думал, что Роулинс мог быть таинственным собутыльником Боксера, или кровожадным безумцем, избившим Фран, или водителем-убийцей. Если он и в самом деле жив, то не будет действовать открыто. Зато может заплатить кому-то еще... По всем признакам убийство Боксера — дел рук профессионала, а профессионалов Резник знал предостаточно.

Взяв со стола три дротика, Резник прицелился и метнул один в фотографии. Дротик отскочил от стены и рикошетом чуть не попал в самого инспектора. Тогда Резник сделал более сильный бросок. На этот раз дротик впился в стену прямо над фото Терри Миллера. Инспектор улыбнулся, налил себе еще виски и выпил спиртное одним залпом.

Фуллер, пришедший на работу пораньше, увидел свет в кабинете Резника и, поскольку больше в участке никого не было, решил вылить на инспектора свое недовольство отменой выходных. Они с женой собирались в гости, и сержант вовсе не желал отказываться от этих планов только потому, что Резник старается спасти свою безнадежно испорченную карьеру. Шагая к кабинету начальника, Фуллер заставил себя дышать глубже и медленнее, чтобы постараться быть вежливым и не вывалить все свое негодование сразу.

Фуллер постучался и, когда Резник рявкнул: «Входите!», шагнул в неопрятный кабинет. Инспектор сидел перед тремя портретами на стене и целился в один из них дротиком. При виде сержанта он швырнул дротик ему под ноги.

— Если ты не намерен сказать мне что-то хорошее, то лучше вообще не открывай рот! — прорычал инспектор.

— Я насчет выходных, сэр. У меня были планы.

Резник развел руки:

— И у меня.

— Я сорок восемь часов без сна! — Фуллеру надоело, что с ним обращаются как с мальчиком на побегушках.

— Как и все мы, — ответил Резник. — Но скоро наши старания будут вознаграждены.

— Неужели? — не сдержал сарказма Фуллер, считавший дело безнадежным.

— Вот смотри, — сказал Резник, игнорируя его тон. — Роулинс использовал в налете четверых, так? Нам известно, где находятся трое из них. — Инспектор указал на фотоснимки Роулинса, Миллера и Пирелли. — Но личность четвертого оставалась для нас загадкой... до прошлой ночи. — Резник поднялся и зашагал взад-вперед, размышляя на ходу. — Появляется слух, будто Боксеру привалило денег, и Гнилозубый предполагает, что сами тетради Роулинса или информация об их местоположении также могут быть у Дэвиса. Потом Боксера находят в проулке, куда его заманил какой-то знакомый и где его задавил насмерть профессиональный убийца. Спустя двадцать четыре часа мы не находим на кружках в его комнате никаких отпечатков пальцев, а его квартирная хозяйка кем-то страшно запугана и избита. Кроме нее, у нас никого нет, Фуллер. Поэтому завтра с самого утра она должна быть в участке. Будет сидеть здесь, пока не скажет, кто ее изуродовал.

Фуллер хранил на лице безразличное, бессмысленное выражение, но под ним скрывалось внимание — Резник знал это.

— Вы думаете, это был четвертый грабитель, — медленно произнес сержант.

— Вот теперь ты начал соображать, сынок. — Резник чуть не расплылся в улыбке. — Вот теперь до тебя доходит. — Инспектор снова сел за стол, взял дротик, прицелился и вонзил его Гарри Роулинсу прямо в лоб.

Фуллер постоял несколько секунд, переводя взгляд с дротика в стене на инспектора и обратно, переступил с ноги на ногу. Похоже, в рассуждениях толстяка есть здравое зерно, но признать это вслух Фуллер не согласился бы даже под дулом пистолета.

— Как насчет пропустить пару пинт? Думаю, мы заслужили их.

Со стороны Резника это была попытка навести мосты. Платить, разумеется, должен был Фуллер. Есть только один человек, которому Резник купил пинту, и это Элис. Причем попросила она джин с тоником. Но пиво выпила, чтобы не обидеть начальника.

Фуллер развернулся к выходу.

— Сейчас пять утра... сэр, — сказал он.

— Эй! — крикнул ему в спину Резник. — Усталость — не повод быть плохим копом. Скажи остальным, когда явятся, пусть напишут отчеты о наблюдении и заполнят эту папку как положено.

Фуллер сделал глубокий вдох:

— Старший инспектор Сондерс снял наблюдение за домом Роулинсов. — Как он и ожидал, лицо Резника медленно покрылось краской. — Это был один из пунктов, которые он хотел обсудить с вами вчера. На том совещании, куда вы так и не пришли.

— Оно возобновляется! — прошипел Резник. — Слышишь, Фуллер? Наблюдение возобновляется прямо с этой минуты!

Фуллер кивнул, слишком усталый и слишком раздраженный, чтобы спорить. Он вышел из кабинета инспектора, прикрыв за собой дверь.

Резник остался один, взбудораженный последними вестями. После бессонной ночи нервы были ни к черту, но дело не только в этом. Он вдруг понял, что уже и не помнит, когда в последний раз слышал: «Шеф, не хочешь опрокинуть рюмашку?» До его отстранения после лживой статейки в газетах никто не уходил из участка, не перекинувшись с Резником парой слов. А нынче на инспектора всем наплевать, и после переезда в стеклянный флигель станет только хуже. И черт побери, как посмел Сондерс отменить слежку в его, Резника, деле, а никто из его команды и слова не сказал начальству?!

Инспектору вдруг стало бесконечно одиноко. Брак его давно превратился в формальность. Жена почти не разговаривала с ним — не то что разделяла постель. Уже много месяцев Резник ночевал в кладовке, потому что поздно приходил с работы и рано уходил, — по крайней мере, так он себе это объяснял. Но на самом деле ему было просто невыносимо лежать рядом с женщиной, которая не испытывала к своему мужу никаких чувств. Потому он и прятался в кладовке. Так легче.

Усталость настигла его, когда Резник медленно двинулся к двери. Бросив напоследок взгляд на фотографии трех погибших преступников, инспектор направился в ближайшее кафе — позавтракать наедине с самим собой.

ГЛАВА 17

Колеса взрывали гальку с песком на дорожке и оставляли глубокие следы, пока мотоциклист делал крутые развороты с пробуксовкой, наслаждаясь свободой движения и возможностью по-настоящему проверить, на что способна эта мощная машина. Когда мотоцикл резко затормозил, с дорожки взметнулась крутая волна гравия.

Внизу простирался чудесный берег. На многие мили в обе стороны — почти ничего и никого, и это ровно то, что надо. Белла сняла шлем и, не слезая с мотоцикла Бриолина, принялась наслаждаться пейзажем. Сутенер недавно угодил на полгода в тюрьму за торговлю наркотиками. Он попросил Беллу время от времени запускать двигатель на его мотоцикле для поддержания систем в рабочем состоянии. Конечно, он имел в виду, что нужно раз в три-четыре недели завести мотор — но какого черта! Мотоцикл обалденный, а Бриолин просрочил выплаты, и мотоцикл у сутенера отберут еще до того, как он выйдет из тюрьмы. Так почему бы не попользоваться этим красавчиком, пока не явились судебные приставы и не конфисковали его?

Несясь по пустынным из-за столь раннего часа улицам в черном кожаном одеянии, Белла жала на газ и низко пригибалась... Хотя на мотоциклах она ездила много лет, в седле такого мощного зверя сидела впервые. У нее захватывало дух, когда она мчалась по сельским дорожкам, словно профессиональный гонщик.

В Бирлинг-Гэп Белла прибыла первой. На пляже было пустынно. Темнокожая красотка поставила мотоцикл на центральную подножку и пешком спустилась к воде по узкой деревянной лесенке. Начинался прилив. Белла улыбнулась: разумеется, Долли учла и время отлива. Миссис Роулинс всегда все учитывает. На пляже догнивала на боку пара старых рыбацких лодок. А впереди, ярдах в двадцати, стоял ржавый «моррис майнор» — без колес, с вырванными сиденьями и весь покрытый водорослями. И опять Белла заулыбалась — на этот раз при мысли о бестолковых туристах, которые поставили машину на пляже, предвкушая милый пикник, но из-за наступающего прилива оказались в ловушке. Убегать от воды им пришлось по лестнице, ведущей наверх, — той самой, по которой Белла только что спустилась. А местным ребятишкам достаточно тридцати минут на то, чтобы разобрать машину до винтика.

Шагая по пляжу, вдыхая свежий воздух, Белла оценивала их «полигон». Хорошо, что Линда пока не подъехала. Это давало Белле время, чтобы сосредоточиться и без помех подготовить все для тренировки. Линда ведь ни минуты не способна молчать, трещит без умолку о своем любовнике или о том, какая Долли вредная. Белла стала собирать выброшенные на берег ветки, чтобы разметить дистанцию, равную той, которую им придется преодолеть с мешками денег за плечами. Ей хотелось сделать все правильно, а для этого нужно, чтобы ее никто не отвлекал.

К счастью, до приезда Линды схема пробежки от машины инкассаторов до их автомобиля была четко расчерчена на песке. Звук разлетающейся гальки и визг тормозов заставили Беллу поднять голову: на площадке у лестницы припарковался «капри». Темнокожая красотка помахала Линде, которая стала выгружать из багажника мешки и одеяла.

Спустившись по лестнице на пляж, Линда бросила охапку вещей на песок и тут же принялась жаловаться:

— Что за место она выбрала для тренировок, а? Старуха точно свихнулась! Как тут можно репетировать ограбление?

Морской бриз окрасил бледные щеки Линды румянцем и разметал ее черные кудри. У нее было необычное лицо с орлиным носом, высокими скулами и быстрыми черными глазами. Порой она казалась дурнушкой, а порой в ней проступала своеобразная угловатая красота. «Если бы закрывала хоть на время свой хлебальник, — подумала Белла, — то была бы весьма симпатичной».

— Я говорила с Долли, — сказала она, не обращая внимания на нытье подруги. — Рассказала ей о Тони Фишере и Боксере Дэвисе. И попросила, чтобы сегодня мы начали не с тренировки, а с разговора о том, что происходит.

— Ты дозвонилась до Ширл? — спросила Линда, сильно тревожась за девушку.

— Это обещала сделать Долли, пока я дорабатывала смену в клубе. С Ширли все хорошо.

Утверждение Беллы было голословным, однако Линде большего и не требовалось. Прошлой ночью она так переживала, что не смогла уделить Карлосу достаточно внимания, и в результате секс у них был всего один раз — исключительный случай в их отношениях. Карлос проявил чуткость и удовлетворился объятиями. Старину Боксера было жаль, но, по крайней мере, хоть о нем теперь можно не беспокоиться. Зато Тони Фишер по-прежнему оставался серьезной угрозой.

— Послушай, мне тут пришла в голову гениальная идея! — Моментально повеселев, Линда побежала к горе вещей, принесенных из багажника, и вернулась с рюкзаками, тремя наволочками, двумя пластиковыми ведерками и двумя лопатками. — Я подумала, зачем таскать кирпичи из гаража, когда здесь и так уже есть то, что надо? — Линда наполнила наволочку песком и засунула ее в рюкзак. — У меня не только хорошенькое личико, но еще и мозги есть, а, Белл?

Затем Линда взяла плед и разложила его в одном конце маршрута, отмеченного сухими ветками. На каждый угол одеяла она насыпала по горке песка, чтобы его не унесло ветром.

— А это зачем? — спросила Белла.

— Это инкассаторская машина! А потом мы на этом одеяле устроим пикник. Два зайца одним выстрелом, круто, да?

Белле очень нравилась эта детская игривость в Линде; когда молодая женщина была в хорошем настроении, то никому не давала скучать.

Наверху медленно и плавно остановилась машина Ширли. Из-под колес не выскочило ни камешка. Белла и Линда наблюдали, как девушка осторожно ступает на неровные деревянные ступеньки, спускаясь к пляжу. Свой багаж Ширли несла в пакетах с логотипами дорогих магазинов, а одета была в один из тех женственных комбинезонов, которые Долли забраковала. Вид у девушки был такой, будто она шествует по Кенсингтон-Хай-стрит.

— Надо будет спросить у Ширли, где она купила этот комбинезон. Мне бы такой тоже очень подошел, — пошутила Линда.

Белла оглядела подругу с ног до головы. На Линде были рваные джинсы, грязные кеды и огромный свитер — должно быть, остался после Джо.

— Ну... ты в своем наряде сойдешь за пугало, и это в лучшем случае, — с улыбкой заметила Белла.

— Я одета, как подобает в таких случаях, — заявила Линда. — Это спецодежда для репетиции самого безрассудного ограбления в мире!

Тем временем Ширли спустилась по лестнице и на цыпочках зашагала по песку, чтобы не набрать его в свои девственно-чистые парусиновые туфли, и по мере ее приближения улыбки на лицах Линды и Беллы угасали. На расстоянии десяти футов уже не оставалось сомнений, что у Ширли разбита губа и вокруг раны расплылся синяк. Подруги бросились девушке навстречу.

— Тони-мать-его-Фишер, — коротко пояснила Ширли.

Белла и Линда взяли у нее пакеты и свалили их на капот ржавого «морриса».

— Надо было надеть куртку потеплее, — сказала Ширли. — Кажется, будет дождь.

— Да при чем тут дождь! — воскликнула Белла. — Что случилось?

Глаза Ширли наполнились слезами, но она сумела не расплакаться.

— Извини, Белла. Я смогу рассказать об этом только один раз, поэтому давайте подождем Долли.

Ширли отошла и встала у края воды, лицом к морю. Белла с Линдой не стали доставать подругу расспросами, тем более что им еще надо было многое сделать до начала тренировки.

Когда прибыла Долли на своем «мерседесе», все было готово и дождь лил как из ведра. Долли встала на краю обрыва и посмотрела вниз на пятидесятиярдовый маршрут из коряг и веток, выложенный Беллой. Он как будто сошел со страниц тетрадей Гарри. Плед для пикника заменял собой машину инкассаторов; несколько деревянных поддонов, составленных перед пледом, изображали «блокирующий» грузовик, а «моррис» выступал в роли их «транзита». На капоте «морриса» стояли наготове три рюкзака с песком. В дальнем конце дистанции еще пара поддонов обозначали машину, на которой они скроются с места преступления. Линда и Ширли забрались внутрь «морриса», прячась от дождя. Оттуда раздавались смех и восклицания веселой парочки. Долли заметила, что Ширли опять надела свой дурацкий приталенный комбинезон. Белла ходила вдоль берега и собирала ветки для обозначения маршрута.

Дата, на которую они назначили ограбление, неумолимо приближалась, и Долли нервничала. Линде еще предстояло найти подходящий грузовик, чтобы перегородить дорогу инкассаторам, а сама Долли пока так и не добыла от осведомителя Гарри точный маршрут и время инкассаторского рейса. Прислушиваясь к взрывам хохота, Долли опасалась, что, кроме нее, ограбление никто не воспринимает всерьез. Может, девушки используют ее лишь как дойную корову, чтобы обновить свой гардероб, бесплатно понежиться в спа-салоне и пополнить запасы водки?

В дурном настроении Долли двинулась к пляжу. Корзинка для пикника оттягивала руку, поэтому шла Долли медленно, к тому же надо было держать над головой зонт, а Вулф так и норовил попасть ей под ноги. Линда наблюдала за приближением Долли и возмущенно качала головой. Все как всегда: сначала они переделали всю тяжелую работу, а потом появляется она, словно королева-мать на приеме в своем загородном дворце.

— Белла! — крикнула Линда и мотнула головой в сторону Долли.

Белла обернулась и помахала большой корягой. С места, где стояла Долли, коряга поразительно походила на обрез. Долли жестом подозвала к себе Линду.

— Да, ваше величество, — скорчила гримасу Линда, выбираясь из «морриса». — Уже иду, ваше величество. — Потом она оглянулась и подмигнула Ширли. — Вероятно, Вулф наделал кучку и она хочет, чтобы я убрала за ним.

Ширли слабо улыбнулась в ответ.

Пока Линда брела по берегу к Долли, ей вдруг стало очень жаль себя. С волос текло ручьями, а свитер Джо стал в два раза длиннее и тяжелее, чем был утром, когда она его надевала. Пряжа вся пропиталась водой, в отличие от одежды Долли — безупречных, как всегда, плаща и сапог в тон. Линда посмотрела Долли прямо в глаза.

— Белла рассказала вам о том, как отделали беднягу Боксера, — произнесла она недовольным тоном.

Долли, не останавливаясь, кивнула и вручила Линде корзинку для пикника.

— Что вы об этом думаете? Тони Фишер — чокнутый, и...

Долли неожиданно обернулась и посмотрела на Линду:

— Тот парень, с которым ты была, когда я заезжала к тебе, механик... Это он был с тобой прошлой ночью?

Линда помотала головой. Ей было чуть-чуть стыдно врать Долли, но какого хрена эта зазнайка лезет в ее личную жизнь?

— Ты так и встречаешься с ним, да? — продолжала давить Долли. Линда опять мотнула головой, но Долли не отступала: — Я переживаю из-за тебя, Линда. Ты слишком много пьешь, а выпив, говоришь что попало и кому попало. — Долли имела в виду тот вечер, когда Линда выложила Белле их секрет. — Я должна быть уверена в том, что ты не разболтаешь все первому встречному, с которым тебе захочется переспать.

При этом Долли прекрасно знала, что Карлос не первый встречный. Из краткой беседы с Боксером она поняла, что этот молодой итальянец был любовником Арни Фишера.

— О, поверьте, мы не разговорами занимаемся, — состри́ла Линда.

Ледяной взор Долли подсказал Линде, что ее попытка свести все в шутку провалилась.

— Послушайте, Долли, то был секс на одну ночь, не о чем даже говорить. С тех пор я его не видела, как вы и просили, жила сама по себе, ясно? У меня никого нет.

Долли пристально смотрела на Линду, пытаясь отличить ложь от правды, но молодая женщина твердо выдержала взгляд. В какой-то момент Долли захотелось рассказать нахалке, что ей известно о встрече Линды с Карлосом в тот день, когда Тони приходил в игровой зал с расспросами. Но тогда тренировка была бы испорчена. Нет, нужно думать о том, что важнее. И Долли направилась к Белле. Линда пошла за ней следом, не в силах закрыть рот хотя бы на минуту.

— Почему вы уходите от ответа на мой вопрос? — ныла она. — Как вы собираетесь противостоять Фишерам? Должно быть, бедолага Боксер побежал прямо к ним, как вы и предсказывали, да только посмотрите, что с ним стало!

— Он был глуп, Линда. А глупцы не знают, что им на пользу, а что во вред.

Линда бросила корзинку на плед и опять догнала Долли.

Понимая, что девушек необходимо приободрить, Долли заговорила громче, чтобы слышно было всем:

— Я не хотела, чтобы у Боксера были неприятности, и мы не знаем наверняка, Фишеры расправились с ним или кто-то другой. Это могло произойти случайно. В тот вечер я звонила Боксеру, и он был в стельку пьян. Я отдаю себе отчет в том, что у нас проблемы, тем не менее сегодня перед нами стоит конкретная задача, и мы должны ее выполнить. И вообще, оберегать Боксера не входило в мои обязанности. Моя главная цель — проследить за тем, чтобы с вами не случилось ничего дурного.

Линда так сжала челюсти, что на щеках у нее выступили желваки.

— Ну, с этим вы тоже не очень-то справляетесь. — И она направила многозначительный взгляд на Ширли.

Девушка старалась держать голову опущенной, чтобы не видна была рассеченная губа, однако Долли все разглядела. При виде того, как изменилось выражение ее лица, Линда торжествующе хмыкнула. После долгой паузы, которая показалась девушкам длиной в вечность, Долли подошла к Ширли и приподняла ее голову за подбородок.

— Что случилось с твоей губой, милочка? — мягко спросила она.

Ширли было трудно говорить об этом.

— Ничего. — И она снова уперлась взглядом в землю.

Долли повторила вопрос. Ширли, со слезами на глазах, наконец собралась с духом:

— Тони Фишер поймал меня на улице и отвез в дом моей мамы. Он сказал, что ему нужны тетради вашего Гарри. Мне было очень страшно, и я сказала, что ничего не знаю. Он грозился прижечь мою грудь сигаретой и говорил, что я наверняка должна знать хоть что-то. А я все повторяла, что ничего не знаю. Тогда он разозлился и ударил меня по лицу. О боже, он всю меня облапал, под одеждой и... — Поделившись своим горем, Ширли бросилась в объятия Долли и разрыдалась.

Никто не говорил ни слова. Как обычно, первой нарушила молчание Долли:

— А он... Милая, что еще он сделал?

Ширли подавила всхлип:

— Пришел Грег с двумя приятелями. Если бы не они, Тони изнасиловал бы меня, можете не сомневаться. Он сам так сказал. Но о нас, Долли, я ему не проговорилась. Я не рассказала ему ни о записях Гарри, ни о том, что мы собираемся сделать. Клянусь!

Долли достала носовой платок и стерла со щек Ширли мокрые дорожки.

— Конечно, я не сомневаюсь в тебе, дорогуша, — сказала она. — Об этом не переживай. То, что тебе пришлось перенести, ужасно, я очень тебе сочувствую. Поверь, этот ублюдок еще получит по заслугам. — Долли глянула на Беллу и Линду. — Пусть эта история останется между нами, хорошо? Никакой полиции, никаких последствий. Мы сами справимся.

Затем Долли приподняла один из рюкзаков на заднем сиденье «морриса».

— Слишком тяжелый — высыпьте часть песка. Мы потащим бумажные банкноты, а не золотые слитки.

Разговор был закончен.

Линда поверить не могла, как быстро Долли закрыла тему едва не состоявшегося изнасилования, но сама Ширли выскочила из «морриса» и стала высыпать из рюкзаков песок.

— Этого будет достаточно, милочка, теперь в самый раз, — подсказала ей Долли.

Ширли заулыбалась, и тогда Линда поняла, что сейчас их несчастной подруге именно это и нужно — сосредоточиться на мелких насущных делах. От Беллы это тоже не укрылось, но еще она заметила, что Долли что-то от них скрывает. Свой страх. Свое беспокойство. Тем не менее Белла решила ничего не говорить. Пока ей лучше тоже сосредоточиться на насущных задачах.

— Мы подумали, что «моррис» будет во время репетиции нашим фургоном-прикрытием, — сказала она. — Можно будет отработать, как выскакивать из машины, как быстро залезть обратно. Конечно, он неидеален, но все-таки лучше, чем плед для пикника. А потом я потренируюсь на нем с бензопилой.

— Хорошая мысль, — кивнула Долли. — Бензопила и кувалда в багажнике «мерседеса». Принести все за один раз было невозможно.

— О, не волнуйтесь об инструментах, Куколка, — саркастически усмехнулась Линда. — Мы ведь всего лишь репетируем вооруженное ограбление. Кому нужны пилы и кувалды, раз вы принесли пироги и бутерброды?

— И кому нужен фургон, раз ты принесла плед? — парировала Долли. — Я, по крайней мере, раздобыла и пилу, и кувалду, а ты, Линда, нашла для нас грузовик? Уже несколько раз я просила тебя решить этот вопрос, так, может, ты перестанешь наконец тянуть волынку и сделаешь то, о чем тебя просят? Нам нужно знать его габариты, чтобы укрепить задний бампер стальной трубой.

Внутри Линда кипела, и только прикосновение Беллы к руке заставило ее прикусить язык. Молодая женщина сделала пару глубоких вдохов и лишь после этого ответила:

— Я точно знаю, что хочу найти. И у меня уже есть пара подходящих вариантов, но спешить нет нужды, еще неделю можно подождать. — Слышно было, с каким трудом ей дается эта сдержанность. — Скоро вы получите свой грузовик.

Когда Долли вместе с Беллой отправилась осматривать размеченную дистанцию, Линда проговорила вполголоса:

— Я не собираюсь попадать в тюрьму за угон паршивого грузовика только потому, что у нее какие-то фантазии насчет вооруженного налета.

Ширли потрогала разбитую губу. Ссадина болела от каждого произнесенного слова и кровоточила от каждой улыбки.

— Надеюсь, это не просто фантазии, Линда, — задумчиво произнесла она. — Такая жизнь мне не по душе.

Белла и Долли промаршировали до конца пятидесятиярдового маршрута, делая длинные шаги, чтобы убедиться в правильности его длины.

— Кажется, все верно, — сказала Долли и двинулась обратно, однако Белла осталась стоять на месте. Долли обернулась: — Что-то не так?

— Все стало слишком реальным.

— Что значит «стало»? — поинтересовалась Долли. — Оно всегда таким и было.

— Только для вас, — возразила Белла. — А я не была до конца уверена. Я даже не знала, кто вы такая, Долли Роулинс. Вы могли оказаться эксцентричной старухой, которая горюет по умершему мужу и пытается восполнить утрату, разыгрывая сценки из его жизни. — Белла догнала Долли. — Но вы меня убедили. Я с вами на сто процентов и верю, что мы на самом деле собираемся украсть миллион фунтов. — Белла заглянула в глаза Долли, безмолвно добавляя: «Я знаю, как вам трудно. Я здесь, чтобы помочь».

Выражение лица Долли не изменилось. Она только коротко кивнула в знак того, что поняла Беллу, повернулась и пошла к остальным.

— Не такая уж я и старуха, — обронила она через плечо.

Когда они снова вернулись к Линде и Ширли, Долли перешла к делу:

— Итак, начали. Линда, ты поведешь фургон, который будет ехать за машиной инкассаторов. Мы с Ширли будем сидеть на его заднем сиденье. Сегодня вместо фургона у нас «моррис», так что просто изобразим все действия, чтобы понять, сколько времени у нас уйдет и на что.

Линда фыркнула и посмотрела на ржавый остов автомобиля:

— Хм, я как-то не собиралась гонять по берегу на этой развалюхе.

— Белла, ты поведешь грузовик, который перегородит инкассаторам дорогу. Тот самый, что должна достать Линда, когда наконец перестанет бездельничать...

— Хватит, мы уже это обсудили, — перебила ее Линда. — Сколько можно зудеть?

— Вы двое... — Долли обращалась теперь к Белле и Линде, — сходите наверх и принесите пилу и кувалду. Посмотрим, сумеем ли мы управиться с ними.

Потом, когда снаряжение было подготовлено и все четыре женщины снова вернулись на пляж, Долли собрала их для дальнейших указаний. Ширли трясла ногами, разминая мышцы; Линда, напротив, вальяжно уселась на капот «морриса». Сначала Долли обратилась к Линде:

— Прежде всего потренируемся быстро выходить из машины и заводить бензопилу, а потом попробуем резать ей борта этого «морриса»...

Долли не успела закончить, как ее перебила Линда:

— С пилой управится Белла. Это ее работа. Вы только что сказали, что я буду водителем.

Долли топнула резиновым сапогом по мокрому песку и тряхнула головой:

— Я передумала. Белла поведет первый автомобиль, а я поведу второй.

— Но это же тупость какая-то, — настаивала Линда. — Из нас четверых только Белла умеет обращаться с бензопилой. Я и поднять-то ее не смогу... И вообще, мне казалось, что раньше вы собирались быть в грузовике, который будет блокировать инкассаторов, разве нет?

Долли вздохнула, сжимая и разжимая пальцы.

— Я передумала, — с нажимом повторила она. — Как только машина инкассаторов врежется в наш грузовик, Белла выйдет из него и направит на охранников обрез, а мы в это время загрузим в рюкзаки деньги. Белла же будет прикрывать нас. И это не обсуждается, понятно?

— Меня устраивает, — коротко ответила Белла. Ей не терпелось перейти к делу.

Дождь тем временем закончился. Долли сняла плащ и осталась в розовом спортивном костюме. Линда и Ширли опустили голову, пряча смешки: в этом наряде Долли была похожа на пару безвкусных велюровых занавесок. Линда представила, как Долли скачет на занятии по аэробике, пыхтит и потеет, как толстая розовая свинья. Невозмутимая Долли вынула из кармана плаща секундомер и вручила его Белле, а потом аккуратно свернула плащ и положила на край пледа.

Следуя примеру Долли, Ширли и Линда надели на спину рюкзак. Линда подступилась к бензопиле, но очевидно было, что она едва справляется с таким весом.

— Пустая трата времени, — пробурчала она. — Ну понятно же, что пилу должна тащить Белла!

Ширли затянула на плечах лямки рюкзака, чтобы он не болтался на бегу.

— Давай просто делать то, что говорит Долли. Начнем тренировку. Пока еще ничего не решено.

Белла подмигнула Линде и устроилась на пледе наблюдать за тем, как три вдовы репетируют первые этапы операции.

Долли села на водительское кресло «морриса», а Ширли и недовольная Линда — на заднее сиденье. Линда держала на коленях бензопилу и жаловалась на то, что ей тяжело.

— От начала и до конца у нас будет ровно четыре минуты, — объяснила Долли. — Давайте посмотрим, за сколько времени мы успеем выйти из машины и завести пилу. Готова, Белла?

Белла вскинула вверх большие пальцы рук:

— Три, два, один... марш!

Долли соскочила с места водителя, забежала за «моррис» и направила корягу-обрез на пустой пляж. Ширли тоже выкарабкалась из машины и встала у края пледа, прицелившись своей корягой в воображаемых охранников. А Линда... Линда все еще барахталась внутри «морриса» и колотила в каркас дверцы пилой. Совсем как собака, которая пытается пройти в дверь с длинной палкой в зубах.

— Эту штуковину не вытащить отсюда! Она слишком большая! — в отчаянии закричала Линда.

— Ты же смогла ее туда засунуть, значит должна и вытащить! — крикнула в ответ Долли.

В конце концов Линда перекинула бензопилу на соседнее место, вывалилась наружу сама и выволокла за собой инструмент. Схватившись за пусковой шнур, она слишком сильно его дернула, выпустила из руки не ту часть пилы и уронила ее себе на ногу.

— К черту все! — взвыла она. — Я в этом больше не участвую!

Прыгая на одной ноге, она сбросила со спины рюкзак и плюхнулась на плед. И тут, словно ограбление происходило по-настоящему, Долли бегом кинулась к Линде, подобрала пилу, завела ее и вгрызлась лезвием в одну из дверей «морриса».

Ширли восхищенно вытаращила глаза — вот это целеустремленность! Линда же надеялась, что старая корова уронит пилу и отрежет себе ногу. Тем временем Белла терпеливо сидела на пледе и следила за секундомером. От визга бензопилы закладывало уши. «Охранники от страха поседеют, едва услышат этот звук, — думала Белла. — А уж когда увидят четырех человек в масках, их можно будет брать голыми руками».

У Долли ушло пятнадцать минут на то, чтобы прорезать дверцу насквозь. И виновата в этом была не затупившаяся бензопила, просто Долли недоставало силы как следует вдавливать ее в металл. Линда так и сидела на краю пледа, рядом с наволочками, полными песка. При виде капель пота, потекших со лба Долли, ее стали одолевать угрызения совести.

Наконец Долли вырезала из дверцы прямоугольный сегмент и сразу побежала к пледу, где подхватила одну из наволочек с песком. Линда невольно вскочила на ноги, и Долли уложила набитую песком наволочку ей в рюкзак.

— Готовься нажать отбой, Белла, — тяжело дыша, скомандовала Долли.

Белла поднялась, а Линда стала нагружать наволочками с песком рюкзаки Долли и Ширли. Не отрываясь от работы, она спросила:

— Зачем мы вообще засекаем время? У нас все равно ничего не выходит. Пока мы копаемся, полицейские приедут на место, сходят промочить горло, не спеша вернутся и арестуют нас всех прежде, чем мы хотя бы понюхаем бабки.

— Бегом! — рявкнула Долли и первой побежала по размеченной дистанции.

Линда и Ширли моментально ее обогнали и стали соревноваться между собой, пока Белла с секундомером без малейших усилий трусила сбоку.

В конце маршрута девушки дождались, пока до них доберется Долли. Кашляя и хрипя, она пересекла финишную черту и упала на колени.

— Заново, — выдавила она.

Казалось, Долли вот-вот станет дурно.

— Нет, — заявила Белла, беря бразды правления в свои руки. — Сначала выпьем по чашке чая. Второй заход через двадцать минут.

Долли с трудом встала на ноги.

— Второй заход сейчас же! — сипло крикнула она.

Белла не дрогнула. Долли, согнутая весом рюкзака, казалась еще меньше рядом с высокой и стройной негритянкой.

— Теперь мы знаем порядок действий и знаем, что задача нам по силам, — спокойно сказала Белла. — Но на ее выполнение у нас ушло на двадцать минут больше, чем следует. Если мы сразу пойдем на повтор, то ничего не изменится. Поэтому давайте передохнем, выпьем чая, а через двадцать минут пойдем на второй заход.

Какое-то время все молча шли по берегу вдоль аккуратно разложенных веток по направлению к «моррису», пледу и корзинке с едой для пикника.

— Я все хочу спросить, Ширли... — заговорила Линда, прерывая напряженное молчание. — Где ты купила этот миленький комбез?

ГЛАВА 18

Терри Миллер провел в заброшенном карьере два часа, подготавливая машины. Джимми Нанн, бывший гонщик, был его старым дружком. Для Джимми настали тяжелые времена. Его, как ни парадоксально, лишили прав за опасное вождение, он был женат, сидел на пособии и отчаянно нуждался в приработке. Вот Терри и подумал, что Джимми идеально подошел бы на роль четвертого грабителя. Разумеется, у Миллера и в мыслях не было принимать такое решение без Гарри Роулинса.

Три месяца назад Терри водил приятеля в паб, чтобы показать его боссу, хотя сам Джимми ни о чем не догадывался. Гарри никогда не спешил, приглядываясь к новым людям; он долго оценивал их и далеко не сразу раскрывал перед ними все карты. В тот день на карьере Гарри собирался посмотреть, каков Джимми в деле. Если Роулинсу понравится увиденное, он расскажет бывшему гонщику о налете и возьмет в команду водителем. Тридцатишестилетний Джимми был привлекателен, высок ростом и широк в плечах. Поскольку за ним не числилось преступлений более серьезных, чем нарушение правил дорожного движения, отпечатки пальцев у Нанна никогда не брали. В прошлом он уже участвовал в двух налетах в качестве водителя и потому имел хорошие рекомендации, но репутацию смельчака Джимми заработал в основном благодаря рискованным заездам в гонках.

В прошлую их встречу в карьере Нанн испытывал двигатель хлебного грузовика. Эту машину по просьбе Джо Пирелли «одолжил» на время Лен Галливер из пекарни «Саншайн», где тот работал. Это был хороший прямоугольный грузовик с двойными дверями сзади. Джо прикрепил под задний бампер тяжелую металлическую пластину, способную выдержать удар при столкновении с инкассаторской машиной, и установил перекрестные страховочные ремни для защиты водителя. Джимми вжал педаль газа в пол и сделал по карьеру круг. Судя по звуку, мотор работал не очень хорошо, но Нанн знал, что с этим делать. Едва вернувшись на место старта к Гарри и Терри, бывший гонщик выскочил из грузовика, открыл капот и нырнул внутрь настраивать двигатель. Такая преданность делу не осталась Роулинсом незамеченной.

Пока Терри занимался машинами, Джо Пирелли был в лесу неподалеку. Он тестировал обрезы, стреляя навскидку по вяхирям и фазанам. Будучи профессионалом и фанатичным педантом во всем, что касается его стволов, Джо регулярно чистил и смазывал их. В последние три года друзья много работали вместе, и Терри уважал твердость духа и стальные нервы Джо. Хотя у Пирелли был крутой нрав, Миллер и остальные парни из их команды всегда знали: бить тревогу стоит только в том случае, если в глазах Джо заплясали странные огоньки. При всем взаимном уважении близкими друзьями они не были и никогда не встречались, помимо работы. Это было одно из правил их босса. А если ты работаешь на Гарри, то все делаешь так, как он велит, не задавая вопросов. Так уж повелось и так было лучше для всех.

Джо вернулся в карьер. В одной руке он нес свои стволы в длинном черном футляре, обитом изнутри красным бархатом. В другой сжимал убитого фазана. Терри проследил, как товарищ подошел к своей «лянче» и уложил футляр и птицу в багажник. Темноволосый смуглый Джо был высок — шесть футов и три дюйма — и очень заботился о своей физической форме. Стройный, с точеными чертами лица и необычными светло-карими глазами, Джо считался грозным противником, и Терри был рад, что играл с ним на одной стороне поля.

Миллер подал Пирелли знак, и они сверили часы перед тем, как опробовать машину, заменяющую им в этот день инкассаторский фургон. Гарри Роулинс любил, чтобы к его появлению все было готово, и Джо с Терри тщательно проверили каждую деталь: мешки для денег нагружены, положение каждого автомобиля тщательно вымерено в соответствии с реальными условиями ограбления. После репетиции налета им надо будет вымыть машины и перегнать их в гараж.

Мотор хлебного грузовика теперь гудел ровно и мощно. Джимми слез с водительского сиденья и помахал Джо и Терри. Рядом с ними Нанну было не по себе, особенно пугал его Пирелли. Джимми пока еще не знал всех подробностей предстоящего налета и понимал, что находится на испытательном сроке, но Гарри Роулинсом бывший гонщик не мог не восхищаться. Джимми очень хотел попасть в его команду.

Серебристый «мерседес» Гарри Роулинса ехал так тихо, что казалось, будто он парит над грунтовкой. Никто не слышал, как машина подъехала, но едва Терри и Джо заметили «мерседес» босса и увидели, как из него выходит сам Гарри, то буквально вытянулись по стойке смирно, словно войска перед командующим. В бежевом кашемировом пальто, перекинутом через плечо, в превосходно сшитом темно-синем костюме, с черным портфелем и в темных очках, Гарри Роулинс больше походил на банкира, чем на человека, приехавшего на репетицию вооруженного налета. Он подошел к Джо и Терри.

— Хлебный грузовик у него заурчал, как котенок. Теперь с этим проблем не будет, — сказал Терри.

Гарри взглянул на «БМВ», на котором они должны будут скрыться с места преступления, и кивнул Джимми.

Для бывшего гонщика это был шанс изменить судьбу. Он побежал к «БМВ», прыгнул за руль, завел машину и, сорвавшись с места так, что задымились покрышки, с невероятной скоростью понесся вокруг карьера. При каждом завывании двигателя Джимми бросало в пот. Пролетая мимо трех зрителей, Нанн рванул ручной тормоз, развернулся на сто восемьдесят градусов и умчался в обратном направлении. В зеркало заднего вида Джимми заметил, как Терри поднял большой палец.

Гарри вернулся к своему автомобилю и положил пальто на заднее сиденье, потом стал методично снимать один предмет одежды за другим и складывать их стопкой рядом с пальто. Любой другой человек выглядел бы смешно, если бы стоял полуголым посреди заброшенного карьера, но Гарри переодевался в спортивный костюм так аккуратно, что не смешил, а завораживал.

— Попробуем взрывчатку, — сказал он и наклонился, чтобы завязать шнурки на кедах.

Терри отнес к машине, изображающей инкассаторский фургон, небольшое количество взрывчатки, прилепил ее к дверце и поджег короткий шнур. Миллер отошел за машину, и тут же раздался БУМ! За считаные секунды в дверце машины появилось ровное круглое отверстие размером с кулак. Терри, ухмыляясь, пошел обратно.

— Когда я подпалю нормальное количество взрывчатки, — сказал он Гарри, — то у нас будет дыра такого размера, что пролезет даже моя бабуля, а она старушенция габаритная.

Гарри раздал команде инструкции, негромко, но точно и подробно оговаривая каждый момент. Когда он закончил, парни надели рюкзаки, Джо взял обрезы, а Гарри вручил Джимми секундомер, чтобы засечь время.

— Все ограбление должно занять не больше четырех минут от начала и до конца, — сказал он.

Все три автомобиля стояли на местах. Впереди — хлебный грузовик, машина инкассаторов — посередине, а замыкал ряд авто фургон, на котором приехал Терри. Расстояния между тремя транспортными средствами были такими, как будто машина инкассаторов уже попала в ловушку в туннеле под Стрэндом. Джимми стоял возле хлебного грузовика, чтобы видеть, как Гарри подает сигнал включить секундомер; Гарри сидел в водительском кресле фургона, с ним на заднем сиденье заняли свои места Джо и Терри.

— Он не похож на человека, который нам нужен, — сказал Джо, указывая на Джимми.

— Похож, Джо. Обещаю, он то, что надо, — сказал Терри.

— Когда человек нервничает, палец на пусковом крючке начинает дрожать. Пиф-паф! — и вот мы уже мыкаем пожизненное за убийство.

— Для того мы и собрались здесь сегодня, — перебил их Гарри. — Он стоит там и считает секунды до моей команды. Доведет ли он себя до истерики, пока ждет, или останется холодным как лед? Вскоре мы это узнаем. — Гарри поднял руку, и Джимми, принимая сигнал, взмахнул секундомером.

Когда рука Роулинса опустилась, Нанн нажал на кнопку, и мужчины превратились в молнии. Джо выскочил из автомобиля и встал, направив обрез на воображаемую машину инкассаторов. Терри прилепил взрывчатку на дверцы, а Гарри взобрался на капот и прицелился туда, где сидел бы водитель инкассаторской машины и пассажир.

— Выходите! — крикнул он так громко, что эхо разлетелось по всему карьеру.

Предполагалось, что двое охранников выйдут и лягут лицом на землю перед Джо.

БУМ! В борту псевдоинкассаторского фургона обра-
зовалась дыра размером с взрослого человека, в которую
и полез сначала Гарри, а за ним Терри. Роулинс быстро
нагрузил рюкзак Миллера точно взвешенными мешками,
а затем скомандовал:

— Пошли!

Терри и Джо поменялись местами: пока наполнялся
рюкзак Джо, Терри держал под прицелом несуществующие
автомобили и воображаемых охранников. И наконец Джо
набил рюкзак Гарри, и все трое побежали к машине, зара-
нее припаркованной в пятидесяти ярдах от места пре-
ступления.

Вся операция прошла слаженно и быстро. Джимми,
провожая взглядом бегущих мужчин, горел нетерпением.
Поскорее бы узнать подробности предстоящего дела.

Долли по глоточку пила чай из крышки своего тер-
моса и слушала, как Линда и Ширли пререкаются из-за
последнего сэндвича с курицей. Ширли считала, что два
куска пирога со свининой, съеденные Линдой, означали,
что сэндвич должен достаться ей. Но Линда стояла на
том, что невозможно приравнять к сэндвичу обычный
пирог. Пока они ссорились, Белла схватила спорный
сэндвич и съела его.

— Заткнитесь уже! — сказала она подругам.

Долли, не съевшая ни крошки, встала на ноги. Одну
корягу-обрез она вручила Ширли, вторую оставила себе.

— Давайте сейчас только пробежим дистанцию. Посмотрим, сколько на это уйдет времени.

Белла подскочила и убежала на дальний конец заме-
рять время. Когда Линда попыталась подняться, то оказалось, что она едва может ступить на ту ногу, на которую
ранее упала бензопила.

— Кажется, я не смогу бежать, Долли, — захныкала она.

— Если в назначенный день с тобой что-то случится, ты скажешь то же самое? — спросила Долли. — Или в любом случае побежишь?

Линда умолкла, и все трое встали с рюкзаками за спиной, готовые стартовать по сигналу.

Белла смотрела на них с расстояния в пятьдесят ярдов и думала, что более разномастную троицу трудно будет найти: Долли в ярко-розовом спортивном костюме, Ширли в элегантном комбинезоне, словно сошедшая с подиума, и похожая на бомжа Линда. Белла только покачала головой.

— Приготовиться! — крикнула она.

Долли махнула рукой в знак того, что они готовы.

— Раз, два, три... марш! — скомандовала Белла.

Сколько раз они ни стартовали, последней всегда прибегала Долли. Ей не хватало сил и выносливости молодых; она начинала пыхтеть и задыхаться уже после двадцати ярдов. Добравшись до финиша, Долли останавливалась, хваталась за бок, восстанавливала дыхание и спрашивала, за какое время они преодолели дистанцию. Было очевидно, что в нужное время ей не уложиться. Но Долли не сдавалась: вновь и вновь она разворачивалась и шагала к старому «моррису». После четырех забегов Линда почувствовала, что больше не может молчать.

— Это глупо, Долли. Я могу пробежать быстро, Ширли может пробежать быстро. Так зачем нам втроем бегать туда-сюда, если только вы не справляетесь? Может, отдохнете и потом попробуете пробежать еще раз одна?

Долли пошла вдоль кромки воды — руки на бедрах, голова опущена. Она выжимала из себя последние силы, однако признавать поражение не собиралась. Дойдя до «морриса», Долли подняла руку, показывая Белле, что готова к новому старту.

Та скрестила пальцы.

— Давайте, Долли. У вас получится, — прошептала Белла.

И Долли побежала опять.

Казалось, что на этот раз ей удастся совершить невозможное и пройти дистанцию в заданное время, но было больно смотреть на то, как вздулись у нее на шее вены, как отчаянно машет она руками. За несколько ярдов до финиша ее организм не выдержал. Сначала стали подкашиваться ноги. Долли упрямо заставляла себя двигаться вперед и в последнем рывке потянулась к линии финиша, но с размаху упала и осталась лежать на песке, шумно и хрипло дыша. С трудом встав на четвереньки, она просипела:

— Белла, сними с меня рюкзак!

Белла быстро выполнила просьбу. Линда самодовольно ухмылялась. Бросив на нее осуждающий взгляд, Ширли опустилась рядом с Долли на колени.

— Бесполезно, — прошептала она. — Вы не сможете пробежать дистанцию за нужное время.

Мало-помалу дыхание Долли пришло в норму. Она сделала последний глубокий вдох и встала на ноги, подобрала с песка свой рюкзак и отдала его Белле, а та вернула Долли секундомер. Затем Белла скинула байкерский наряд, под которым обнаружились обтягивающие шорты для бега. Забросив один рюкзак за спину и подхватив рюкзак Ширли левой рукой, она зашагала по берегу.

— Просто стойте и смотрите, — восхищенно посоветовала Линда. — В школе она была чемпионкой по бегу.

Ширли чуть не влепила подруге пощечину: иногда Линда была по-настоящему жестокой. Долли молча смотрела, как легко двигается Белла, несмотря на двойной груз.

Около «морриса» Белла вынула из рюкзаков наволочки с песком: надо будет заново нагружать их при очередном прогоне ограбления. Потом она взяла бензопилу и проверила мотор, заведя его несколько раз. Убедившись в том, что Линда ничего не повредила, Белла — с рюкзаком на спине и с пилой в руках — села в ржавый «моррис».

В ту секунду, когда Белла выпрыгнула из машины, Долли нажала на кнопку секундомера.

Все молча наблюдали за тем, как Белла одним рывком шнура заводит пилу и прорезает в автомобильной дверце отверстие — такого размера, чтобы в него можно было просунуть винтовку. Потом она добежала до пледа и принялась накладывать наволочки с мешками сначала в рюкзак Линды, потом в рюкзак Ширли. Белла двигалась быстро и точно, как автомат. Когда она припустила вдоль пляжа, Линда не смогла больше сдерживать свой восторг и запрыгала на месте, размахивая руками.

— Вперед! Вперед, девочка моя! — завопила она.

Взгляд Долли метался между бегуньей и стрелкой секундомера. Белла покрывала расстояние до них длинными легкими шагами, словно рюкзак за спиной был пуст.

Никто не спросил у Долли, сколько времени понадобилось Белле на весь прогон. И так было ясно, что она справилась быстрее всех. Пока Ширли и Линда обнимали Беллу, Долли в одиночестве пошла к «моррису».

— Теперь давайте пройдемся еще раз по всей операции от начала и до конца, — бросила Долли на ходу и свистнула, подзывая Вулфа, который трепал дохлую чайку.

Еще час длилась их тренировка, пока наконец вдовы не решили, что пора закругляться. В то время как Долли складывала посуду и остатки еды обратно в корзинку, Белла с Линдой отнесли бензопилу и рюкзаки наверх, в багажник «мерседеса». Ширли высыпала из наволочек песок, краем глаза наблюдая за Долли. У той губы были плотно сжаты, и казалось, что она все еще злится на свою неспособность бегать наравне с остальными. Ширли улыбнулась ей широкой утешительной улыбкой, от которой рана на губе вновь открылась. Однако Долли не обратила внимания на эти подбадривания. Настоящая железная леди. Ширли вспомнила собственную слабость при столкновении с Тони Фишером. «Я вела себя как жалкая трусиха, — сердито подумала она. — Но больше такого не повторится».

Последний прогон ограбления прошел без единой помарки и с хорошим запасом времени. Решение Долли поменять роли так, чтобы она вела первый автомобиль и перегородила им дорогу инкассаторам, Белла работала бензопилой, а Линда сидела за рулем третьей машины, оказалось абсолютно правильным. Такое перераспределение обязанностей позволило использовать сильные стороны каждого участника. День заканчивался на подъеме, хотя все вымотались, запачкались и проголодались. Впервые их план казался чем-то реальным. Убирая с пляжа разложенные ветки, Ширли подобрала один из их воображаемых обрезов и улыбнулась. Оглянувшись на Долли — та смотрела в другую сторону, — девушка вскинула «оружие» и прицелилась еще разок перед тем, как отбросить корягу в дюны.

Долли ничуть не трогал тот факт, что ей пришлось менять свое решение о распределении ролей, но вот падение на глазах у девушек очень огорчало. В ней они хотят видеть опытного, уверенного в себе лидера, и ни в коем случае нельзя, чтобы они считали ее слабой хоть в чем-то.

Когда Линда и Белла спустились с лестницы, Ширли и Долли как раз готовились подниматься. Они встретились взглядами, и Долли заметила, что Линда посылает подругам не слишком скрытные многозначительные сигналы. Вдовы не сомневались, что смогут осуществить задуманное; сомнения вызывала лишь одна деталь — Долли.

Женщина взяла в руки кувалду.

— Кажется, свою роль я так ни разу и не репетировала, — энергично сказала она.

Заняв позицию в паре футов от «морриса», широко расставив ноги и крепко сжимая рукоятку кувалды, Долли сделала широкий замах. На шее у нее вздулись вены, и она издала продолжительный крик — странный гортанный рев, идущий из самого нутра. Пальцы разжались, и кувалда полетела в лобовое стекло. Оно разлетелось на тысячу осколков, которые блестящим дождем посыпались на задние сиденья. На мгновение машина стала похожа на огромный искрящийся ком снега.

Кувалда приземлилась на пол «морриса», и девушки дружно ахнули.

— Ничего себе! — от лица всех троих произнесла Линда. — Это как впервые услышать ругательство из уст матери.

Долли задорно ухмыльнулась:

— Я знаю, в чем моя сила, и знаю, в чем сильны вы. — И тут же посерьезнела. — У нас получится, девочки. У нас все, черт возьми, получится! — А от следующих ее слов все чуть не прослезились, даже Линда. — Я вас не подведу.

Вот теперь Долли не видела в их глазах ни тени сомнения, только уважение. Вдовы знали, что она их лидер, а Долли знала, что они последуют за ней.

К третьему забегу стало ясно, что Гарри не справляется. Ему попросту не хватало скорости, и сколько бы раз он ни пробовал, быстрее не становился.

Никто не произнес ни слова, пока Гарри продумывал варианты. Он был так зол, что подрагивали мышцы на лице. Злость эта была направлена на него самого, все это понимали и уважительно отошли, давая боссу время и свободу. В конце концов Гарри вручил свой рюкзак Джимми.

— Покажи-ка мне, как ты бегаешь, парень, — сказал Роулинс.

С красным и потным после бега лицом Гарри смотрел, как Джимми преодолевает необходимое расстояние за удивительно короткое время. Будь Роулинс моложе, такая пробежка не составила бы ни малейшего труда, однако ему хватало ума трезво оценивать сильные стороны всех участников команды — и с некоторого времени бег к его собственным сильным сторонам не относился.

— Все на старт, — приказал Гарри. — Я замерю, сколько времени уйдет у нас на всю операцию.

У Гарри болело все: и тело, и душа, — когда он смотрел вслед Терри, Джо и Джимми, шагающих к расставленным автомобилям. До сих пор впереди всегда шел он. От необходимости сдать позиции разрывалось сердце.

Джо и Терри влезли в фургон, а Джимми подзадержался. Он постучал пальцем по своим наручным часам.

— В чем дело? — спросил Гарри.

— Так, ерунда. — Джимми боялся показать себя недотепой. — С часами что-то случилось. Наверное, сорвал завод.

Гарри снял с руки свой золотой «Ролекс» и протянул Джимми.

— Держи, — сказал он. — Теперь они твои. После этого дела я куплю себе новую модель. — И уселся на водительское сиденье хлебного грузовика.

А Джимми сел за руль фургона, который поедет за инкассаторским автомобилем. Украдкой он то и дело любовался золотым «Ролексом». Как блестят алмазы на циферблате! Красивее часов он в жизни не видел. И Джимми сам себе поклялся, что никогда не снимет с руки подарок Гарри.

ГЛАВА 19

Все выходные Фуллер провел в Скотленд-Ярде, показывая квартирной хозяйке Боксера сотни фотографий. Фран обещала, что постарается помочь, но Фуллеру казалось, что она просто водит его за нос, чтобы выудить из него побольше бесплатной еды и напитков. Время от времени толстуха показывала на портрет и говорила: «Кажется, этот, но я не уверена... Выпью еще чашку чая с печеньем и подумаю». После чего Фуллер прогонял избранного субъекта через компьютер, и выяснялось, что он либо отбывает срок, либо вообще умер. Но сержанту приходилось угождать Фран, потому что она была их единственным свидетелем. Каждый раз, когда квартирная хозяйка называла какого-нибудь мошенника по имени, у Фуллера просыпалась надежда, однако в большинстве случаев это были ее бывшие любовники, а один раз — ее муж. «Черт возьми, — кисло думал Фуллер, — для дамы таких размеров и с таким запахом у нее было много мужчин!» Что касается человека, который напал на нее, Фран в конце концов призналась, что не помнит, как он выглядит.

Эндрюс полдня провел у криминалистов. Он просил проверить угнанный автомобиль, который бросили недалеко от Шафтсбери-авеню. На подвеске обнаружились следы крови той же группы, что и у Боксера. Передний и задний бампер имели повреждения, одна фара разбита, причем в том переулке, где нашли Боксера, обнаружились осколки от похожей фары. Экспертам не потребовалось много времени, чтобы установить: волокна ткани, собранные с разбитой фары, совпадают с материалом костюма, в который был одет Боксер. Кроме того, подтвердилось, что осколки, оставшиеся на месте преступления, являются фрагментами фары найденного автомобиля. Однако полученный результат никуда не привел: на машине не обнаружилось никаких отпечатков пальцев, а следы кожаных перчаток заставляли предположить, что убийца Боксера имел судимость и не желал быть вновь пойманным. Итак, еще один тупик.

Фуллер печатал на машинке, составляя подробный отчет, и с силой бил по клавишам, воображая, что это голова Резника. Накануне ограбили крупный ювелирный магазин в центре города, весь участок гудел, и Фуллера наверняка бросили бы на это громкое дело, если бы он не увяз в проклятом следствии Резника. И поэтому, вместо того чтобы искать настоящих преступников — тех, которые были еще живы, — сержант угождал толстухе Фран, ничего не получая взамен. Его уже тошнило не только от придирок и окриков Резника, но и от коллег в целом. Они знали, как Фуллер ненавидит Резника, и без устали острили над «неразлучной парочкой», упрекая сержанта в том, что он стал полнеть и насквозь пропах табаком, медленно превращаясь в своего шефа. Раздосадованный и недовольный всем и вся, Фуллер закончил отчет и выдернул лист из каретки так резко, что разорвал его. Он поднял взгляд на потолок, заставил себя успокоиться и начал набирать текст заново.

Пришел Эндрюс, тоже сердитый. Ему сильно досталось от начальства за то, что он занял криминалистов обследованием угнанного автомобиля, возникшего в деле Боксера Дэвиса, отодвинув на потом экспертизу по ограблению ювелирного магазина. Эндрюсу пришлось стоять там, жалко мямлить и потеть, хотя выволочка эта причиталась не ему, а Резнику. Теперь констебль ходил взад и вперед по кабинету, глядя, как от души колотит по клавишам Фуллер.

— Эй, Фуллер, как там твой приятель Резник поживает? — В дверь просунул голову сержант Хоукс и широко ухмыльнулся.

— Исчезни, — отозвался Фуллер.

— С удовольствием, — сказал Хоукс. — Меня перевели, и Ричмонда тоже, теперь мы занимаемся ювелирным магазином. Нам больше не придется подыхать от скуки, следя за бабой Роулинса.

— Как это — вас перевели, а меня нет? — возмутился Фуллер.

— Должно быть, старший инспектор держит неудачников в одной команде, чтобы не заразили весь участок, — поддразнил его Хоукс.

Фуллер побагровел. Он чуть было не пошел к начальству просить, чтобы его тоже подключили к следствию по ограблению ювелирного магазина, но потом решил: раз сами не перевели, значит не считают нужным. Черт, неужели тупость и упрямство Резника уже начали подтачивать его, Фуллера, репутацию?! Он уставился на Хоукса:

— Резник знает об этом?

— Понятия не имею. Я его не видел и вообще тут ни при чем. Это решение старшего инспектора, — жизнерадостно сообщил Хоукс и захлопнул дверь, оставив Фуллера и Эндрюса осознавать всю несправедливость ситуации.

Через пять минут к ребятам заглянула Элис. Ее переводили в отдел оперативного учета, и секретарша не скрывала радости: при работе с архивными данными нервотрепки будет гораздо меньше.

— Сегодня вы переезжаете в новый офис, — напомнила она Фуллеру с Эндрюсом. — Отделочники хорошо там потрудились: все чистое, блестящее. И вам дают новое оборудование с мебелью.

Фуллер уже собрал и перенес почти все свои вещи. Эндрюс потихоньку улизнул в столовую, пока его не командировали переносить тяжести.

— Инспектор Резник еще не пришел? — спросил Фуллер у Элис, осторожно вытаскивая из печатной машинки лист с отчетом и собирая со стола последние документы.

— Нет, и я в ярости: он ничего не подготовил для переезда! Я даже коробки ему принесла, так он ни одной папки туда не положил!

Хотя Элис была секретарем при руководстве всего участка, Резник вел себя так, будто она работает лично на него.

— Элис, — проникновенно взглянул на нее Фуллер, — а чего вы ждали?

Секретарша нахмурилась. Ее возмущало неуважительное отношение к Резнику, но при этом она отлично понимала, на что намекает Фуллер. Резник был отъявленным лентяем во всем, что касалось офисного быта; он знал: если оставить что-то несделанным на достаточно долгое время, Элис сделает это за него. Однажды она слышала, как он смеялся с кем-то из коллег: «Зачем лаять, когда есть собака?» Его слова глубоко обидели Элис, хотя она знала, что на самом деле он не имел в виду ничего плохого. Резник ленился, потому что ей нравилось заботиться о нем, а не наоборот. И Элис продолжала защищать своего подопечного.

— Ну, он очень занят, детектив-сержант Фуллер. У него нет времени на такие мелочи.

Фуллер вежливо улыбнулся Элис, взял в руки последнюю коробку со своими вещами и направился к выходу.

— Ему повезло с вами, Элис. И мне жаль, что я не могу сказать обратного.

— Вы знаете, когда можно его ждать? — крикнула секретарша ему вслед.

— Не знаю и знать не хочу! — отозвался Фуллер и скрылся за поворотом.

Элис пошла по пустому коридору и остановилась перед дверью кабинета Резника. Стекло в двери треснуло и было залеплено скотчем. Она подергала ручку. Как обычно, заперто. Тишину коридора нарушил стук входной двери в вестибюле и тяжелые шаги — это явился Резник. Проходя мимо нового офиса, инспектор криком вызвал к себе Фуллера и Эндрюса и собирался позвать Элис, но заметил, что она уже ждет его возле кабинета.

— С добрым утром, милочка, — бросил Резник, отпер дверь и зашелся в приступе кашля.

В кабинете инспектора царил обычный бардак; он и не собирался паковать свои вещи. Бросив потертый портфель на стол, Резник снял телефонную трубку.

— Линия отключена, сэр, — терпеливо известила его Элис. — Сегодня здесь начнут отделку, вам пора уже перебраться в новый офис.

Резник швырнул трубку на место:

— Почему ты мне не сказала?

На самом деле секретарша предупреждала его раз пять, но не стала возражать.

Инспектор вручил ей ключи от кабинета.

— Не спускай с моих вещей глаз! — настоятельно воззвал он к Элис; только ей он мог доверить свое имущество.

— Разумеется, — столь же серьезно ответила Элис.

После чего инспектор исчез.

Элис осталась стоять посреди чудовищного беспорядка, в который была погружена профессиональная жизнь Резника. Будь это кабинет кого-то другого, она бы поручила переезд девушкам-машинисткам. Но только не кабинет Резника. Он дал ей ключи от своего убежища, и она, как обещала, не спустит глаз ни с одной бумажки. Элис тяжело вздохнула. «Почему я снова и снова позволяю вам так поступать со мной?» — думала она. Резник врывался в ее жизнь каждый день, словно торнадо — мощно и мимолетно, и каждый вечер Элис подбирала то, что после него оставалось. Он никогда не слушал, что она говорит, если только это не был ответ на его вопрос, и ей уже не припомнить, сколько раз, уходя вечером домой, Резник кричал ей: «Передай от меня привет отцу! Налей ему теплого виски с медом — это лекарство от любой хвори!» А ведь она уже тысячу раз ему говорила, что ее отец умер.

Но Элис точно знала, почему она так ухаживает за Резником, почему готова сделать для него все, что он ни попросит. Потому что она любила его вот уже пятнадцать лет.

ГЛАВА 20

Линда сидела в своей будке в игровом зале и кусала ногти. От громыхания музыки у нее ломило виски. Она прокручивала в голове встречу в гараже после репетиции на пляже. И ей вовсе не нравилось то, как эта встреча закончилась.

После успешных тренировок они все находились в приподнятом настроении, да только это настроение было быстро испорчено. Все началось с того, что Белла спросила у Долли, где она спрячет деньги после ограбления.

— Я вам не скажу, — заявила Долли как нечто само собой разумеющееся. — О чем вы не знаете, о том не сможете рассказать. Так безопаснее. Больше вам ни о чем не нужно беспокоиться.

— Разве вы нам не доверяете? — тут же оскорбилась Линда.

— Если тебе что-то не нравится, Линда, дверь вон там.

В сердитом молчании три молодые вдовы выслушивали очередные указания Долли. После налета девушки должны будут по отдельности добраться до Хитроу и улететь в Рио. Точные даты их рейсов определятся после того, как Долли встретится с осведомителем из инкассаторской фирмы, а пока они все получили точные инструкции, как добираться до аэропорта и как вести себя в пути. Наконец Долли раздала им конверты с деньгами для оплаты гостиничных счетов.

Ширли вся сияла. Ей было и весело, и страшно.

— А вы куда-то заедете перед тем, как отправиться в Рио?

— Никуда, — коротко ответила Долли. — Мне нужно будет дождаться правильного момента, чтобы спрятать деньги, а потом пристроить Вулфа. Если мы все исчезнем одновременно, люди станут задавать вопросы. С собой я привезу достаточно денег, чтобы мы спокойно пожили в Рио. По крайней мере пару месяцев. Чем дольше нас не будет, тем безопаснее.

Линда открыла рот, чтобы задать Долли тот вопрос, который волновал их всех, но ее опередила Белла. Она не хотела, чтобы разговор превратился в ругань.

— Основная сумма денег... Только вам будет известно ее местонахождение? — вежливо поинтересовалась она.

Долли понимала, что девушки хотят быть уверенными в ней самой и в том, что она делает и почему.

— Мы действуем согласно инструкциям Гарри. Никто из его команды не знал, где спрятаны деньги, а он никогда не утаивал ни фунта сверх своей доли. Остальные трое доверяли ему во всем, даже в вопросах жизни и... — Долли опустила глаза в пол, избегая встречаться взглядом с Линдой и Ширли и сожалея о выборе слов. — Они доверяли ему во всем, — исправилась она, — и тем не менее могли не устоять перед соблазном начать тратить деньги сразу после ограбления. Гарри понимал это. А крупные траты привлекают внимание окружающих... особенно полиции. — Долли помолчала. — Послушайте: я не собираюсь надуть вас и скрыться с деньгами.

— А что, если с вами что-то случится? Что, если вас поймают или вы попадете под автобус? — Белла все еще беспокоилась.

Тут встряла Линда, которая сгорала от желания знать все до последней мелочи:

— В таком случае мы застрянем в Рио без единого пенни в кармане. Мы должны знать все.

Долли не столько рассердилась, сколько обиделась: они по-прежнему не доверяли ей. И она обвела трех девушек взглядом.

— Сейчас, — проговорила она сквозь стиснутые зубы, — я почти готова все отменить, развернуться и уйти отсюда. Вам останется только вернуть все деньги, которые я вам давала. У вас сейчас наличных больше, чем вы когда-либо держали в руках, и вы смеете еще сомневаться во мне! А если вам кажется, что вы сможете совершить ограбление без меня, то пожалуйста. Дальше можете действовать сами. Посмотрим, как далеко вы продвинетесь! Мне надоело все время оправдываться и отвечать на вопросы. Сделайте выбор сейчас, каждая из вас. Вы хотите поставить на этом точку? Или хотите совершить налет без меня? Говорите! Говорите здесь и сейчас!

Хотя Ширли не сказала ничего, что могло вызвать гнев Долли, она виновато потупилась: про себя девушка подчас честила их босса на чем свет стоит. Линду мало тронула отповедь Долли, но она понимала, что без тетрадей Гарри и контакта в инкассаторской фирме нечего и думать о том, чтобы провернуть дело.

Итог подвела здравомыслящая Белла:

— Нам нет нужды знать, где будут спрятаны деньги. Мы доверяем вам, Долли. Мы вынуждены вам доверять.

Долли пожала плечами. Слова Беллы можно было трактовать двояко, но сейчас сойдут и они. Подобрав Вулфа, Долли быстро вышла, пока не сказала ничего такого, о чем будет потом сожалеть.

Как только дверь за ней закрылась, Белла обратилась к Линде и Ширли:

— Мой муж, в отличие от ваших, не погиб при ограблении под командованием ее драгоценного Гарри, но знайте... если она попытается одурачить нас, я убью ее. Сейчас решается моя судьба, потому что я верю ее обещаниям. Никогда раньше я не ставила на кон так много. И любой, кто станет мешать мне, пожалеет об этом. Очень сильно пожалеет.

Ширли была в шоке. Она знала, что Белла не бросает слов на ветер. Линда обкусывала до мяса последний целый ноготь. Подобно Белле, она никак не могла проникнуться доверием к Долли. Им придется улететь на другой конец света, а все деньги останутся здесь — у Долли под боком. И вдовы даже не узнают точной суммы!

Теперь, спустя несколько часов размышлений над тем, что произошло в гараже, Линда окончательно разозлилась. Она подлила еще водки в кофе и залпом выпила. Ей не нравится, что Долли командует ею. Ей не нравится, что с ней обращаются, как с ребенком. И ей не нравится, что она больше не хозяйка собственной жизни. И чем сильнее Линда возмущалась нынешним положением дел, тем привлекательнее становилась идея осуществить налет без Долли, втроем. И кто сказал, что это невозможно?

Ширли посмотрела на себя в высокое зеркало и улыбнулась. Она была довольна. Новая маска для лица оказалась очень удачной, и теперь ее кожа словно светилась. Затем Ширли занялась ногтями. После тренировки на пляже на них было страшно смотреть. Едва девушке удалось расслабиться, в дверь позвонили. Ширли чуть не выпрыгнула из шелковой ночной сорочки.

Сердце в груди застучало, словно молот. Что, если на пороге стоит Тони Фишер? А она совсем одна! Ему ничего не стоит выломать дверь, и тогда этот монстр легко изувечит или изнасилует ее, а может, даже убьет! Ширли взглянула на часы: пятнадцать минут второго. Глухая ночь. Вне себя от ужаса, девушка сидела не шевелясь.

За дверью Линда не убирала палец с кнопки звонка. С улицы было видно, что в спальне Ширли горит свет. Линда хихикнула: вот будет смешно, если она застукает мисс Паиньку верхом на любовнике!

Звонок не унимался. «Значит, это не Тони», — убеждала себя Ширли. Он бы уже выбил дверь или, по крайней мере, заорал, чтобы ему поскорее открыли. На цыпочках она прокралась в прихожую и дрожащим голосом спросила:

— Кто там?

У Линды и в мыслях не было, что подруга напугана столь поздним визитом.

— Это я, глупая! Открывай.

Линда нетерпеливо пританцовывала, пока Ширли отпирала многочисленные замки на двери. Должно быть, у подруги не квартира, а Форт-Нокс какой-то: засовы, цепочки, два или даже три замка... Линда сбилась со счета. Когда дверь наконец распахнулась, молодая женщина прочла на лице Ширли несказанное облегчение.

— Черт бы тебя побрал, Линда, ты до смерти меня перепугала! Что тебе нужно?

— Ничего, просто захотела поболтать с тобой о Долли. — Линда покачнулась от огромного количества спиртного, выпитого ею в этот вечер.

Оставив Ширли заново запирать все ее замки, она прошествовала в гостиную — и замерла от неожиданности. Квартира Ширли словно сошла со страниц журнала об интерьере и дизайне: повсюду мягкие пастельные оттенки, толстые ковры, стильная мебель и очаровательный трельяж. Линду охватила зависть. На отделку и мебель небось ушло целое состояние. Терри, должно быть, получал неплохие деньги, работая с ее Джо и Гарри Роулинсом. Но ведь доли у Джо и Терри, по идее, были равными, так почему ее муж так мало вкладывал в нее и в их дом? Линде он ни в чем не отказывал, конечно, но на родню свою тратил гораздо больше: подыскивал им жилье, покупал билеты из Италии, оплачивал аренду, давал деньги на жизнь. А еще, напомнила сама себе Линда, Джо швырялся деньгами в клубах, много играл, угощал выпивкой всех и вся. Ну и блондиночки его тоже немало стоили... Глядя, как Ширли в дорогой ночнушке выставляет нужный режим центрального отопления, Линда злилась все сильнее. Ширли ни в чем перед ней не провинилась, но Линде сейчас было не до здравых рассуждений.

— Не нальешь мне чего-нибудь выпить? — спросила она.

По плывущему взгляду и сварливому настрою подруги Ширли догадалась, что та уже навеселе. «Наверное, водку пила», — подумала девушка. Поскольку водка у нее в доме не водилась, она налила бренди в один из своих лучших бокалов.

Линда отметила про себя дорогой хрусталь, но ничего не сказала, а стала вращать бокал и рассматривать бренди с видом эксперта в дорогом алкоголе. Она сидела на полу, на пушистом белом ковре, прислонившись к изящному дивану. Отпив бренди, Линда взяла быка за рога:

— Ну и как тебе кажется, Долли честна с нами или нет?

Ширли стояла у камина. Ей хотелось спать, а подозрительность Линды начала раздражать.

— Конечно. Я считаю, что она с нами честна, — строго ответила она.

— Мы тут с Беллой поговорили... — начала Линда.

— И выпили, — вставила Ширли.

— Заткнись на минутку, а? Слух, который Долли пустила, насчет ее муженька... И еще эта тема с четвертым человеком, о котором ничего не известно. Вот мы и подумали, а что, если правда и то и другое? Может, Гарри Роулинс в самом деле жив и при этом он и есть тот четвертый человек, который скрылся, оставив наших мужей погибать в огне?

— Что за чушь ты несешь! — воскликнула Ширли.

Это была самая большая нелепость из всех, что она слышала от Линды до сего дня.

— Вдруг от нас просто хотят избавиться — сплавить в этот Рио, и там мы не будем знать ни где деньги, ни где Долли? Что, если этот четвертый человек все еще в городе, прячется где-то поблизости? И что, если он проявится в какой-то момент и заберет нашу добычу себе? Что, если это Гарри, а Долли с ним заодно? Она ведь любит его до смерти, Ширл. Ради него она пойдет на все.

Ширли от негодования раскраснелась. Чтобы не вспылить и не нагрубить, она сжимала кулаки. Никогда она не подумала бы, что люди могут быть столь неблагодарными. А Линда уже давно вскочила на ноги, встала перед Ширли и тыкала в нее пальцем с обкусанным ногтем. Ширли оттолкнула подругу и выпрямилась, расправив плечи. Ровным и негромким голосом она сказала:

— Ты думаешь, что ее горе было фальшивым? Думаешь, тот день в сауне, когда она открыла нам свой план, был частью какой-то другой, очень крупной игры, к которой мы не имели отношения? Гарри мертв! Он погиб так же, как твой Джо и мой Терри. И даже не надейся, что я поддамся на твои уговоры и заподозрю Долли в том, будто ее горе не такое настоящее, как мое. Может, для тебя уже все позади, но для нас — нет!

— Остынь! С чего это ты так разошлась? Ну хорошо, пусть это не Гарри сбежал, но она-то все равно может водить нас за нос. А иначе, почему Долли отказывается сказать, где собирается спрятать наш улов?

— Она же все объяснила! — В широко раскрытых глазах Ширли плясали огоньки ярости. — Если тебя что-то не устраивает, скажи это ей в лицо. Вы с Беллой можете думать что угодно, но я не поверю, будто Долли ведет двойную игру. Она не хотела вести переднюю машину, но поведет. А это самое опасное в нашем деле, а она все равно согласилась взять эту роль на себя, потому что так лучше для всех нас.

Линда упорно гнула свою линию:

— Мы с Беллой...

— «Мы с Беллой, мы с Беллой!» Ты привела к нам Беллу, и теперь вы двое мутите воду в надежде, что я перейду на вашу сторону. Так вот — не перейду. Долли нас ни разу не обманывала, и я, например, не верю, что она нас подведет, во всяком случае не нарочно.

— Ладно-ладно, успокойся, — наконец отступила Линда.

Но Ширли этого было недостаточно. Она не позволит Линде так легко отделаться.

— Нет, не успокоюсь. Ты приходишь ко мне домой пьяная посреди ночи и пытаешься поднять бунт, хотя Долли ничего плохого нам не сделала, наоборот, она заботится о нас. Ты никогда так хорошо не жила, Линда! И к тебе не приходил Тони Фишер! Этот бандит не грозил прижечь твою грудь сигаретой! Своим приходом ты напугала меня, Линда, ты это понимаешь? Ты меня напугала!

Линда знала, что приходить не следовало. Она потянулась к бутылке бренди, чтобы успокоиться.

— Думаю, тебе уже хватит. Иди домой. — Ширли выхватила бутылку у подруги из-под носа.

Обескураженная, Линда понурилась, засунула руки в карманы джинсов и стояла так, словно провинившаяся школьница. Ширли вздохнула, открутила с бутылки пробку и налила маленькую порцию бренди. Линда отошла с бокалом к буфету и стала смотреть на фотографии, аккуратно расставленные на полках. Сделав глоток, она показала на один из портретов:

— Это твоя мама?

Ширли не была расположена вести светские беседы, но, видя, что Линда таким образом пытается загладить вину, пошла навстречу.

— Да. А это мой брат и отец, — примирительным тоном произнесла она.

По лицу Линды потекли слезы. Она стояла спиной к Ширли, и пока не заговорила, та ни о чем таком и не догадывалась.

— Отец бросил нас, когда мне было три, — начала Линда. — Мама отдала меня в приют, и я больше ее не видела. — Она допила бренди. — А ты везучая, Ширл. — Неожиданно вернувшись в свое обычное состояние, Линда ухмыльнулась. — У тебя парень есть?

— Конечно нет, — ответила Ширли, горячо надеясь, что Линда не станет пошлить и отпускать неприличные шуточки, как с ней обычно бывало под градусом, однако подруга вела себя на удивление сдержанно.

— А у меня есть, — поделилась она. — Я не должна с ним встречаться: Долли против. Но он мне нравится, Ширл, по-настоящему нравится. Он нежный. И у него есть будущее — такое, на которое Джо никогда не мог надеяться. У него собственная автомастерская. И он хочет стать гонщиком, — гордо добавила она.

— О господи! — Ширли вдруг вытаращила глаза, будто увидела привидение. Упав на колени, она распахнула нижнюю дверцу буфета, вытащила фотоальбом и стала лихорадочно листать страницы. — Это он, это наверняка он! — повторяла она. — Вот! — Наконец Ширли нашла то, что искала, и, ухватив Линду за руку, усадила рядом с собой на пол, чтобы показать фото, на котором Терри обнимал за плечи человека в спецодежде автомеханика.

— Вот он, Джимми Нанн! — возбужденно сказала Ширли. — Раньше он был профессиональным гонщиком. Мне кажется, четвертым человеком мог быть он, Линда! Терри привел его в команду. И тогда ясно, почему он не упомянут в тетрадях Гарри, и ясно, почему Долли не смогла узнать, кто он такой... Потому что он был новеньким.

— Откуда ты знаешь?

— Я помню, как Терри рассказывал о нем: как он хорош и как никто не мог обогнать его на трассе. Думаю, это он вел передний автомобиль. Тогда все складывается. Почему про него ничего не было известно? Он только что вступил в команду, вот почему.

Разом протрезвев, Линда вынула фотографию из альбома.

— Пока ничего не говори Долли, — попросила она. — Давай сначала удостоверимся, что все именно так, как ты думаешь. Я хочу найти его, Ширл. Пожалуйста, дай мне время, и потом мы все расскажем Долли.

— Но как ты его отыщешь? — Ширли сильно сомневалась в том, что следует согласиться, но не устояла перед мольбой в глазах Линды, которая продолжала упрашивать:

— Ну пожалуйста, Ширл. Позволь мне самой найти этого Нанна. Я все сделаю правильно, обещаю.

Ширли неохотно кивнула, и Линда пулей вылетела за дверь. Джимми Нанн... Она решительно настроилась найти этого подлеца, оставившего их мужчин умирать. Но еще важнее для Линды была возможность доказать Долли, что у нее есть мозги и она командный игрок.

Старший инспектор Сондерс с бесстрастным выражением лица выслушивал жалобы детектива-сержанта Фуллера. Время от времени Сондерс отрывал взгляд от папки, которую принес ему Фуллер, коротко кивал в знак того, что все еще слушает, и возвращался к чтению.

Фуллер же не умолкал, получив возможность излить наболевшее:

— Не хочу показаться ябедником, сэр, но вам следует знать, как инспектор Резник ведет доверенное ему дело. И мне кажется, сэр, что для расследования ограбления ювелирного магазина требуется больше людей. Я мог бы очень пригодиться там. А вместо этого мне приходится торчать под домом погибшего человека и следить за его женой, пока она ездит то в парикмахерскую, то в монастырский приют, то выгуливает свою собачонку. Со всем уважением, сэр, но это пустая трата ресурсов. И в выходные... Ведь это же повышенный тариф, эти выходы по субботам и воскресеньям дорого обходятся налогоплательщикам, а результата все равно нет, и настроения в команде упаднические.

Под нескончаемый поток брюзжания Сондерс прошел к двери в свой кабинет и распахнул ее. Фуллер замолк на полуслове.

— Вы не должны хорошо относиться к нему, — сказал Сондерс, — а вот работать с ним — обязаны.

Фуллер встал и потянулся через стол за папкой, которую принес показать начальнику.

— Пусть побудет пока у меня, — остановил его Сондерс.

Закрыв за сержантом дверь, старший инспектор глубоко вздохнул. Фуллер — добросовестный, трудолюбивый коп, но совершенно не умеет работать в коллективе. И он очень удивился бы, если бы узнал, сколь высоко оценивает его Резник. «Этот заносчивый выпендрежник считает себя лучше всех, — так сказал инспектор Сондерсу. — И меня просто бесит, когда он воротит нос от тяжелой или нудной работы — якобы она для тупых, а он весь такой гений. Зато Фуллер так одержим порядком, что мимо него ничего не ускользнет. Ему еще нужно научиться прислушиваться к своему шестому чувству, но постепенно оно у него проявится. И возможно, он не сильно ошибается, когда ставит себя выше остальных парней».

«Фуллер ставит себя и свою карьеру выше вообще всего на свете, — мысленно поправил инспектора Сондерс, — чего Резник никогда не делал». Да, Джордж — та еще головная боль, но это потому, что, учуяв след, он его уже не упустит и будет идти по нему с упорством охотничьей собаки. И след этот чаще оказывается верным. Подобно большинству сотрудников участка, Сондерс полагал, что Резник позволял эмоциям взять верх в его погоне за Гарри Роулинсом. Но, с другой стороны, инспектора явно оклеветали, поэтому трудно винить его в излишней горячности. На пенсию Резника отправит не что иное, как нежелание следовать правилам: нужно лишь дать ему веревку, а уж повесится он сам. Папка, которую только что принес Фуллер, и могла стать той самой веревкой.

Немного погодя Сондерс последовал за Фуллером в новые офисы — переговорить с Резником. Однако там, в прекрасной современной пристройке, новый стол Резника стоял нетронутым. Тогда Сондерс вернулся в старый кабинет инспектора, где и обнаружил Элис, пакующую в коробку пачки бумаг.

Секретарша застыла.

— Детектив-инспектор Резник собирал вещи, как приказано, сэр, но потом я отвлекла его, извините, и поэтому он запоздал с переездом. — (Сондерс сразу понял, что это ложь.) — Я сказала, что помогу, раз уж это моя вина, что он не успел собраться.

Сондерс тепло улыбнулся Элис. Он поистине восхищался ее преданностью и считал, что из секретарши получился бы превосходный полицейский. Старший инспектор вынул из коробки одну из папок. Записи в ней были неполными и просроченными на несколько месяцев. Потом Сондерс перелистал настольный календарь Резника. Почти все страницы были пусты, никаких сведений о планах или местонахождении Резника старший инспектор не нашел. Такое неуважение к внутреннему регламенту и должностным обязанностям заставило Сондерса нахмуриться.

— Когда детектив-инспектор Резник появится, — сухо проговорил он, — скажите ему, что я жду его у себя в кабинете. И на этот раз, Элис, никаких оправданий я не приму.

ГЛАВА 21

Линду распирала гордость. Одного телефонного звонка на гоночный трек «Брэндс-Хэтч», капельки флирта и расспросов оказалось достаточно, чтобы узнать адрес Джимми Нанна. А там выяснилось, что бывшего гонщика уже давно никто не видел. Механик, с которым говорила Линда, потерял всякую надежду на возврат пятидесяти фунтов, взятых Нанном в долг. Должно быть, этот Джимми умеет уговаривать, сделала вывод Линда и вспомнила, как ее Джо тоже пускал в ход все свое очарование, выпрашивая у самых разных людей небольшие «займы», чтобы увезти свою женушку на выходные в какое-нибудь шикарное место.

Теперь Линда сидела в греческом кафе на Олд-Комптон-стрит и поглядывала в окно. Когда она звонила в монастырь, мать настоятельница была рядом с Долли, и у той не было никакой возможности потребовать разъяснений, с какой стати Линда просит встречи с глазу на глаз да еще на виду у посторонних. «Ага, небось, Долли сейчас мучается неизвестностью, что вдруг стряслось», — посмеивалась про себя Линда. Она с нетерпением ждала встречи. Наконец-то у нее есть что предложить. Наконец-то будут слушать ее, а не других. Так же было и в тот раз, когда она привела в команду Беллу. Тогда Линда тоже ощутила сладкий вкус власти.

———

Напротив кафе остановился «мерседес», и Линда махнула официанту, чтобы принес еще два кофе. Она жадно наблюдала за тем, как Долли с Вулфом под мышкой выходит из машины, бросает в парковочный автомат монеты и направляет взгляд на маленькое кафе через дорогу. «Да иди же сюда наконец, старая кошелка, вот увидишь, что не зря приехала».

С каменным лицом Долли уселась за столик. Ей был противен тяжелый запах жареной еды, который потом никак не выветривается из одежды. Хозяин кафе, невысокий грек, принес женщинам кофе, пролив немного на блюдца, а потом вытер руки засаленным фартуком. Музыкальный автомат заиграл хит Демиса Руссоса «Forever and Ever», дорожка была поцарапанной, и звук из дешевых динамиков резал уши.

Долли с отвращением смотрела на полоску грязи внутри кофейной чашки и молча ждала, когда Линда заговорит.

— Вы знаете Джимми Нанна? — спросила Линда, уверенно полагая, что положительный ответ маловероятен.

— Никогда о таком не слышала, — ответила Долли.

Тут Линда решила, что затягивать со своими новостями не стоит.

— Думаю, это он был четвертым. Тем самым, который сбежал и бросил наших парней умирать.

Долли молча ждала, пока Линда сама не выложит то, ради чего позвала ее в это гадкое место.

Линда протянула через стол сложенный лист бумаги, внутри которого была спрятана фотография Джимми Нанна из альбома Ширли. Она чувствовала себя секретным агентом, передающим важное сообщение.

— Он бывший гонщик и друг Терри. Вот его адрес. Я подумала, вы захотите сами с ним поговорить, раз вы у нас главная. А потом, я считаю, нам следует устроить общую встречу.

— Когда устроить общую встречу, решаю я, — отрезала Долли. — А то, что мы видимся вот так, в открытую, на публике, может довести нас до беды.

— Вы же у нас ас по уходу от слежки копов, разве нет? — спросила Линда.

Долли пропустила сарказм мимо ушей. Она прочитала адрес Джимми Нанна, взглянула на фотографию и положила и то и другое в карман пальто.

Линда продолжала:

— Я не стучалась в его дверь и не говорила с соседями. Просто припарковалась рядом с домом и понаблюдала немного. Его я не видела. Даю голову на отсечение — Нанн и есть тот четвертый, которого вы ищете. Тот самый негодяй, из-за которого погибли наши мужья.

Она откинулась на спинку стула в ожидании ответа Долли, надеясь, что та похвалит ее словами «хорошо потрудилась» или «отличная работа».

— Официант! — вместо этого позвала Долли. — Принесите печенья.

Когда ее просьбу выполнили, Долли наклонилась и стала кормить ими Вулфа.

«Черт! — подумала Линда. — Неужели эта сорока Ширли уже проболталась Долли о Джимми Нанне?»

Долли отломила еще кусок печенья, скормила его своему песику и только потом посмотрела на Линду:

— Ты не единственная, кому захотелось поиграть в детектива. Почему ты соврала мне?

В мгновение ока Линда из хозяйки положения превратилась в жертву обстоятельств. У нее аж вспотели ладони.

— Я не врала, Долли, — выговорила она. — Мы с Ширли нашли фотографию Нанна в старом альбоме, и...

— Не о Джимми Нанне, — перебила ее Долли. — С ним теперь буду разбираться я. Что насчет твоего дружка? Его, кажется, зовут Карлос?

Вопрос застал Линду врасплох. Она почувствовала, как ее лицо заливает румянец.

— Надеюсь, ты ничего ему не рассказала о нас? Или о том, что мы планируем? — продолжала допрос Долли.

— И вовсе он мне не дружок, Долли. Просто механик, с которым мы ненадолго сошлись после того, как я купила машину, — сказала Линда. — У нас с ним ничего нет.

Долли буравила Линду взглядом, в котором странным образом смешались гнев и разочарование.

— Ты стояла тогда на берегу, смотрела мне прямо в глаза и говорила, что ни с кем не встречаешься.

— Потому что вас это не касается! — огрызнулась Линда и закурила.

Затягиваясь, она горько жалела о том, что позвонила Долли. Но какого черта ее больше волнует Карлос, чем Джимми Нанн?

— Как ты думаешь, почему я задала тогда тот вопрос? — Долли словно читала ее мысли. — Потому, что мне интересна твоя интимная жизнь, или, может, потому, что я стараюсь уберечь тебя от беды? Уберечь всех нас?

Самодовольная улыбка давно исчезла с лица Линды. Она поняла, что сейчас ее поставят на место, и в который уже раз для нее это оказалось полной неожиданностью. Оставалось только молча смотреть на Долли и готовиться к удару.

— Карлос работает на Арни Фишера, — сказала Долли, — перекрашивает краденые машины. А помимо этого, спит со своим боссом. Твой любовник, Линда, педик. Из твоей постели он отправляется прямиком к Арни. Настоящий извращенец.

Линда онемела. В голове звоном отзывалось имя Арни Фишера. Ее тошнило при мысли о том, что он и Карлос занимаются сексом. Во рту у молодой женщины пересохло. Линда не заметила, что пепел от ее сигареты сыплется прямо на стол. Долли скормила Вулфу еще одно печенье, давая собеседнице время осознать услышанное.

Наконец мозг Линды оправился от шока. Она попробовала выдавить из себя ухмылку и сделала очередную затяжку.

— Я вам не верю, — заявила Линда, хотя прекрасно знала, что Долли никогда не врет.

— Мне рассказал об этом Боксер Дэвис, — парировала Долли. — Рассказал перед тем, как его превратили в фарш. Тогда, на пляже, я не стала ничего говорить, потому что нам предстояла репетиция налета и я не хотела ее испортить. Кроме того, у меня была надежда, что ты образумишься и без моего вмешательства... но нет. Ты совершаешь одну глупость за другой. — Долли сделала короткую паузу, и Линда чуть не умерла от стыда в эти несколько секунд. — В какой машине ты сидела, наблюдая за домом Джимми Нанна? — Долли не знала пощады, Линда чуть не плакала. — Случайно, не в своей собственной? В той самой, которую тебе чинил Карлос? В той машине, которую он мог видеть возле твоей квартиры или работы, припаркованной перед этим кафе, куда ты меня позвала, чтобы целый свет увидел нас вместе? Это была та самая машина, Линда?

Молодая женщина хотела провалиться сквозь землю, однако Долли все не останавливалась, несмотря на то что слезы уже градом катились по лицу Линды.

— Ты вела себя как безмозглая потаскушка, но отныне все должно измениться, ты слышишь меня? Главная в нашей команде — я, и на то есть чертовски серьезные причины. А теперь, прежде чем я скажу тебе, что делать дальше, ответь мне на один вопрос. Я тебе его уже задавала, но ответа пока не получила. Ты рассказывала Карлосу о нас и наших планах?

— Клянусь — нет! Ни слова. Жизнью клянусь...

Долли видела, что это правда.

— Ты избавишься от него, Линда, — сказала женщина.

На миг Линде показалось все это сценой из второсортного гангстерского боевика.

— Что? Как?.. — жалобным хриплым голосом переспросила она.

Долли хотелось схватить строптивицу за шиворот и вбить ей в голову хоть капельку здравого смысла.

— Ну, не в асфальт же я прошу его закатать, или что ты там себе навоображала! Он же обслуживает все тачки Фишеров, так? Наверняка у него в гараже полно угнанных машин.

У Линды отвалилась нижняя челюсть.

— Вы хотите, чтобы я сдала его копам?

— Один телефонный звонок. Скажи, чтобы обыскали его мастерскую. Сегодня же. — Долли поднялась, подхватив Вулфа на руки. — И больше не смей мне врать!

Долли повернулась и направилась было к выходу, но замедлила шаг и обернулась. Линда сидела, понурив голову, глядя на сигаретный пепел в чашке остывшего кофе. Вид у нее был совершенно несчастный. Долли ничуть не жалела Линду, но нужно было приободрить ее, чтобы она взялась за ум и рассталась с Карлосом.

— Спасибо за адрес Джимми Нанна, — бросила ей Долли. — Я этим займусь.

Линда осталась одна. С другого конца кафе на нее пялились трое загорелых строителей и хозяин-грек. Ей стало противно. И еще ее добивала собственная тупость. За какие-то пять минут Долли превратила звездный час Линды в час ее величайшего позора. До чего же она ненавидит эту Долли Роулинс! Ужасная женщина, просто отвратительная! И не потому, что у нее нет сердца или жалости к Линде. «Совсем необязательно было использовать слова вроде „педик", — думала несчастная вдова. — Она это сделала нарочно, потому что она унылая, старая, противная ведьма».

Правая рука Линды сама собой нашла золотую цепочку и медальон в виде Стрельца — подарок Карлоса. Он попросил Линду закрыть глаза, потом осторожно надел ей на шею цепочку, поцеловал нежно и поправил медальон. Молодая женщина была в восторге от подарка. Она была в восторге от Карлоса. Они занялись любовью прямо так, стоя, глядя друг на друга в зеркало. Утром Карлос уехал до того, как она проснулась, но оставил записку, обещая вернуться после работы. Однако теперь Линда не могла избавиться от мерзкой картины в ее воображении: Карлос целует Арни и смотрит на него с такой же нежностью и страстью, как на нее.

«Сучка, подлая сучка!» Линда продолжала во всем винить Долли. Боль была невыносимой. Линда безуспешно старалась изгнать из головы образ целующихся Арни и Карлоса, теребя при этом медальон, и наконец тонкая золотая цепочка не выдержала и лопнула. Там, где Стрелец пронзил кожу кончиком стрелы, показалась капелька крови. Линда снова заплакала.

ГЛАВА 22

Долли сверилась с адресом, написанным на бумажке. Ее «мерседес» стоял среди грязных, убогих домов. Она заметила мальчишку, катающегося по тротуару на скейтборде, и, опустив окно, подозвала его:

— Ты знаешь, что за люди живут в доме номер тридцать пять?

Мальчик посмотрел сначала на дом, потом на Долли и замотал головой:

— Не, не знаю, миссис. А что вам нужно?

Долли вышла из машины:

— Хочу навестить старых друзей.

— Тогда вы должны знать о них больше, чем я, — заухмылялся сорванец.

Долли огляделась. «Мерседес» на такой улице стал бы желанной добычей.

— Присмотри за моим автомобилем, и я дам тебе три фунта, — пообещала она мальчишке.

У того загорелись глаза.

— Согласен за пятерку, — тут же ответил он.

Долли улыбнулась: паренек ей понравился. Они пожали друг другу руки, и Долли направилась к жилищу Джимми Нанна.

Дом был разделен на четыре квартиры. Входная дверь оказалась не заперта. Внутри все выглядело еще хуже, чем снаружи: в прихожей разбросаны рекламные листки, по углам стоят пакеты с мусором, валяются разбитые молочные бутылки, бесплатные газеты и обертки из-под фастфуда. Долли пощелкала выключателем — никакого эффекта; пригляделась — в патроне, висящем на голом проводе, не было лампочки. По лестнице пришлось подниматься при свете пламени зажигалки. На втором этаже пахло не так плохо, как на первом. Долли остановилась, поднесла зажигалку поближе к двери и увидела нарисованную цифру «четыре». В ответ на ее стук за дверью заплакал младенец. Долли подождала и постучала еще раз — плач только усилился.

— Кто там?

Долли снова постучала.

Дверь приоткрылась, и в щель выглянула молодая женщина:

— Я не хочу ничего покупать.

— Не против, если я зайду, милочка? Мне надо просто поговорить. — Долли сама открыла дверь и прошла мимо хозяйки в маленькую, скудно обставленную комнату. Там она сразу же закурила. Молодая женщина, открывшая ей, пользовалась удушающе сладкими духами. — Я ищу Джимми Нанна. Он дома?

Хозяйка квартиры промолчала. Она понятия не имела, кто перед ней и как следует вести себя с этой дамой.

— Я вдова Гарри Роулинса, — сказала Долли и выдула сквозь поджатые губы дым. — Ваш муж работал на моего. Ваше имя...

— Труди, — неохотно ответила молодая женщина. — Джимми пропал несколько месяцев назад. Сказал, что у него дела, вышел из дому и больше не возвращался.

Долли фиксировала каждую деталь в комнате: и детское белье на обогревателе, и неопрятную потертую мебель, но в первую очередь ее интересовала сама Труди. Молодая женщина была вульгарно красива: фигуристая, сексапильная, с длинными светлыми волосами, пухлыми губами бантиком и большими, невинными, широко раскрытыми глазами. Долли решила, что легко сможет получить от нее всю информацию. Надо только быть милой и приветливой. И протянула Труди пачку с сигаретами. Та отрицательно мотнула головой:

— Я не курю.

Значит, пепельницу на подлокотнике кресла заполнил окурками кто-то другой.

И хозяйка дома, и непрошеная гостья стояли посреди комнаты. Труди держала на руках младенца, Долли — Вулфа. Опустив собачку на пол, Долли осторожно присела на узкий диванчик и раскурила вторую сигарету. Вулф запрыгнул на кресло, принюхался и стал яростно выцарапывать что-то из щели сбоку от сиденья. В запале он даже опрокинул с подлокотника пепельницу.

— Ко мне! — прикрикнула на песика Долли, и он послушно сел у ног хозяйки, махая хвостом. Долли не стала ни поднимать пепельницу, ни собирать смятые окурки — на состоянии комнаты это не сильно бы отразилось. Вынув фотографию из сумочки, она спросила: — Это Джимми?

Труди посмотрела на фото, где вместе стояли Джимми и Терри, и кивнула:

— Он что, должен вам денег, да?

Долли встала, отряхнула юбку и протянула Труди листок с номером телефона:

— Если ваш муж вдруг появится, передайте, что я хочу поговорить с ним. Меня можно застать вот по этому номеру. Спросить миссис Роулинс, — повторила она.

— Я запомнила, как вас зовут, — сказала Труди.

«Что за наивная глупышка, — думала Долли. — Да еще умудрилась остаться одна с ребенком на руках». Ребенок непрестанно ныл. Запах дешевых духов Труди накатил на Долли с новой силой. Наверное, потому и малыш плачет. Вообще-то, он был славным карапузом, на вид ему было около полугода. Долли прикоснулась к его щечке, отчего Труди испуганно отступила. Когда Долли отвернулась, чтобы вновь раскрыть сумочку и достать пять хрустящих десятифунтовых банкнот, Вулф улучил момент, снова запрыгнул на кресло и принялся выкапывать что-то из-под подушки сиденья.

— Это для ребенка, — не обращая внимания на суету пуделя, сказала Долли и вручила Труди пятьдесят фунтов. — А когда со мной свяжется Джимми, получите гораздо больше.

Труди смотрела на Вулфа, терзающего ее кресло.

— Вулф! — прикрикнула Долли. — Немедленно слезь! — И подхватила песика на руки, но при этом заметила что-то блестящее в углу кресла. — Простите... — Долли нагнулась, делая вид, будто разглаживает ткань обивки, и извлекла из узкой щели золотую зажигалку «Данхилл». Точно такую же она купила много лет назад для...

Голос Труди донесся откуда-то издалека:

— Если это ваша машина стоит там внизу, то вам лучше поторопиться, миссис Роулинс.

Долли быстро сунула зажигалку обратно. Ей отчаянно хотелось перевернуть ее и посмотреть, нет ли на задней крышке гравировки в виде инициалов ГР. Но тут вновь заговорила Труди:

— Ее облепили мальчишки. Похоже, вы остались без бокового зеркала.

Но Долли уже ушла. Она не оглядывалась, боясь того, что может увидеть.

Труди наблюдала из окна, как Долли бежит к машине и хватает за ухо одного из сорванцов, облепивших ее «мерседес».

— Крепкая старушонка, — сказала она кому-то, когда кухонная дверь со скрипом приоткрылась. — Ты не поверишь, дорогой, она сунула мне полтинник на нашего малыша.

ГЛАВА 23

Линда снова сидела в своей будке в игровом зале и теребила медальон. Цепочку пришлось починить, иначе Карлос заметит, если Линда вдруг перестанет носить подарок. В ее мозгу непрерывно звучали слова Долли. Их смысл так до конца и не дошел до Линды. Невозможно было поверить, что Карлос бисексуал, ведь он так нежно обнимает ее, так страстно любит. Взгляд Линды скользнул по залу, и у нее душа ушла в пятки — с широкой улыбкой к ней шагал Карлос. На нем был светло-кремовый костюм, похоже шелковый и очень дорогой. Не в силах встретиться с ним глазами, Линда принялась лихорадочно пересчитывать мелочь для размена.

— Ну как я тебе? — спросил Карлос, остановившись перед ее окошком и источая густой аромат одеколона.

Линда медленно подняла голову. Молодой человек стоял перед ней в картинной позе, все с той же жизнерадостной улыбкой на смуглом свежевыбритом лице. Линда обожала его прекрасные темные глаза, но сейчас не могла заставить себя смотреть в них. Неловко отвернувшись, она спросила:

— Что ты так расфуфырился — идешь куда-то?

— Да, встречаюсь кое с кем — деловой ужин, — уклончиво ответил Карлос. — Открой будку, хочу обнять тебя.

Ватными руками Линда отперла дверь. Карлос обхватил ее за талию, притянул к себе и поцеловал. Она была так скованна, что он сразу это почувствовал.

— Мне нужно работать. — Линда высвободилась из его объятий.

Карлос опять привлек ее к себе и прикоснулся к медальону у нее на шее. Линду передернуло.

— Красиво смотрится. Приятно видеть его на тебе. Давай я вечером заеду, как закончу с делами?

— Я сегодня работаю допоздна.

Карлос наклонился к ней, взял рукой за подбородок и повернул лицом к себе:

— Что-то случилось? Не хочешь меня видеть?

Линда отвернулась и нервно завертела в пальцах медальон:

— Да нет. Просто я так вымотана, что хочу поскорее лечь и заснуть.

Карлос отошел, не сводя с нее взгляда. Линда по-прежнему не поднимала глаз. Тогда он пожал плечами и, помолчав, бросил:

— Как хочешь! — Резко повернувшись, направился к выходу.

— В полночь! — выкрикнула Линда. — Я заканчиваю в полночь. — Она не знала, почему и зачем это сказала.

Карлос обернулся и весело ей подмигнул:

— Тогда до встречи!

Линда, кусая ногти, выждала несколько секунд и потом подозвала Чарли. Когда он приковылял к ее будке, молодая женщина сунула ему ключи:

— Держи. Я сейчас вернусь.

Прежде чем Чарли успел спросить, что за срочность, Линда уже выскочила на улицу.

В толпе пешеходов светлый костюм Карлоса бросался в глаза. Держась на расстоянии, Линда последовала за ним по противоположной стороне улицы. Карлос шагал неторопливо, время от времени останавливаясь, чтобы посмотреть на свое отражение в витрине, пригладить волосы и поправить галстук. В конце концов он повернул на Уордор-стрит и зашел в небольшое французское бистро.

В окнах бистро висели красные занавески высотой до середины окна. Только привстав на цыпочки, Линда смогла увидеть, как официант ведет Карлоса через зал. Какая-то блондинка замахала и улыбнулась ему. «Что ж, — подумала Линда с некоторым облегчением, — если он мне изменяет, то хотя бы с женщиной...»

Но оказалось, что машет блондинка официанту. А Карлоса проводили к диванному уголку в глубине ресторана, и там он, оставаясь на ногах, с кем-то заговорил. Собеседника Линда не могла разглядеть, зато видела руку, которая погладила Карлоса по ягодицам. Потом этот человек наклонился к Карлосу и поцеловал его в щеку. Всего один краткий миг Линда отчетливо видела его лицо. Этого было достаточно. Все правда. О господи, все это правда! Арни Фишер и Карлос — любовники.

Линда помчалась обратно по Уордор-стрит, не помня себя, не замечая никого и ничего, не глядя на дорогу. Машины резко тормозили, чтобы не сбить ее, а одна чуть не врезалась из-за этого в автобусную остановку. Линда добежала до телефонной будки, влетела в нее и стала судорожно вытряхивать из карманов мелочь, пока не вспомнила, что звонки в полицию бесплатные.

В эту ночь у Линды с Карлосом был секс. Она не хотела интимной близости с ним после увиденного, но нужно было притворяться, будто ничего не произошло. Потом, когда ей показалось, что он заснул, Линда выскользнула из кровати и беспокойно заходила по комнате. Наконец она без сил опустилась на табурет перед туалетным столиком.

Карлос только делал вид, что спит. Он едва заметно приподнял верхние веки и любовался прекрасным обнаженным телом Линды, пока она сидела и смотрела на себя в зеркало. В ложбинке между грудями поблескивал золотой Стрелец. Явно поглощенная тяжелыми мыслями, Линда взяла кусочек ваты, выдавила на него немного крема и стерла с лица макияж. «Что-то с ней не так», — подумал Карлос. И в игровом зале она вела себя странно, и секс был совсем не такой страстный, как обычно. Когда Линда ложилась обратно в кровать, Карлос сделал вид, что проснулся. Подложив руку ей под голову, он нежно потрепал ее по волосам, потом перекатился и лег на Линду сверху, и они снова занялись сексом. После того как он кончил, Линда отвернулась к стене.

— Что не так? — прошептал Карлос.

— Ничего, — ответила Линда. — Просто устала.

Карлос еще раз сжал молодую женщину в объятиях и поцеловал в затылок. Он никогда не говорил Линде, что любит ее, но сейчас ему очень захотелось в этом признаться. Карлос приподнялся на локте и шепотом произнес ее имя. Однако Линда притворилась спящей. Тогда он осторожно убрал с ее лица прядь волос и сам тоже заснул.

В темноте Линда открыла глаза и уставилась на занавески. Ей казалось, что сердце в ее груди превратилось в камень. Вдруг эта старая ведьма ошибается? Может, Карлос просто раскручивает Арни Фишера на бабки, обещая секс, и на самом деле они не любовники? Но Линда понимала, что в отчаянии просто хватается за соломинку.

Карлос проснулся и оделся первым. Затем он опустился у кровати на колени и тихонько потряс Линду за плечо:

— Прости. Я опаздываю на работу. Не подбросишь меня?

Линда облегченно перевела дух. Хорошо, что больше ему ничего не надо. Она тоже быстро оделась.

Машину Линда вела молча. Выглядел Карлос неряшливо: костюм помялся, галстук валялся на приборной панели, суточная щетина на скулах и подбородке отнюдь не украшала его лицо. Карлос включил радио и закинул руку на спинку водительского сиденья. Линду все еще мучили угрызения совести.

— Высади меня здесь, — попросил Карлос на подъезде к автомастерской.

У гаража он вышел, но не закрыл дверцу, а перегнулся через пассажирское кресло, чтобы напоследок поцеловать Линду.

— У тебя все нормально? — спросил Карлос, ласково взяв ее за подбородок.

Линда кивнула, и тогда Карлос пошел вдоль гаражей к своей автомастерской, что-то насвистывая себе под нос. Вдруг Линда заметила, что его галстук остался лежать на приборной панели. Она даже не стала глушить мотор, выскочила из машины и побежала вслед за Карлосом. Если полиция арестует его, Линде лучше не иметь при себе ничего, что бы их связывало.

В мастерской юный помощник Карлоса Джонни сидел в наручниках между двумя полицейскими, а трое следователей изучали содержимое шкафов и документы, что успели найти к этому моменту. Заслышав свист Карлоса и его приближающиеся шаги, полицейские напряглись и заняли позицию для захвата. Едва Карлос успел вытащить из кармана ключи...

— Полиция, Карлос! — заорал Джонни.

— За ним, за ним! — крикнул по рации один из оперативников внутри мастерской, обращаясь к коллегам, сидящим в патрульной машине за углом. В одно мгновение Карлос развернулся и помчался к тупику в конце двух рядов гаражей. Патрульная машина обогнула угол и с ревом пронеслась мимо Линды, которая выронила галстук и побежала обратно к своему «капри».

Захлопнув дверцу, она сорвалась с места, не зная, куда ехать, — только бы подальше от гаражей. Но едва Линда собралась свернуть с идущей вдоль гаражей улицы, как услышала громкий удар, вопль и визг тормозов.

Впереди был пешеходный проход из гаражного комплекса на улицу. Линда прижалась к обочине, потому что заметила впереди красный почтовый фургончик, который врезался в фонарный столб. Из кабины выполз водитель. Он держался за голову, а из раны над правым глазом текла кровь.

Все еще в шоке, хватая ртом воздух, Линда медленно тронулась с места. Карлоса нигде не было видно. Объехав патрульный автомобиль, вставший посреди проезжей части, Линда увидела группу полицейских у почтового фургона. Один из них говорил по рации.

Линда знала, что ей следует двигаться в противоположную сторону, но разве она могла уехать, не узнав, удалось ли Карлосу скрыться? Пока Линда кралась на машине мимо фургона, один из копов замахал ей, чтобы она ехала быстрее. И тут Линда увидела Карлоса.

Его зажало между фонарным столбом и почтовым фургоном. Белый костюм был залит кровью. На искаженном от боли лице таращились невидящие глаза, изо рта струилась кровь — на асфальте у столба уже натекла большая темная лужа. Полицейский с рацией качал головой, а другой покрыл верхнюю половину тела Карлоса пустым почтовым мешком. У Линды на глазах прекрасный кремовый костюм Карлоса медленно превращался в алый.

В дверь забарабанили так сильно и так настойчиво, что Белла приготовилась к полицейской облаве. Но когда она подошла к двери, то услышала, что с другой стороны всхлипывает и зовет ее Линда.

Как только Белла открыла дверь, подруга упала ей на грудь:

— Я убила его, Белла! Убила! Ты должна мне помочь. Прошу тебя! Господь всемогущий, помоги мне, я его убила!

Линда задышала судорожно, как будто ее вот-вот вырвет, и Белла потащила подругу к раковине в ванной комнате.

— Хорошо, — сказала она. — Успокойся. Что случилось?

— Он был весь в крови, — билась в истерике Линда. — Ничего не «хорошо»! Это я! Я убила его!

Белла зажала ей рот ладонью.

— Прекрати! — потребовала она. — А то сейчас весь квартал на твои вопли сбежится.

Линда осела на пол и зарыдала.

Тогда Белла повела подругу в спальню, где налила стакан виски, и сама держала его, пока Линда пила. Потом Белла так же влила в нее второй стакан, уложила на кровать и села рядом.

— Расскажи по порядку, как было дело, — снова велела она.

Пока Линда рассказывала, она непрерывно вертела в пальцах медальон:

— Он мертв, Белла. Он мертв.

— Я поняла. Кто мертв?

— Это она велела мне так поступить. Это она сказала, чтобы я позвонила в полицию и сообщила о ворованных машинах в его гараже. — Внезапно Линда сорвала цепочку с шеи и бросила в угол спальни. — Сука! — (Белла молча гладила подругу по спине и ждала продолжения.) — Говорила про него всякие гадости, Белла. Но я же не знала... Клянусь, я ничего не знала! Всю эту ночь мы были вместе... и я смотрела на его красивое лицо, прекрасное тело и не могла поверить, что ее слова — правда. Как это возможно, когда вот он, лежит со мной рядом? И я решила, что она ошиблась... но было слишком поздно. Я уже позвонила в полицию. Уже рассказала им о нем, и ничего изменить нельзя. Они ждали его, когда он утром пришел в свой гараж. Он побежал и... — Линда закрыла лицо руками, но и сквозь слезы она продолжала говорить, ей просто необходимо было все рассказать Белле. — Его сбил фургон, он погиб на месте. Там было столько крови!

— Значит, это был несчастный случай, — сказала Белла.

— Нет, это моя вина! — выкрикнула Линда, вскочив с кровати, хотя едва держалась на ногах, измученная слезами, чувством вины и горем. — Я ненавижу Долли до мозга костей!

Белла никогда еще не слышала в голосе подруги столько яда.

— Знаю-знаю. — Белла подошла к Линде, встала рядом, протянула руки, и подруга припала к ней, как маленький ребенок к матери в поисках утешения.

Положив подбородок Белле на плечо, Линда уставилась в пространство невидящим взглядом:

— Она старая злая ведьма, Белла. Жестокая и беспощадная. Из-за нее я сама себе казалась жалкой и ничтожной, из-за нее я засомневалась в Карлосе. Я ненавижу ее так сильно, что, кажется, готова убить.

ГЛАВА 24

Долли сидела в своем «мерседесе» на парковке ресторана «Литл шеф», что возле трассы на Брайтон. На пассажирском сиденье спал Вулф. Машину она поставила в дальнем углу, но так, чтобы хорошо видеть и въезд, и всю парковку. У Долли кончалось терпение: она провела здесь около получаса, а его все не было. Нервно постукивая пальцами по чемоданчику у себя на коленях, Долли смотрела по сторонам и все сильнее тревожилась: что, если он вообще не приедет?

Чтобы чем-то занять себя, она вынула записную книжку и стала перечитывать ход последнего этапа ограбления и список того, что еще предстояло сделать. Долли не смогла сдержать вздох. Линда так и не нашла подходящий грузовик, который смог бы заблокировать инкассаторскую машину спереди. Долли осознавала, что Линде, должно быть, нелегко смириться с тем, что ее Карлос — двойной агент. Но ведь нужно же понимать, что есть вещи посерьезнее любовных утех, уж на это девчонке должно хватить ума. А Карлос, зависящий от денег и расположения Арни, был серьезной угрозой их плану. Ни в одной из трех девушек Долли никогда не будет уверена на сто процентов, однако сейчас ей придется довериться Линде. Вот только бы строптивица сообразила изменить голос, когда звонила в полицию насчет делишек Карлоса...

Внезапно Долли стукнула по чемоданчику кулаком, разбудив Вулфа на соседнем сиденье.

— Где ты, черт бы тебя побрал?! — крикнула она. — Поторопись же, негодяй! К Гарри ты никогда не опаздывал.

Эта встреча была важна, как никакая другая. Если она не состоится, то не состоится и налет — не больше и не меньше. Долли позвонила Брайану Маршаллу и сказала, что работает на Роулинса. Теперь Гарри мертв, но семья поручила ей собрать от его имени оставшиеся долги. В голосе Маршалла слышалось сомнение, но тем не менее он согласился на встречу, хотя с тем же успехом мог дать деру, и Долли уже не сумела бы его отыскать.

Пока она так сидела и гнала от себя мысль, что придется сообщать остальным вдовам об отмене плана, на стоянку въехал «ровер» и остановился на противоположной от «мерседеса» стороне. Долли осталась на месте: она должна была убедиться, что «ровер» приехал один и не привел за собой хвост. На этой стадии подготовки неосторожность недопустима.

Брайан Маршалл выпил уже полфляжки виски, но дрожь не унималась. В страхе мужчина оглядел стоянку: он не знал, чего ждать, кто была та женщина, с кем он договорился тут встретиться. К счастью для Долли, Маршалл решил, что лучше приехать, чем потом всю жизнь прятаться. Его рука потянулась к карману, где лежала заветная фляжка. Ненавидя себя за слабость, он глотнул еще виски.

Пьянство Маршалла шло рука об руку со страстью к азартным играм, и десять лет назад он перебрался из легальных казино в клуб Арни Фишера, где разрешались более высокие ставки. Там-то Брайан и познакомился с Гарри. Роулинс был обаятелен, всегда дружелюбен и как будто искренне интересовался тем, как у Брайана дела и чем он занимается. В одной из пьяных бесед

Маршалл рассказал, что женат на сестре владельца фирмы «Самсон» — одной из крупнейших охранных фирм в стране. С этого момента и начались его крупные неприятности, хотя Брайан об этом тогда не знал...

Роулинс продолжал выказывать дружеское расположение Маршаллу, давал взаймы, поощрял крупную игру не по средствам. Брайан понятия не имел, какой опасный человек Гарри, пока однажды не позволил тому взять на себя его семитысячный долг Арни Фишеру. После этого Маршалл оказался у Роулинса на крючке.

Гарри терпеливо выжидал. Прошел почти год, прежде чем он потребовал возврата денег, которых, как ему было известно, у Маршалла не было. И тогда Роулинс предложил следующее: он забудет о долге и сверх того даст еще семь тысяч, если Маршалл узнает для него маршруты, которыми инкассаторы «Самсона» возят крупные суммы денег. Эти маршруты постоянно менялись, зачастую — прямо перед выездом машины. Вот и все, что попросил у Маршалла Роулинс, и пообещал, что, получив маршруты, оставит Брайана в покое.

Загнанный в угол, объятый ужасом, Маршалл не мог отказать. Обещанию Роулинса он не верил, но все равно очень надеялся на то, что тот его сдержит. Когда в газетах сообщили о неудачной попытке ограбления, он облегченно перевел дух — и вдруг этот телефонный звонок... Опасаясь, что на встрече с загадочной дамой речь пойдет о чем-то похуже долга Роулинсу, Брайан подготовился. Он просунул руку под сиденье, чтобы проверить, на месте ли заготовленный конверт, как вдруг пассажирская дверь распахнулась. От страха Брайан чуть не выскочил в другую дверь. К нему в машину села женщина в темных очках и с чемоданчиком в руках.

Долли сразу почуяла запах алкоголя. Красное, опухшее от многолетнего пьянства лицо Маршалла вызывало отвращение. Воротник его костюма в тонкую полоску был усыпан перхотью.

— Я здесь не ради семи тысяч, — сказала Долли, глядя перед собой.

Маршалл зажмурился. Если она не хочет денег, значит дела его совсем плохи.

— Я знал, что это случится снова, — заныл он. — Это же фирма моего шурина! Он будет разорен!

Долли продолжала сидеть с непреклонным видом, поскольку Маршалл явно боялся ее и надо было поддерживать в нем этот страх, чтобы добиться своего. На заднем сиденье она заметила детское автокресло. «Мистер Маршалл сделает все, о чем его попросят», — подумала Долли.

— Здесь десять тысяч, — сказала она и раскрыла чемоданчик, лежащий у нее на коленях. При виде пачек денег Маршалл выпучил глаза. Долли захлопнула крышку. — Больше, чем вы получили в прошлый раз.

— В прошлый раз мне обещали, что он будет последним, — жалобно завыл Маршалл. — Роулинс дал мне слово! Он сказал, что отпустит меня, и...

— Роулинс мертв. — Сердце Долли сжалось от боли, когда эти слова слетели с ее губ, однако нельзя было показывать Маршаллу, что у нее есть сердце. — И несмотря на то что погибло три человека, вы свои семь тысяч получили. Также Гарри Роулинс взял на себя ваш карточный долг.

— Вы говорили, что вам не нужны те семь тысяч!

— Если вы свою часть сделки выполните, то не нужны. Если же не выполните...

— Срать я хотел на ваши угрозы! — перебил Маршалл эту бессердечную тварь в образе сидевшей рядом с ним женщины. Он не знал, на кого она работает, но сразу проникся к ней ненавистью. А виски придало ему уверенности. — Я банкрот, поэтому можете требовать с меня столько денег, сколько пожелаете. Мне нечего вам дать. И достать для вас маршруты я тоже не смогу, потому что шурин усилил меры безопасности... Ну и что вы теперь будете делать?

Долли холодно посмотрела на Брайана.

— Если вы не выполните свою часть сделки, — сказала она так, словно Маршалл ее не перебивал, — долг снова перепродадут братьям Фишерам. Вам известно, кто такие братья Фишеры, не так ли, мистер Маршалл?

В один миг алкогольная храбрость растаяла, и кровь отлила от лица Брайана. Лично он не был знаком с Фишерами, но о их репутации был наслышан.

Долли продолжала:

— Достанете для меня маршрут — и ваш семитысячный долг забывается, а после ограбления вы получаете вот эти десять тысяч. Фишеры вряд ли будут столь же любезны, так что вы должны радоваться моему предложению. — Долли открыла дверцу и вышла, забрав с собой чемоданчик и многозначительно задержав взгляд на детском автокресле.

Маршалл вцепился в руль; у него дрожали губы. Долли шагала через парковку размеренно и твердо. Ей было наплевать на него и на его семью. Брайан взялся за ключ зажигания. Вот бы сейчас сбить машиной эту ведьму, забрать деньги и исчезнуть. Мысль не задержалась в его голове — Маршалл был трусом.

Вынув из кармана фляжку, он залпом допил все, что там оставалось. От жалости к себе, жене и детям у него на глазах выступили слезы, голова налилась тяжелой болью. Но потом он услышал тот голос, который говорил с ним каждый раз, когда Маршалл выпивал: да все нормально, шурин застрахован, семья уже смирилась с тем, что Брайан пьяница... Никто и не удивится, если даже потом все выплывет наружу. От него не ждут ничего хорошего. А ему так нужны деньги! Десять тысяч фунтов... Он расплатится со всеми долгами и, может, даже откроет свое собственное дело...

Когда Долли добралась до «мерседеса», сердце у нее билось так часто, что готово было вот-вот выпрыгнуть из груди. Просто чудо, что она сумела пересечь бесконечную парковку таким спокойным шагом. Нельзя было показывать Маршаллу, как она нервничает. «Держи спину ровно, — шептала Долли сама себе. — Расправь плечи». Возле машины она остановилась, положила чемоданчик на крышу и прислонилась спиной к дверце. Оттуда, где сидел Маршалл, это выглядело бы так, будто она никуда не торопится и ждет, когда он примет решение. На самом деле Долли нужна была опора, чтобы не упасть. С пассажирского сиденья на хозяйку смотрел маленький Вулф. Должно быть, он недоумевал: почему хозяйка не садится с ним рядом?

На другом конце парковки Маршалл словно прирос к месту. «Ну давай же, — мысленно подгоняла его Долли. — Давай». Не слишком ли резка она была с ним? Не слишком ли мягка? Что, если Брайан раскусил ее блеф и сейчас просто уедет? Может, надо было не запугивать, а уговаривать этого пьянчугу, пожалеть его, наврать о том, как уважал его Гарри? «Давай же, Маршалл, пожалуйста!»

Двигатель «ровера» ожил. Долли затаила дыхание: ее будущее сейчас зависело от того, в каком направлении поедет Маршалл. Он вывернул с парковочного места и направился к Долли. Облегченно переведя дух, она заставила себя снова собраться. «Ровер» остановился прямо перед ней, и Маршалл протянул через окно конверт, который заготовил заранее:

— Тут маршруты, даты и точное время каждого на месяц вперед, но я хочу, чтобы вы заплатили мне сейчас же и пообещали, что о карточном долге забыто раз и навсегда.

Долли взяла конверт и отдала Маршаллу чемоданчик:

— Обещаю, мистер Маршалл: если информация в конверте достоверна и полиция не узнает о наших планах, то карточный долг будет забыт. Даю вам слово.

Как только Маршалл скрылся из виду, Долли села в свою машину и отдалась радостному восторгу. У нее все получилось! Она подхватила Вулфа и поцеловала его в макушку. Песик встал задними лапами на колени Долли, передние положил ей на грудь и внимательно слушал, что она ему говорит:

— Папочка гордился бы нами, мой милый. И девочки так обрадуются! У нас все складывается, Вулф, все складывается так, как запланировал Гарри. — Но последние слова резанули ей слух. Все шло совсем не по плану Гарри. Все было совсем не так, как он задумал...

Долли крепко обняла Вулфа, вспомнив о том, какая ужасная трагедия помешала Гарри осуществить последнее дело. Теперь у его жены есть силы и стимул закончить то, что он начал.

Очистив голову от печальных мыслей, Долли стала думать о девушках. Они так близки к финишной прямой... Да, Линда все еще не нашла машину для блокировки инкассаторов, да, им еще надо привыкнуть к оружию, к набитым ватой комбинезонам, к бензопиле, да, надо будет выучить точный маршрут — но как далеки они уже от тех слабых, плачущих, скорбящих вдов, которые несколько месяцев назад встретились в сауне. С тех пор они стали командой. Долли улыбнулась. Со всеми их недостатками, перепадами настроений, неопытностью... они — команда. Ее команда. И ничто и никто их теперь не остановит.

ГЛАВА 25

Резник и Эндрюс сидели в машине перед домом толстухи Фран с девяти утра. Сейчас, в четверть одиннадцатого, несмотря на работающий обогреватель, в салоне было все еще холодно. И очень дымно. Эндрюс задыхался от сигаретного дыма, но стоило ему приоткрыть окно для глотка свежего воздуха, как Резник немедленно приказывал его закрыть. Эндрюс терпеть не мог оставаться наедине с инспектором. С Фуллером он имел хоть какую-то поддержку, а так был совершенно беззащитен перед нападками Резника. Участок был погружен в хаос после ограбления ювелирного магазина, провалившейся облавы на мастерскую Карлоса и погони, приведшей к его гибели. Требовалось писать многочисленные отчеты, обрабатывать улики, опрашивать свидетелей — людей не хватало, и кому-то из команды Резника пришлось остаться в офисе, чтобы помочь с бумажной работой. Эндрюс представил себе, как Фуллер сидит в теплом кабинете, попивая чаек. И рядом с ним никто не курит!

— Сэр! — окликнул он Резника, привлекая внимание к тому, что происходило за окном автомобиля.

По тротуару тащила свою огромную тушу квартирная хозяйка Боксера Дэвиса. Через каждые десять ярдов она останавливалась, ставила пакеты с покупками на асфальт и переводила дух, после чего ползла дальше со скоростью улитки. Когда Фран подошла ближе, полицейские расслышали позвякивание бутылок в ее пакетах.

— Вот ты ж!.. — воскликнул Резник, когда Фран наклонилась, чтобы подтянуть сползающие колготки, и при этом безразмерная грудь женщины чуть не вывалилась из лифа блузки. — Закрой глаза, Эндрюс. Невинным детям вроде тебя на такое смотреть нельзя.

Эндрюс, не подумав, ответил:

— Я уже видел женскую грудь, сэр.

— Такая тебе точно не встречалась. — Резник открыл дверцу автомобиля, швырнул окурок в придорожную канаву и направился вслед за толстухой.

Фран свернула на неухоженную, заросшую дорожку. Ворота открывать не пришлось — они всегда были распахнуты, перекосившись на одной ржавой петле. Квартирная хозяйка привалилась к двери и достала из кармана ключ.

— Эй!

От громкого окрика прямо у нее за спиной Фран испуганно дернула головой.

— Фран, хотим задать тебе еще пару вопросов.

В квартире толстухи стояла отвратительная вонь, в которой смешались запахи кошек, пива, пищевых отходов и немытого тела. Гостиная была пыльной и темной; похоже, побитые молью плотные занавески не раздвигались уже много лет. Резник помог Фран снять плащ, а Эндрюс подхватил пакеты с алкоголем и отнес их к двери в столовую.

— Присаживайся, дорогуша. Как самочувствие? — осведомился Резник.

Ему было в высшей степени наплевать на самочувствие Фран, но нужно быть с толстухой помягче, чтобы она согласилась сотрудничать. Инспектор аккуратно сложил ее плащ, перекинул через спинку стула, а сам сел на пуф перед креслом, куда Фран опустила свое массивное тело.

Под правым глазом квартирной хозяйки все еще виднелся синяк, хотя теперь в нем преобладали желтые и фиолетовые тона, а не темно-синие и черные, как несколькими днями ранее. Ссадины были залеплены пластырем, отчего лицо выглядело еще хуже, чем раньше, а одну сторону головы выбрили в больнице, чтобы наложить шов.

Эндрюс глянул на часы. Каждый раз, когда Резник играл роль «хорошего копа», сопровождающий его полицейский засекал время. Тот, при ком Резник протянет в этой роли дольше минуты, получал с остальных по десятке.

— Ну а теперь, дорогуша, пришла пора рассказать нам о том, кто это с тобой сделал, чтобы мы посадили его под замок, — самым ласковым своим тоном произнес инспектор.

Фран улыбнулась и похлопала Резника по руке:

— Вы очень милый.

От ее холодных и потных пальцев-сосисок Резнику было очень щекотно и хотелось отодвинуть руку, но инспектор сдержался.

— Я бы и рада была все вам рассказать, — продолжала она, — да вот беда — ничего не помню. И я не вру. Меня ударили по голове. Правда, я не могу вспомнить кто. А может, не хочу. Знаете, так бывает из-за травмы. Доктор это вам подтвердит. Подсознание блокирует то, что мы не хотим помнить, — вот так он сказал, кажется.

— Ты все позабыла не из-за травмы, а из-за денег, Фран. Откуда у тебя деньги на выпивку?

Эндрюс отвел взгляд от часов. Все, конец. Пятнадцать секунд!

— У меня все-таки бизнес, знаете ли! Я могу себя обеспечить! — сказала Фран.

— Что ты будешь делать, если он вернется, а? Нальешь ему виски?

— Он не вернется! — в страхе взвыла Фран. — Зачем ему возвращаться?

Резник продолжал давить:

— Так ты же явилась к нам в участок, дорогуша. Пришла по собственной воле... А теперь мы пришли тебя навестить. Что, если он следит за тобой? — (С каждым его словом Фран становилось все страшнее.) — Он не производит впечатления чуткого и терпимого человека. Если ему покажется, что ты с нами сотрудничаешь, то он может навестить тебя снова. Но стоит тебе сказать, кто он такой, и мы тут же схватим его и упечем за решетку. А ты, дорогуша, сможешь спокойно сидеть в своей чудной квартирке и наливаться пивом в полной уверенности, что он не постучится в твою дверь в ближайшие пять-десять лет.

К концу его речи Фран испускала душераздирающие всхлипы, выжимая из легких воздух резкими, короткими толчками, отчего ее живот с шумом вздымался и опускался. Эндрюсу стало жаль несчастную толстуху настолько, что он даже вынул свой носовой платок и протянул ей. Фран громко высморкалась. И тут Резник вскочил на ноги так порывисто, что опрокинул пуф.

— Арестуй ее за препятствование работе полиции! — приказал он Эндрюсу. — Давай, дорогуша, поднимайся. Мне надоело слушать твое вранье.

Фран взвыла и протянула руку Эндрюсу. Тот, как всегда не подумав, протянул в ответ свою ладонь, и Фран ухватилась за нее, как утопающий за соломинку.

— О-о-о-о, не арестовывайте меня! Я вам все рассказала. Я больше ничего не помню, честное слово, ничего!

Эндрюс освободился от хватки Фран и попытался вытащить ее из кресла. С тем же успехом он мог бы тянуть слона.

— Пожалуйста, не забирайте меня, — причитала Фран. — Ах, если бы Боксер был здесь... Он бы позаботился обо мне.

— Боксер мертв, — процедил Резник. — Его убил тот же человек, который отколошматил тебя до полусмерти.

Фран завыла еще громче. Эндрюс отступил, спасая барабанные перепонки. Резнику достало порядочности, чтобы сделать перерыв и дать женщине время выплакаться. Когда пауза показалась ему достаточной, инспектор присел перед квартирной хозяйкой на корточки.

— А теперь слушай меня внимательно, Фран, — жестко произнес Резник. — Если тебе заплатили, чтобы ты держала рот на замке, то мы с тобой серьезно поссоримся.

— Мне не...

— Заткнись и слушай, потому что мое терпение на пределе! Я знаю, что тебе было больно, но другим было больнее. — Резник вскочил, схватил один из ее пакетов с бутылками и сунул Фран прямо под нос. — Откуда у тебя деньги на все это? Можешь не врать, будто аренда твоего клоповника приносит хоть какой-то доход. Кто тебе заплатил? Говори, Фран, кто?

Пока Резник размахивал тяжелым пакетом, одна из ручек лопнула, и бутылки посыпались на пол. На ковре растеклась пивная лужа. Фран зашлась в новом приступе воя:

— А-а-а-а, мое пиво! Мое пиво! — Женщина закрыла лицо руками и зарыдала.

От раздражения на то, что у него никак не получается расколоть несчастную толстуху, Резник побагровел:

— Ты скажешь мне, кто напал на тебя! Ты скажешь, кто дал тебе деньги...

— Я не знаю! Не знаю! Уже тысячу раз вам говорила. Пришел какой-то приятный человек и спросил Боксера, я проводила его наверх. Второй пришел позднее... Тот, который избил меня. Я не знаю ни первого, ни второго. Клянусь. А больше ничего не помню.

— Попытайся все-таки вспомнить! — рявкнул Резник.

— Я тогда очень устала. И сказала той женщине...

Резник прервал ее:

— Какой женщине?

— Той, которая звонила. Я ей сказала, что он ушел.

— Минуточку! — Резник вцепился в новую деталь. — Боксеру звонила женщина?

— Да, я же только что вам сказала.

Эндрюс заметил, что Резник опять заговорил ласковым тоном.

— Когда, Фран? — выпытывал он. — Когда она звонила?

— Вообще-то, она звонила два раза. Сначала поговорила с Боксером. — Фран опять опустила голову в ладони. Растерянная, обессиленная, она теряла нить разговора.

— А второй раз? — Резник подождал, не ответит ли Фран, потом опять повторил вопрос: — Послушай, милочка, это очень важно. Что ты делала, когда она позвонила во второй раз?

— Смотрела телик.

— Что показывали?

Фран подняла на Резника осмысленный взгляд:

— «Улицу Коронации».

— Хорошо. Значит, женщина позвонила, когда шла «Улица Коронации». Что она сказала?

— Что связь оборвалась, когда она звонила в первый раз. Но Боксер-то уже ушел с тем приятным человеком, поэтому она просто повесила трубку, когда я ей об этом сказала. О боже, Боксер! — прошептала Фран, как будто рядом никого не было. — Больше я никогда не увижу своего Боксера.

— Помоги мне найти того, кто убил Боксера, Фран, — призвал Резник. — Если у тебя были хоть какие-то чувства к Боксеру, помоги мне!

Фран схватила Резника за локоть.

— Он приходил ко мне в больницу, — шепнула она. — О Боже, спаси меня! Он приходил в больницу и сказал, что убьет меня, если я хоть что-то вам скажу.

«Я сам тебя убью, к чертовой матери, если ты не скажешь мне», — подумал Резник, а вслух сказал:

— Я не дам тебя в обиду, дорогуша.

— Он был такой высокий, с темными волосами. С холодными такими глазами, будто ледяными. И это не бродяга какой-нибудь, а настоящий джентльмен. Холодный, жестокий, безжалостный джентльмен!

Резник на мгновение позабыл, что нужно дышать. Он вытащил из внутреннего кармана куртки фотографию и показал ее Фран:

— Это он?

Фран отодвинула снимок от себя, чтобы сфокусировать на нем взгляд, и тогда Эндрюсу стало видно, что это портрет Гарри Роулинса из кабинета инспектора, с дырой во лбу от дротика. От напряжения Резник весь вспотел, лицо его покраснело.

— Нет, не он, — сказала Фран.

— Посмотри как следует! — заорал Резник, тыча портрет Роулинса в лицо Фран. — Это был он, так ведь?

— Нет.

— Да! Это был он! Гарри Роулинс — тот человек, который избил тебя до беспамятства. Скажи, ну, скажи мне. Я знаю, что это он!

Эндрюс так и не успел набраться смелости, чтобы вмешаться: пробудилась к жизни и затрещала его рация.

— Ты не можешь поговорить за дверью? — набросился на него Резник.

Эндрюс неохотно повиновался.

Ответив на вызов, он вернулся. Резник по-прежнему тряс перед Фран портретом Гарри Роулинса и выкрикивал один и тот же вопрос:

— Это был он? Он?!

Эндрюс прикинул, не вызвать ли Фуллера, чтобы тот успокоил старика, но потом испугался, что станет посмешищем для всего участка из-за того, что не сумел сам справиться с разбушевавшимся пенсионером. Разумеется, никто не усомнится в том, что описание бандита, как его запомнила Фран, подходит к Роулинсу, но с тем же успехом оно подходит и к половине лондонцев. И почему это Резник так уверен в том, что толстуху разукрасил оживший мертвец, недоумевал Эндрюс. Наконец он решился и положил руку Резнику на плечо:

— Сэр, по рации только что пришло важное сообщение...

— Заткнись, Эндрюс! — взревел Резник и стряхнул с себя ладонь констебля. — Фран как раз собиралась признать, что ее изукрасил Гарри Роулинс, да, Фран?

Несчастная женщина посмотрела на Резника. В ее глазах стоял ужас перед возможными последствиями ее признания.

— Нет, это был не Гарри Роулинс. Это был... Тони Фишер.

Пока они молча возвращались в участок, Эндрюс искоса поглядывал на Резника, соображая, не следует ли доложить о его странном поведении старшему инспектору. Резник казался опустошенным и вымотанным. Похоже было, что он наконец сдался. Инспектор даже не закурил, а ведь в машине он всегда дымил сигаретой. Уже у самого участка Эндрюс рискнул заговорить:

— Так я насчет того сообщения, сэр. Оно было от Фуллера. Парень, сбитый почтовым фургоном, — это Карлос Морено. Он был автомехаником братьев Фишеров.

Резник не подал виду, что слышал хоть слово из сказанного Эндрюсом. Он все так же смотрел в окно ничего не видящим взглядом.

ГЛАВА 26

Результатами своей работы за утро Фуллер был весьма доволен — без висящего над ним Резника он успел столько всего сделать. Дополнительную радость доставляла мысль о том, какое утро было у Эндрюса. Наверняка отвратительное.

Фуллер подготовил для Резника подробный отчет об обыске гаража Карлоса с перечнем всех подозрительных находок. Похоже, им наконец-то удалось найти улики против братьев Фишеров. Среди машин в мастерской был коричневый «ягуар» с повреждениями в передней части и с фальшивыми номерами в багажнике. Когда их проверили по полицейской базе, то оказалось, что машина с такими же номерами фигурировала в одном деле в Манчестере: несмотря на преследование полиции, водителю удалось скрыться. Фуллер велел снять с автомобиля отпечатки пальцев и просиял, когда услышал, что и внутри и снаружи машины найдены пальчики обоих братьев Фишеров и Карлоса, но фальшивые номера были чистыми. Вот она, настоящая полицейская работа, это вам не охота за привидениями! Фуллер был счастлив: Фишеры были живы-здоровы и их вот-вот арестуют.

Сержант уже поговорил со старшим инспектором Сондерсом и сообщил о гибели Карлоса, а также об отпечатках пальцев Фишеров на «ягуаре». Фуллер все еще надеялся на перевод в команду, расследующую ограбление ювелирного магазина, и полагал, что теперь его шансы на это выросли. Старший инспектор поздравил сержанта с прекрасной работой, однако затем опять заговорил о чертовом Джордже Резнике.

— Где ваш босс? — спросил Сондерс. — Все еще гоняется за тенями?

— Не могу сказать, сэр, — сказал Фуллер.

— Как только они вернутся, — велел Сондерс, — передайте, что я хочу видеть Резника и Эндрюса по очереди, у меня в кабинете. Проследите за тем, чтобы инспектор не ушел, не встретившись со мной.

В головной офис Фуллер вернулся с самодовольной ухмылкой на лице. На самом деле он знал, где был Резник, и знал, что тот чуть не силой заставлял Фран сказать, будто ее избил Гарри Роулинс. Эндрюс рассказал товарищу всю эту историю по рации. Фуллер надеялся, что констеблю хватит духа использовать эту информацию против инспектора.

И теперь Фуллер наблюдал за тем, как Резник и Эндрюс заходят в офис. «Вот оно, — торжествовал сержант. — Настал тот день, когда этого старого пердуна наконец-то выпрут на пенсию». На лице Фуллера неудержимо расплывалась улыбка, и Резник ее заметил:

— Чему ты, черт возьми, радуешься?!

— Я установил личность механика Фишеров, сэр. Эндрюс вам не передал?

Резник пожал плечами — ему это было не интересно.

— Тоже мне. Я добился от этой толстухи Фран признания о том, что ее измочалил Тони Фишер.

Фуллер от неожиданности потерял дар речи. Эндрюс вскинул брови и замотал головой.

— Она очень напугана, — заговорил констебль, — и никогда не даст показаний в суде. Можно арестовать Тони Фишера, но мы же знаем, что он никогда не признается, а без показаний жертвы зачем вообще все это затевать? Фишера тут же выпустят, и он пойдет и снова поколотит бедную женщину... или даже убьет.

Настала очередь Резника растерянно молчать — он еще никогда не слышал от Эндрюса столь длинной речи. Зато обрел дар речи Фуллер:

— Ну а если мы заберем Тони Фишера по другому обвинению, она почувствует себя в большей безопасности и, может быть, тогда заговорит?

— Полагаю, ты намекаешь на свою полицейскую доблесть, проявленную при перекладывании бумажек? — фыркнул Резник. — Ну ладно, выкладывай, что там с обыском автомастерской Карлоса? Где эти улики, которые избавят Лондон от Тони Фишера?

— На вашем столе, сэр, — с готовностью ответил Фуллер. Если его отчет понравился Сондерсу, то уж Резнику и подавно. Когда инспектор взял в руки папку, Фуллер добавил: — Ах да, Эндрюс, тебя хочет видеть Сондерс.

— Зачем? — тут же спросил Резник.

— Мне откуда знать? — сказал Фуллер.

Эндрюс пожал плечами и отправился в кабинет начальника.

Резник шагнул в свой новый стеклянный офис, развернулся и вышел.

— Я просил, чтобы повесили жалюзи! Не желаю целый день видеть ваши рожи. Где жалюзи? — тут же заревел он. — Найди Элис. Кроме нее, здесь ни от кого толку не добьешься...

Фуллер отправился на поиски секретарши, а Резник сел в свой «аквариум», открыл отчет по обыску автомастерской Карлоса Морено и, ковыряя в носу, начал читать. Через пять минут сержант вернулся, и инспектор постучал по стеклу, улыбнулся и жестом позвал Фуллера к себе.

— Интересный отчет, очень подробный и методичный, — сказал Резник и уселся за стол, положив отчет перед собой.

— Благодарю вас, сэр, — ответил Фуллер. — Как видите, я обнаружил улики, которые помогут нам отправить Фишеров за решетку за перекраску угнанных автомобилей и использование фальшивых номеров. Возможно, у нас получится связать их с нелегальным оборотом алкоголя в Манчестере. И тогда у вас появляется шанс убедить эту Фран дать показания против Тони. Она не будет бояться заявить на мерзавца, если тот уже будет в тюрьме.

Резник посмотрел на Фуллера и покачал головой:

— Да ты облажался по полной! На «ягуаре» стояли настоящие номера, когда ты его обнаружил, и он зарегистрирован на клуб Фишеров, так что их отпечатки на машине ничего не дают.

Фуллер смутился:

— Э-э-э... Но в багажнике лежали фальшивые номера... и все точно увязывается с тем коричневым «ягуаром» в манчестерском деле...

— И что с того? У Фишеров дорогой адвокат, он камня на камне не оставит от твоих теоретических выкладок. Позволив Карлосу Морено сбежать и сдохнуть между фургоном и столбом, ты дал братьям Фишерам идеальное алиби. Если говорить откровенно, Фуллер, то ты тупее, чем я думал. Теперь Фишеры могут свалить все на Карлоса и спокойно уйти.

Фуллер сник, как побитая собака. Резник был прав. «Ягуар» привезли на обслуживание, поэтому Фишеры могли смело утверждать, будто это Карлос ездил на автомобиле в Манчестер и забирал алкоголь у торговца. Карлос-то мертв, никто не сможет оспорить любые заявления Фишеров в этом отношении.

Сгорая от стыда, Фуллер повернулся к двери.

— Подожди, — остановил его Резник и снова раскрыл папку. — В твоем отчете говорится, что информация о гараже Морено была анонимной и что звонила женщина. — Фуллер кивнул. — В квартиру Боксера Дэвиса тоже звонила какая-то женщина как раз в тот вечер, когда его убили. — Резник щелкнул пальцами. — Поищи-ка вон в той коробке отчеты о прослушивании телефонных линий.

Фуллер покопался в коробке, аккуратно собранной Элис при переезде, нашел нужную папку и подал инспектору.

Пока Резник перелистывал страницы с перечнем входящих и исходящих звонков с номера Долли Роулинс, Фуллер заметил, как из кабинета Сондерса выходит Эндрюс. Выглядел констебль расстроенным. Фуллер приободрился. Значит, все идет, как задумано. Все недочеты Резника, его непрофессионализм и постоянное нарушение правил, его безумная одержимость делом Гарри Роулинса выходят наружу. Инспектору крышка. Должно быть, Эндрюс только что рассказал Сондерсу о том, что Резник все время носит в кармане портрет Роулинса. Наконец-то Сондерс поймет, что инспектор — просто чокнутый.

Эндрюс постучался в открытую дверь кабинета Резника:

— Вас хочет видеть старший инспектор Сондерс, сэр.

Резник пропустил его слова мимо ушей и продолжил водить пальцем по номерам, на которые совершались звонки, проверяя, нет ли среди них номера Боксера, а заодно поглядывая, не мог ли какой-нибудь из звонков быть анонимным доносом в полицию накануне гибели Морено. В конце третьей страницы перечень обрывался. Больше не было ни номеров, ни дат, ни расшифровок. Резник вскочил со стула, опрокинув его на пол, и захлопнул папку:

— Так, надеюсь, Сондерс объяснит мне, что, черт возьми, происходит! Держит меня в неведении, а сам действует у меня за спиной. Я этого не потерплю! Сначала он снимает наблюдение, а потом отменяет прослушку! Я вообще хоть что-нибудь здесь значу? — И Резник бросился к кабинету начальника.

Лицо Эндрюса было покрыто красными пятнами.

— Что ты сказал Сондерсу? — нетерпеливо спросил Фуллер.

Эндрюс вздохнул и сунул руки в карманы:

— Говорил в основном он.

Начало разочаровывало. Фуллер-то надеялся, что Эндрюс поведает шефу о приступе безумия у Резника во время разговора с Фран.

— Резник в последней аттестации поставил мне плохую оценку, — рассказывал констебль. — И Сондерс сказал, что я не набрал достаточно баллов, поэтому со следующего месяца меня опять переводят в патрульную службу. Не понимаю! Я всегда работал не меньше других, выполнял все приказания и никогда не подводил Резника.

Фуллер давно подозревал, что Эндрюсу светит понижение или даже увольнение, и ему было жаль товарища. Но хотя констебль и неплохой парень, расследование вооруженных ограблений ему явно не по зубам. Обход квартир, мелкие кражи, хулиганство — вот где он будет на своем месте.

— Не переживай. Такая уж у нас работа — то вверх, то вниз, — сказал Фуллер и про себя добавил: «Только я еду вверх, а ты катишься вниз».

И тут в кабинете Сондерса разразился скандал. Крики Резника разносились по коридорам новой пристройки, и все взгляды были направлены на кабинет старшего инспектора, где за стеклянной перегородкой красный от злости Резник колотил по столу Сондерса кулаком. Краем глаза инспектор заметил, что Фуллер, Эндрюс и остальные уставились на него. Тогда он распахнул дверь кабинета и заорал на них:

— Что пялитесь? Больше нечем заняться?

Все в пристройке вдруг страшно засуетились: секретари зашуршали бумагами, машинистки застучали по клавишам, оперативники стали экстренно куда-то звонить. Все, за исключением Фуллера, который добрые пять секунд не отводил глаз под разъяренным взглядом Резника.

— А знаешь что? — проговорил Эндрюс, видя, как злорадствует Фуллер. — Ты хуже, чем он. Он ведет себя как полное дерьмо, но не нарочно — в отличие от тебя.

Вернувшись в кабинет старшего инспектора, Резник двумя руками оперся о письменный стол, нагнулся и гневно воззрился на Сондерса. Тот глянул в свой рабочий блокнот и постучал по бумаге кончиком остро заточенного карандаша.

— Я отменил прослушивание телефонной линии вдовы Роулинса несколько дней назад, когда узнал о том, что оно ведется. Вы ведь не обращались за разрешением ни ко мне, ни к кому-то еще из руководства, а это означает, что прослушивание велось незаконно. Я уже не говорю о том, сколько пришлось заплатить за то, чтобы сотрудник сидел и днем и ночью записывал номера всех входящих и исходящих звонков. Наружное наблюдение я снял примерно по тем же причинам. Я не могу держать перед домом Роулинса целых двух полицейских сутками напролет, пока убийца Боксера разгуливает на свободе.

— Почему вы не сказали мне, что сняли прослушку? — спросил Резник, пытаясь сдерживаться. — Ведь Долли Роулинс может оказаться той самой женщиной, которая звонила Боксеру Дэвису и которая настучала на Карлоса Морено. Это была женщина, сэр. В тот вечер, когда Боксера сбили машиной, ему звонила женщина, причем звонила дважды. Вы должны были мне сообщить.

Сондерс не поверил своим ушам:

— И как я должен был это сделать? Джордж, вы хотя бы догадываетесь, сколько раз мне приходилось искать вас, искать безрезультатно, потому что никто не знал, где вы? Копию своего распоряжения я оставил у вас на столе. Если вы не удосужились его прочитать, вините себя, а не меня.

— Я так близок, сэр.

— Близок к чему? — спросил Сондерс.

Резник глубоко вдохнул: он понимал, что нельзя срываться. Один раз он уже дал волю чувствам; Сондерс не спустит ему еще одной вспышки. Они столько лет знают друг друга...

Сондерс отложил карандаш, подался вперед и вынес старому другу приговор:

— Дело Роулинса закрыто, Джордж. Вы и ваши подчиненные будете помогать в расследовании ограбления ювелирного магазина. Там есть несколько сильных версий, а людей не хватает.

— О нет, пожалуйста, дайте мне хотя бы еще две недели. За это время я что-нибудь найду, — взмолился Резник и поспешил выложить Сондерсу все, что имел: — Мы знаем, что был четвертый человек, и я почти нашел его. А когда поиски завершатся, я раскрою разом четыре дела. Он связан со всеми четырьмя ограблениями, я уверен. Ведь Роулинс связан с ними, а значит, и четвертый человек тоже.

— И кто же это, по-твоему? — поинтересовался Сондерс.

— Я так близок к разгадке. Дайте мне еще чуть-чуть времени. Четвертый человек и та женщина, которая всем звонила... они — ключ к разгадке этой тайны.

— Я думал, что ключ — это Фран. На прошлой неделе ключом был Боксер Дэвис. Еще неделей ранее это был Лен Галливер. — Сондерс качнул головой. С него хватит, больше он не уступит. — У меня приказ сверху, Джордж. Дело закрыто.

— Ты кладешь на меня хрен! — выпалил Резник, позабыв о субординации.

Сондерс разломил карандаш пополам и выговорил сквозь стиснутые зубы:

— Да как, черт побери, ты смеешь?! Дело Роулинса тебе дали, потому что я настоял. Кроме меня, все считали, что такое задание тебе не по зубам, но я боролся за тебя, и ты его получил. Получил дело, которым хотел вернуть себе имя и завершить карьеру. Но все, что ты нашел, — это тупики, Джордж. Ни одной серьезной улики, ни одного свидетеля. У меня связаны руки.

От отчаяния, к которому примешивался стыд, Резник опустил голову. Он достаточно хорошо знал систему, чтобы видеть правоту Сондерса, и все равно кипел возмущением.

— Я прекрасно знаю, что с тобой сделал этот подонок Роулинс, — продолжал Сондерс, — но пора бы уже справиться с личными переживаниями. Оставь их в прошлом, Джордж, и двигайся дальше к...

Резник не дал ему закончить:

— С какими такими личными переживаниями?

— Ты отлично меня понял.

Резник наклонился над столом и опять грохнул по нему кулаком со всей силы:

— Роулинс — злостный преступник, и...

— Роулинс мертв! — крикнул Сондерс, чем поверг Резника в шок. — Эндрюс рассказал мне о том, что было на квартире у Фран. Он рассказал мне о портрете Гарри Роулинса. Ты ошибался, раз в конце концов толстуха назвала имя Тони Фишера. Мне очень неприятно это говорить, Джордж, но ты становишься одержимым. Тебе нужно признать простой факт: Роулинс мертв и лежит на кладбище.

Резник открыл было рот, но Сондерс поднял ладонь, не желая больше ничего слушать:

— Если ты не хочешь заниматься ювелирным магазином, то, может, возьмешь небольшой отпуск? Старший суперинтендант подпишет увольнительную.

Резник всматривался в лицо Сондерса:

— Такое впечатление, что тебе это известно наверняка. Ты уже спрашивал его об этом, да? — В запале он не обращал внимания на печальный взгляд Сондерса. — Думаю, мой перевод он тоже одобрил, так, на всякий случай, да?

— Он согласовал твой перевод несколько месяцев назад, Джордж. Я делаю невозможное, чтобы удержать тебя здесь, в нашем участке, при деле, которое тебя интересует и которое ты был мастер распутывать.

— Был? — Это короткое слово пронзило сердце Резника словно нож. — Тогда я полагаю, нет смысла спрашивать, знаком ли старший суперинтендант с моим заявлением о повышении?

Сондерс предпочел обойти последний вопрос Резника молчанием. Он излишне долго распространялся о том, какой хороший офицер Джордж, как высоки его шансы на повышение и как хорошо было бы, если бы с повышением совпал перевод в более спокойный участок, где инспектор сможет без проблем дослужить до пенсии. В конце разговора Сондерс отметил, что по справедливости, конечно же, Резнику следует оставаться там, где он есть.

— Так почему я не останусь? — воскликнул Резник.

— Да из-за этого проклятого дела Роулинса, Джордж! Это твое личное...

— Тут нет ничего личного! Он преступник, вот и все.

— Мертвый преступник, — отрезал Сондерс.

— Мертвый или нет, все равно он замешан в десятках нераскрытых краж, и мне вот столечко осталось до того, чтобы раскрыть их все! И ты, и я, и целый чертов участок знает, что я пашу как лошадь не из-за Гарри Роулинса. Да, ты прав, поначалу я переживал А как было не переживать? Но теперь это позади. Теперь я просто хорошо делаю свою работу. Я хочу найти его тетради, хочу найти четвертого человека и хочу найти ту женщину, которая всем звонила. Потому что только так мы вычистим Лондон! И к вашему сведению, сэр, — подчеркнуто вежливо произнес Резник, — знающие люди, те, кто в курсе всего происходящего, вовсе не считают Роулинса погибшим.

Резник сделал глубокий и сиплый вдох, наполнив легкие кислородом, чтобы успокоиться. Сунув руку в карман, он вытащил свое удостоверение и бросил его на стол Сондерса:

— Можете выбросить мое заявление о повышении. Я увольняюсь из полиции.

Сондерс покачал головой и встал из-за стола. Он не хотел этого, но Резник перешел все границы, а уговаривать его образумиться у старшего инспектора уже не было сил.

— Думаю, увольнение вам лучше обсудить со старшим суперинтендантом.

— Я обсуждаю его с вами! Знающие люди... вы помните их: Боксер, Гнилозубый, я. Фишеры в страхе бегут от кого-то более страшного, чем они сами! Попомните мои слова: вы еще услышите о Гарри Роулинсе. Он где-то рядом, целый и невредимый... Я знаю это. И когда он вернется, разбираться с ним будете вы, а не я!

Теперь Сондерс окончательно уверился в том, что Джордж теряет связь с реальностью.

— Пожалуйста, Джордж, пойдите сейчас домой, передохните. Не надо принимать поспешных решений.

— Мое заявление об увольнении утром же будет у вас на столе. Ведь вы этого хотели с самого начала, да? Что ж, когда вы все увидите, что я прав, будет уже поздно — никому из вас не сносить головы.

И Резник, сердито хлопнув дверью, покинул кабинет начальника.

———

На первом этаже, перед самым выходом, Резнику пришлось остановиться — его настиг приступ кашля. Инспектор едва мог дышать, сердце готово было выскочить из груди. Прислонившись к стене, Резник ждал неминуемого, как ему казалось, сердечного приступа и вдруг увидел идущую по коридору Элис. Она ускорила шаг, заметив, что Резнику плохо.

— Глубокие вдохи, сэр, длинные глубокие вдохи.

Резник и сам знал, что нужно делать в таких ситуациях, и все равно заботливое напоминание Элис действовало на него, как волшебное снадобье. Особенно сейчас. Секретарша помогла инспектору восстановить нормальное дыхание и спросила, не принести ли стакан воды.

— Нет, обойдусь, — сказал Резник. — Но я попрошу тебя об одолжении, Элис, будь лапушкой. Напиши для меня один документ.

— Не могу... — начала Элис, желая напомнить Резнику, что больше она на него не работает.

Однако теперь уже было не важно — одним дисциплинарным проступком больше, одним меньше.

— Нет, — оборвал ее Резник, — мне очень надо, Элис. Пожалуйста. Это рапорт об увольнении.

— О, сэр. — Элис не знала, что сказать.

— Они забрали у меня дело Роулинса, поэтому я ухожу. — Резник опустил голову и выглядел очень несчастным, когда объяснял ей, что именно следует написать в заявлении.

Элис не слушала. Она никогда не слушала, когда инспектор диктовал письма. Обычно она писала то, что он сказал бы, если бы у него было время обдумать текст. И сейчас она поступит так же. Пока Резник говорил, Элис представляла, как скажет ему: «Я уйду вместе с вами, Джордж. Мы оба достойны лучшего». От одной мысли о том, чтобы назвать его по имени, у секретарши перехватило дыхание. Оставалось надеяться, что ей и не придется ничего говорить. Резник всегда был ужасным брюзгой, но это был ее брюзга. Он был ее ворчливым, блестящим, противным, целеустремленным полицейским, и никто не умел с ним справляться, кроме нее.

Закончив, Резник посмотрел на Элис:

— Когда будете скидываться на прощальный подарок, не покупайте будильник, ладно?

Элис попробовала улыбнуться, хотя ей хотелось плакать.

Резник наклонился и прикоснулся губами к ее щеке:

— Спасибо тебе за все, Элис. И за то, что терпела меня.

Элис молча смотрела, как Резник, понурый, в старом плаще, с помятым портфелем в руке, толкает входную дверь. Когда он ушел, Элис расплакалась. Да, она первая готова была признать, что ее чувства к столь малоприятному человеку трудно понять. Но с Резником Элис знала, как себя вести, знала свою роль, знала, что благодаря ей он может быть лучшим копом в участке, поскольку она прикрывает его, выслушивает его жалобы, подбадривает и защищает — в основном от самого себя. И все-таки она не справилась. Он придавал смысл ее существованию, никто другой не сделал для нее большего. Резник понятия не имел, как сильно она его любит, — и теперь никогда об этом не узнает.

ГЛАВА 27

Белла стянула с лица маску и отошла на несколько шагов, чтобы вдохнуть свежего воздуха. По ее лбу и щекам текли капельки пота. Она с гордостью оглядела «форд-эскорт», на котором им предстоит скрыться с места ограбления. Белле не доводилось еще красить из пульверизатора автомобили, зато она опрыскала блестками и искусственным загаром немало стриптизерш в гримерке клуба, а по сути это почти одно и то же.

Когда Долли купила этот фургон две недели назад — на поддельное имя и за наличные деньги, — он был красного цвета, теперь же сиял ослепительной белизной. С двигателем были кое-какие проблемы, но тут засучила рукава Линда и сумела навести под капотом порядок. Она успела многому научиться у Карлоса за несколько недель знакомства, даже поняла, что такое «чувствовать» мотор. Карлос говорил, что можно прочитать сколько угодно инструкций, но они не заменят интуицию. Может, и так, однако Линда все равно много читала, особенно про те модели, которые стояли в гараже Долли. Если хотя бы одна из машин сломается, то им всем грозит тюрьма. Не больше и не меньше.

Белла подошла к Ширли, которая что-то тихонько напевала, пока рисовала наклейки с логотипом муниципального спецтранспорта для их нового фургона.

— Все покрашено, можно клеить, — сказала Белла.

Ширли подняла на нее взгляд:

— Как думаешь, нормально получилось? — Ей было важно мнение Беллы.

Та кивнула:

— Очень профессионально. С твоими наклейками его будет не отличить от настоящего фургона муниципальной службы.

В дальнем углу ангара Линда чистила обрезы. Ее лицо было пепельно-серым, рот сжат в тонкую бескровную линию, и она то и дело поглядывала на входные ворота. Линда ждала Долли.

— Все в порядке, Линда? — спросила Белла.

Она опасалась, что при появлении Долли подруга закатит сцену. Дело шло к вечеру, а Белла наблюдала за Линдой весь день. Она даже пыталась уговорить Линду пойти домой, но та отказалась. И продолжала сидеть в гараже и выжидать — напряженная, как сжатая пружина. Белла нагнулась к Линде и зашептала на ухо:

— Знаю, ты горюешь о Карлосе, но скандал с Долли его не вернет. Подожди, пока мы не провернем наше дельце, а когда получишь свою долю, можешь скандалить с ней, сколько угодно. Или даже отвесить ей пощечину, если от этого тебе полегчает. Ты меня слышишь, Линда?

— Это трудно, Белла, — ответила подруга. — Она как будто вырвала из меня душу... Но я постараюсь удержать свои чувства при себе. Не хочу подводить тебя и Ширли.

Белла похлопала Линду по плечу и пошла привинчивать к фургону поддельные номера.

Спустя десять минут в гараж энергично вошла Долли и плюхнула на пол пакет с покупками. Она все еще пребывала в радостном возбуждении и хотела поделиться с девушками своим утренним успехом.

— Я раздобыла для нас маршрут и новое расписание инкассаторских рейсов, — сообщила она с торжествующим видом.

Ширли и Белла подошли поздравить ее. Долли помахала рукой, приглашая Линду присоединиться, а потом освободила место на столе, разложила карту маршрутов, полученную от Брайана Маршалла, и закурила. Белле хотелось узнать, как их боссу удалось все это достать, но она решила, что Долли сама все расскажет, если сочтет нужным.

— Итак, после обеда я поездила по этому маршруту, — начала Долли. — Сделала пять или шесть кругов, чтобы замерить время, найти наилучшую позицию для блокировки инкассаторов и тому подобное. — Долли быстро перебирала бумаги, подготовленные для нее Маршаллом. — График придется сдвинуть на две недели раньше.

— Как так? — спросила Линда, исключительно из желания выпендриться.

— Эта дата обеспечивает наилучший баланс между величиной добычи и возможностью сделать все хорошо и быстро. Нам нужно учитывать часы пик, дорожные работы, школьные каникулы и много чего еще. У меня все под контролем, Линда, можешь не волноваться. — Как обычно, снисходительный тон Долли немедленно привел Линду в крайнее раздражение, тем не менее она прикусила язык, и Долли продолжила: — Выучите маршрут наизусть, и мы сожжем карту. Пусть каждая из вас проедет по нему столько раз, сколько потребуется, чтобы запомнить сложные участки, светофоры, развороты, перекрестки — все места, где могут возникнуть проблемы.

Над их головами прогрохотал поезд, и в соседнем гараже залаяла овчарка. Вулф тоже затявкал. Линда чувствовала, как неудержимо поднимается в ней волна гнева.

— Также я отметила на карте, где будет стоять машина, на который мы уедем после ограбления. Это место тоже нужно запомнить. И обязательно попробуйте проехать на этой машине от места посадки до парковки, где вы заранее оставите свои автомобили, на которых доберетесь до аэропорта. Засекайте все до секунды. Пройдите этот маршрут еще и еще раз, пока не сможете ехать по нему с закрытыми глазами. Так, и что у вас с легендами о поездке в Рио? Придумали, что скажете родственникам и друзьям? — спросила Долли.

Легенды были заготовлены; их планы не должны вызвать ни малейших подозрений. Линда либо уволится сама, либо добьется того, чтобы ее уволили, и Белла тоже бросит работу в клубе. О том, что они общаются, не будет знать никто. Ширли не хотела обманывать маму, но понимала, что без этого не обойтись. Значит, она это сделает.

— Хорошо, вот ваши билеты в Рио. Паспорта у всех в порядке? В тот день есть два рейса, поэтому Белле и Линде я купила билеты на первый рейс, а ты, Ширл, полетишь чуть позже. Пока не окажетесь в Бразилии, держитесь друг от друга подальше, — продолжала Долли. — Запомните номер своего рейса и время отправления, убедитесь, что ваш багаж не превышает норму. Вот будет глупо, если кого-то из вас не пустят в самолет из-за тяжелого чемодана! — засмеялась Долли, и Белла с Ширли тоже вежливо хихикнули, хотя и с запозданием. С несвойственным ей задором Долли ставила в своем бесценном блокноте галочки, отмечая пункты, которые они обсудили. — Что ж, — весело подытожила женщина, — давайте посмотрим на ваши успехи.

Долли одобрила их работу. Фургон был покрашен безупречно, наклейки на борта выглядели правдоподобно, а номера были точной копией тех, которые они видели на белом «форде», когда ездили на пляж около

Брайтона. Белла продемонстрировала, как быстро можно снять поддельные номера и поставить настоящие.

Долли подошла к Линде, которая проверяла свечи зажигания в двигателе фургона.

— Ты решила вопрос с ведущей машиной? Теперь она понадобится раньше, чем мы думали.

Линда не могла смотреть на Долли.

— Я присмотрела один большой «лейленд», — неохотно ответила она. — Он принадлежит какой-то прачечной. Подойдет отлично, и его легко стащить.

— Большой — насколько большой? Поместится ли он в этот гараж, или нужно подыскивать другое место?

Прежде чем Линда успела сказать в ответ какую-нибудь грубость, Ширли поспешила выдвинуть свое предложение:

— Рынок, где работает мама! У них есть подземная парковка. Можно поставить «лейленд» туда. Там постоянно стоят машины с товарами для рынка, поэтому в глаза он никому не бросится.

Долли не сводила глаз с Линды:

— Сможешь добыть его на этой неделе?

— Да в любой момент, — коротко бросила Линда, едва сдерживаясь, и потому решила отойти от Долли как можно дальше.

— Он нужен нам срочно, Линда! — Долли повысила голос, шагая за Линдой в другой конец ангара. — Еще надо поменять номера, усилить задний бампер... Ты уверена, что «лейленд» из той прачечной выдержит удар тяжелой инкассаторской машины?

Линда не отвечала. Она взяла с верстака один из обрезов. Как же ей хотелось направить его сейчас на Долли и выстрелом в упор вынести ей мозг!

— Что это с Линдой? — спросила Долли у Беллы.

Та пожала плечами и стала усиленно протирать поддельные номера, чтобы на них не осталось ни одного отпечатка пальцев. Долли догадалась, что Белла что-то знает, но говорить не хочет. Долли перевела взгляд на Линду. У ее ног крутился Вулф, вынюхивая что-то на полу, и вдруг Линда со всей силы пнула собаку, Вулф взвыл. Терпение Долли лопнуло.

— Не смей его пинать! — воскликнула она и, несколькими широкими шагами преодолев расстояние между ними, затрясла перед носом у Линды вытянутым пальцем.

— Тогда держите свою дворнягу подальше от меня! — огрызнулась Линда.

— Так, хватит! Выкладывай, в чем дело. Что с тобой сегодня?

Линда опустила голову:

— Ничего...

— Это из-за того, что я попросила тебя избавиться от этого механика?

Линда посмотрела Долли прямо в глаза:

— Я сделала, как вы просили. Он больше нас не побеспокоит.

— Хорошо, — холодно сказала Долли. — Он что-нибудь заподозрил?

— Уже не важно. Он мертв.

Долли на мгновение онемела. Она даже подумала, что Линда все это придумала — из вредности, чтобы она, Долли, почувствовала себя виноватой. Однако злые и несчастные глаза Линды не врали.

— Мне жаль, Линда. Как это произошло?

— Я все видела своими глазами. От начала и до конца. Вам нужны подробности или слов «он мертв» достаточно?

— Мне очень жаль, Линда, поверь. Ты должна была сказать сразу.

— Зачем? Что бы вы сделали? Вы заставили меня убить его, а теперь хотите утешить? Вот как все было, Долли. Вы сказали, чтобы я настучала на него, полиция заявилась в его мастерскую, он побежал... и попал под машину. — Линда поспешила отойти, чувствуя, что больше не может сдерживаться.

Долли пошла было за ней, но ее остановила Белла.

— Вчера она пришла ко мне в истерике, — тихо поделилась она. — Оно и понятно: он погиб у Линды на глазах, она видела его под колесами фургона, в луже крови. Поэтому пусть злится на вас, ладно? Пусть винит вас во всем, потому что иначе ей придется винить себя. Вы сильная, справитесь, а вот Линда вряд ли. Если хотите, чтобы ограбление состоялось, то держите удар. — С этими словами Белла оставила Долли, чтобы позаботиться о Линде, которая на кухне пыталась заварить себе чаю.

Долли смотрела, как Белла положила руки на плечи Линде и обняла ее, и жалела, что сама не может этого сделать. Не может объяснить, что ей действительно очень жаль. Нет, Линда никогда не увидит в ней такого друга, какого видит в Белле. Зато Долли может дать Линде столько денег, сколько той нужно для счастливой жизни.

Она мысленно перекроила план сегодняшней встречи. Ей не терпелось приступить к тренировкам, однако Долли решила не торопить девушек. Линде и вправду нужно попить чая и успокоиться.

Чтобы занять время, Долли взяла в руки винтовку и попробовала взвести курок, но у нее соскользнул палец, и его защемило между курком и бойком. Несмотря на боль, Долли сумела не закричать, только тихонько выругалась:

— Вот черт!..

Линда презрительно фыркнула из кухни, и Долли, возмущенная, обернулась, но натолкнулась на многозначительный взгляд Беллы и промолчала. Высвободив палец, Долли затрясла им, чтобы утишить боль. Под тонким слоем кожи вспучился кровавый волдырь. Так... хватит миндальничать, дело не ждет.

— Ну все, девушки, надеваем комбинезоны и маски, тренировка начинается! — скомандовала она. В этот раз Долли хотела потренироваться отстегивать ремни безопасности и действовать кувалдой и винтовкой, потом посмотреть, как работает бензопилой Белла и как управляется с оружием Линда. — Все должно быть отработано до такой степени, чтобы вы посреди ночи могли все повторить, не просыпаясь, — сказала Долли. — Только так мы обеспечим нашу собственную безопасность. — Говоря это, она старалась не встречаться с Линдой взглядом.

Они вышли из кухни в большое пыльное пространство гаража. Старый грузовичок для перевозки мебели, утративший колеса и одну из дверей, на время репетиции станет их передней машиной. Ширли уже прикрепила к водительскому сиденью страховочные ремни. Они будут застегнуты на Долли в тот момент, когда она ударит по тормозам, вынуждая машину инкассаторов врезаться в ее фургон. Система страховки должна быть достаточно надежной, чтобы при столкновении уберечь Долли от травм, и достаточно простой, чтобы ее можно было снять в одну секунду. Нужно убедиться, что все сделано правильно. Действия Долли — это начало операции. Если она не сможет высвободиться из страховочных ремней, они все окажутся легкой добычей для полиции.

Кувалду Долли положила у задних дверей машины. У нее на поясе болтался обрез. Затем она забралась на водительское сиденье и застегнула на себе страховочную систему. Ширли следила за каждым ее движением, проверяя, не перекрутились ли ремни, не слишком ли они тугие или, наоборот, свободные.

— Когда Линда добудет тот «лейленд», я перенесу ремни туда, и вы сможете опробовать их уже в реальных условиях, — сказала Ширли.

Долли рывком дернулась вперед, потом назад. Ремни отлично держали. Она одобрительно кивнула Ширли.

— Итак, — продолжила Долли, — я в первой машине — в том «лейленде», который Линда угонит из прачечной, застегнута в страховочные ремни, сбоку от меня винтовка, кувалда в кузове. Машина инкассаторов позади моей, а вы все в заднем фургоне. Белла, у тебя бензопила и обрез, Ширли, у тебя тоже обрез, Линда за рулем. — Долли смотрела на девушек, стоявших сбоку от ее мебельного грузовичка и внимавших каждому ее слову. — Сейчас пока встаньте за этим грузовиком. Прогоним кусок от остановки до того момента, когда я открываю задние дверцы.

Ширли, Линда и Белла выстроились у задних дверей грузовичка.

— Готовы? — крикнула им Долли.

— Готовы! — отозвалась за всех Белла. — Я засекаю время.

— На отметке двадцать ярдов я нажимаю на тормоз, машина инкассаторов въезжает мне в задний бампер, я проезжаю вперед, потом задним ходом тараню инкассаторов еще раз, и теперь они заперты между вашим фургоном и моим.

Ширли возбужденно подхватила:

— Я бегу к машине инкассаторов и срезаю антенну, чтобы они не вызвали по рации помощь.

— Тише, Ширли! — прошептала Белла. — Подожди, Долли еще не закончила свою часть...

Долли, не обращая внимания на диалог Беллы и Ширли, играла свою роль:

— Я расстегиваю страховку...

Вдруг наступила тишина. Девушки переглянулись и прильнули к задней стенке фургона. Они расслышали только невнятное бормотание Долли: «Чертова штуковина!» Белла остановила секундомер. Подождав какое-то время, Ширли не выдержала:

— Может, вам помочь...

— Нет!

Наконец пряжка страховочного ремня со стуком упала на пол. Белла снова запустила секундомер.

Долли крикнула со своего места:

— Я расстегиваю страховку, перехожу к задним дверям и... — Одним мощным пинком она распахнула изнутри задние дверцы фургона и предстала перед девушками в стойке с широко расставленным ногами и с занесенной над головой кувалдой. Одна из створок ударила Ширли в плечо, и девушка чуть не упала, а кувалда оказалась такой тяжелой, что Долли попятилась и осела на пол.

Белла опять выключила секундомер.

— Бросайте кувалду не из-за головы, а от корпуса, как на пляже, — подсказала она.

Долли встала на ноги:

— Заново. Все сначала.

Девушки опять встали позади грузовика и прослушали, как Долли зачитывает свою роль. На этот раз она, выбив дверцы, правильно замахнулась кувалдой и в конце замаха выпустила рукоятку. Кувалда полетела через гараж, так что девушкам пришлось броситься врассыпную. Потом Долли подхватила винтовку, нацелила ее на воображаемый автомобиль инкассаторов и заорала:

— Всем оставаться на месте!

Белла закричала с пола, куда упала, уклоняясь от кувалды:

— Черт возьми, Долли! Вы не говорили, что выпустите кувалду из рук!

— Я должна бросить ее в лобовое стекло инкассаторской машины! Конечно, я выпущу ее из рук!

— Я имею в виду сейчас! — Белла поднялась и помогла встать Линде и Ширли.

Долли смотрела на них из кузова грузовика:

— Ну, как это выглядело?

— Выглядело бы убедительнее, если бы вы сняли винтовку с предохранителя, — хмыкнула Линда.

— А, чтоб тебя! — ругнулась Долли, разглядывая винтовку. — Я все время прищемляю палец. Линда, может, поможешь мне разобраться с этим?

Линда инстинктивно отреагировала на просьбу о помощи — показала во всех подробностях, как снимать оружие с предохранителя. Белла поразилась, с каким терпением и чуткостью подруга учит старшую женщину. Когда нужно, они отлично ладят. Потом она осознала, что́ на самом деле наблюдает: ведь это работник игрового зала обучает приходского волонтера стрелять из винтовки! Ну и дела, усмехнулась она. Иногда трудно поверить, что все это не сон.

Когда Долли усвоила принцип действия предохранителя, Линда вернулась к Белле и Ширли.

— Ладно, давайте послушаем, что вы скажете, — кивнула она.

Долли вскинула обрез и крикнула:

— Не двигаться! Охрана, высуньте головы в люк!

На нее смотрели три непонимающих лица.

— Вы что, так и скажете во время ограбления? — спросила Ширли.

— А что мне еще говорить? «Сдавайтесь, это ограбление»?

— Ох, ладно, вы тут решайте, что говорить, а мне надо работать, — сказала Белла.

Линда снова вышла вперед, готовая помочь:

— Дело не в том, что́ вы говорите, главное — как. У вас голос как у олененка Бэмби! Охранники не только обоссутся от смеха, но и сразу поймут, что вы женщина, и тогда полиция моментально нас вычислит.

— Вы можете говорить более низким голосом? — спросила Ширли. — В одном конкурсе красоты надо было петь, и мне пришлось учиться петь на полтона ниже, чем обычно...

— Не двигаться! — со всей мочи заорала Долли.

Белла покачала головой:

— Нет, это все равно Бэмби, просто громче. Засуньте себе что-нибудь в рот и попробуйте снова.

Ширли достала из кармана белый платок со своей монограммой, вышитой в уголке. Долли засунула его в рот, но, когда попробовала крикнуть, слова были едва слышны и к тому же она чуть не подавилась.

— На сегодня хватит, — сказала Долли, выплюнув платок на пол. — Да и Белле пора на работу.

Пока Белла натягивала байкерские кожаные штаны и куртку, девушки заговорили о Карлосе, а Долли наблюдала со стороны, как они утешают друг друга. Ей на мгновение стало завидно, но Долли знала, что должна держать дистанцию.

Затем Долли выдала последнюю порцию указаний:

— Так, послушайте меня. У нас все идет по плану, назначенный день совсем близко, поэтому до дня икс держитесь подальше друг от друга, хорошо? Понимаю: о каких-то вещах вы можете говорить только между собой, но придется подождать с этим до тех пор, пока вы все не окажетесь в Рио.

— Мы, — поправила ее Белла. — Пока мы не окажемся в Рио.

— Не начинай. — Долли взяла свое твидовое пальто и сумочку.

Беллу это не остановило.

— Долли, это единственный момент в плане, который до сих пор меня смущает...

Долли швырнула сумочку на ящик:

— Давай, Белла, скажи прямо, что ты имеешь в виду! Вы не хотите лететь одни через полмира, потому что не знаете, где будут спрятаны деньги, правильно?

— В точку, — подтвердила Белла.

— А вам нужно это знать, потому что мне вы не доверяете, так? Вы по-прежнему не доверяете мне! За это время я отдала вам почти семь тысяч собственных денег, полностью доверяя вам. Когда ограбление состоится и мы все разъедемся в разные стороны, у кого будут деньги? У меня? Нет. У вас. Деньги будут лежать в машине, на которой вы уедете из туннеля, а я буду в том мифическом «лейленде», который пока так и не угнан. Я хотя бы раз усомнилась в вашей честности, хотя бы раз завела разговор о том, что вы можете сбежать с деньгами сразу после ограбления? Нет! Я никогда бы не оскорбила вас подозрениями. Все решения я принимаю не для собственной выгоды, а для вашей же безопасности. — Долли двинулась на девушек; Ширли и Линда непроизвольно попятились и встали позади Беллы. — Я знаю вас гораздо лучше, чем вы сами, — продолжала Долли. — Думаете, Линда сможет держать язык за зубами после пары рюмок? Уверены, что Ширли устоит перед соблазном подкинуть матери пару сотен? — Долли сделала паузу, чтобы посмотреть: хватит ли кому-то из них смелости возразить. Нет, все молчали. — Я не открываю вам место, где будут спрятаны деньги, потому что одно неосторожное слово — и за нами будет охотиться не только полиция, но и каждый преступник в Лондоне, в том числе братья Фишеры, которые, как вы могли заметить, затаились. Боксер мертв, в мастерской Карлоса был обыск. Вот почему они сидят тише воды ниже травы. Они испуганы, растеряны, не знают, что происходит. Им понятно только одно: кто-то ищет их, а кто — неизвестно. Сейчас они думают, что это Гарри, и очень хорошо.

— Прекрасная речь, — сказала Белла. — Но доверие тут ни при чем. Просто мы не сможем найти деньги, если с вами что-то случится.

Долли покраснела от обиды и негодования:

— Вы думаете, я не предусмотрела этого? Я оставила у своего адвоката по письму каждой из вас на тот случай, если умру. В письмах то, что вы так стремитесь выпытать у меня.

Заявление Долли о письмах стало для них полной неожиданностью, однако прозвучало достаточно убедительно.

— Вы можете верить мне или не верить, — устало проговорила Долли, — просто выполните свою часть работы хорошо. Это все, о чем я прошу.

Долли опять нагнулась за своей сумочкой, и тут подала голос Ширли:

— Я вам верю.

Натягивая перчатку на прищемленный палец, Долли поморщилась, но слова Ширли заставили ее улыбнуться.

— Спасибо, Ширли.

Долли направилась к двери. Ее шаги были короткими и медленными; выглядела она старой и утомленной.

— Сбежать с деньгами? Ха, — невесело засмеялась Долли. — И что я буду делать с целым миллионом?

Белла пожала плечами и усмехнулась:

— Сначала надо его заполучить.

— Ты это сказала, не я. И теперь все зависит только от вас — сделаем мы это или нет. Дайте мне знать, когда решите. Пойдем, Вулф.

Вулф давно спал, свернувшись на стуле в кухне, и не слышал команды Долли. Белла взяла его на руки, догнала Долли и отдала пуделя.

— Ладно, — сказала Белла, глядя хозяйке пса прямо в глаза. — Действуем по плану.

Долли побрела к выходу. Ей хотелось поскорее уйти, чтобы девушки не заметили, как близка она к тому, чтобы расплакаться. На самом деле никаких писем Долли адвокату не передавала — она солгала, чтобы укрепить их доверие. Но теперь она напишет эти письма, да, на тот случай, если с ней что-то случится. Белла и Линда не ценят ее, думала Долли, они ее предали — и это после всего, что она для них сделала! В поисках утешения женщина обняла свою маленькую собачку и поцеловала ее в мордочку.

— Пойдем домой, малыш, — прошептала она песику.

Пока Долли осторожно ступала по булыжникам мостовой, Вулф смотрел куда-то через плечо хозяйки и низко рычал. Женщина оглянулась, но заметила только крысу, исчезающую в одном из ангаров.

— Ш-ш-ш, Вулф, это всего лишь крыса.

Но глаза Вулфа — два больших темных блюдца — видели кое-что другое.

Через десять минут после Долли ушла Белла. За ней Линда и, наконец, Ширли. Застегивая пальто, она отметила, что большой пес из соседнего гаража не лаял, когда уходили другие вдовы. Однако почти сразу же Ширли забыла о собаке. Дойдя до ворот, она выключила верхнее освещение. Под гулкими сводами ангара разносилось эхо капающей воды — кап, кап, кап. Ширли уже собиралась открыть дверь в воротах, но вдруг услышала какой-то шорох снаружи. Она прислушалась, приложив ухо к двери. Дрожа от страха, Ширли включила маленький фонарик и обвела его лучом темный ангар.

Билл Грант прижимал лицо к холодной стене, чтобы лучше видеть гараж через щели вентиляционной решетки. Казалось, блондинка смотрит прямо на него. Когда луч фонарика заскользил в его сторону, Грант отступил от стены, чтобы его глаза случайно не блеснули отраженным светом. Как только луч пробежал мимо, Грант вернулся на свою позицию.

— Какая красотка! — прошептал он. — Со мной ты была бы в безопасности, киска. В тепле и безопасности.

В конце концов Ширли рискнула открыть дверь и вышла в ночь. Она постояла на пороге, дожидаясь, пока глаза не привыкнут к мраку, и чуть не бегом бросилась к освещенной улице.

— Только что ушла последняя, — сообщил Грант, отворачиваясь от вентиляционной решетки. Он засмеялся грудным, хриплым смехом курильщика и прислонился к стене со сложенными на груди руками. — Не, ну кто бы мог подумать? Бабы взаправду собираются провернуть наше дело. — Потом Грант отошел от стены и стал стряхивать с рукава кирпичную пыль. Его гараж был копией соседнего, только гораздо грязнее; ряды поломанных и битых машин были покрыты пылью и голубиным пометом. В лицо Гранту ударил луч света, и он прикрыл глаза ладонью. — Сделай мне одолжение, а? Можешь включить свет, все разошлись. — Фонарик, щелкнув, погас.

Гарри Роулинс держал овчарку за шиворот, пока сам снимал тряпку, которой как намордником были замотаны псиные челюсти. Едва была сорвана повязка, овчарка залаяла и ощерила пасть; с длинных белых клыков капала густая слюна. И вдруг Гарри отпустил собаку, и она рванулась к Гранту. Тот в страхе отпрянул. Цепь, пристегнутая к ошейнику овчарки, остановила ее в каких-то пяти дюймах от испуганного мужчины. Гарри захохотал.

— Совсем охренел, что ли! — воскликнул Грант. Его трясло.

В этот момент Гарри выглядел как хищное животное: рот приоткрыт, зубы ощерены и поблескивают при тусклом свете.

— Она дословно следует моим инструкциям, — проговорил Гарри. — И значит, только она будет знать, где спрятаны деньги. Вот тогда мы и сделаем наш ход, Билл. Это будет проще, чем отобрать конфету у малыша.

ГЛАВА 28

Линда нервничала, стоя на улочке Уоррингтон-кресент, неподалеку от отеля «Колоннада» — маленького элегантного особняка в викторианском стиле. Был вторник, раннее утро — только что рассвело, и Линда вся продрогла, несмотря на толстый свитер и пуховик.

Северо-Западная часть Лондона и, в частности, район Мэйда-Вейл не относились к местам, где Линда бывала часто. Поэтому шансы встретить здесь знакомое лицо были крайне малы. Зато за последние несколько недель Линда наведывалась сюда пять раз. Во время второго визита она положила глаз на грузовик «лейленд» при прачечной, в следующие два визита установила, что он регулярно завозит белье в «Колоннаду», и наконец в этот свой визит она намеревалась совершить угон.

Вообще, Линда крайне редко жаловалась на нервы, но сегодня, пока ждала, не успевала вытирать о штаны потные ладони и слышала, как в груди тревожно бьется сердце. Она боялась, да, но сильнее страха был азарт. Раньше для Линды было загадкой, почему у Джо так блестели глаза, когда он собирался на дело, теперь же она прекрасно понимала его. Стрелки часов приближались к тому моменту, когда грузовик должен будет появиться на Уоррингтон-кресент. Оставалось минут десять. В Линде росло ощущение собственного могущества. Водитель не знает, что она следит за ним, не догадывается, что вот-вот лишится своей машины. «Бедный маленький ублюдок», — пожалела его Линда.

«Лейленд» подъехал к боковому входу в гостиницу — точно так же, как и в прошлые приезды. Линда смотрела, как водитель выполняет свою обычную работу: составляет корзины с чистым бельем на тележку и везет к двери. Беззаботно посвистывая, он нажал на звонок, и его впустили внутрь. У Линды было три минуты на угон — пока водитель не выйдет на улицу с мешками грязного белья.

Линда подошла к грузовику — не слишком быстро, но и не слишком медленно. Жаль, что Долли ее не видит. Тщательное планирование, точный расчет — все это произвело бы на старую ведьму впечатление. Линда будто невзначай оглянулась и потом вскочила на сиденье водителя. Вытащив из кармана куртки маленькую отвертку, она воткнула ее в замок зажигания и повернула, словно ключ. Ничего не произошло. Но Линда не запаниковала: она знала, что делать в таком случае. У нее на глазах Джо тысячу раз заводил машины без ключа, чтобы отогнать их владельцам после того, как он свозил Линду в ресторан. Она и сама три или четыре раза это делала. Вот и сейчас она вскрыла замок зажигания, вырвала из гнезд провода и скрутила одну пару жгутом. Затем пару раз нажала на педаль газа, чтобы впрыснуть в карбюратор топливо, потом соединила два других провода, чтобы активировать стартер. Когда двигатель завелся, Линда улыбнулась... Совсем как в старые добрые времена.

Она направилась прямо к подземной парковке, где мать Ширли и другие торговцы с рынка оставляли свои машины, лотки, столики и товары. Две восхитительные мили пролетели незаметно. Глаза Линды метались между дорогой, боковыми зеркалами и зеркалом заднего вида. Она была сверхвнимательна, улавливала каждую мелочь, даже заметила пару патрульных полицейских, бесцельно снующих по своему участку. Линда опять улыбнулась: они ни о чем не подозревают.

Оказавшись у рынка, Линда медленно пробиралась между грузовиками и фургонами, подвозящими торговцам фрукты и овощи, — надо было найти Ширли. Наконец она заметила подругу, которая бешено махала обеими руками на въезде в подземную парковку. Линда сумела сделать два дубликата материнского ключа и разобрала гору пустых ящиков, чтобы освободить место в дальнем углу парковки. Задним ходом Линда втиснула туда «лейленд» и по знаку Ширли — та забарабанила ей в борт грузовичка — остановилась.

Линда горделиво показала подруге свою добычу:

— Он идеально нам подходит, крепкий и большой, только посмотри, какой у него задний бампер... Такому и танк не страшен. — (Ширли помалкивала, чтобы не мешать Линде насладиться моментом; затем девушки открыли переднюю дверцу.) — Тут только одно кресло, и Долли сможет быстро перебраться отсюда в кузов... когда научится выбираться из страховочных ремней!

— Похоже, ты нашла идеальный вариант, — сказала Ширли, чувствуя, что пора похвалить подругу, и тут заметила раскуроченный замок зажигания. — Ой, что это?

— Ты же не думаешь, что водитель дал мне ключи, а? — усмехнулась Линда. — Я уже купила запчасть для замены — знала, что зажигание, скорее всего, придется сломать. Но тут работы всего минут на тридцать. — На самом деле Линда еще ни разу не меняла замок зажигания, только наблюдала за тем, как это делал Джо. Ей показалось, что ничего трудного в этом нет, и теперь, когда грузовик угнан и надежно спрятан, у нее будет время во всем разобраться.

Потом девушки накинули на «лейленд» брезент. Линда спросила, принесла ли Ширли поддельные номера.

— Ну конечно. И еще краску, чтобы закрасить логотип — все, как ты просила. — Ширли передала Линде ключ. — Это чтобы открыть навесной замок на воротах. Убедись, что все в порядке, когда будешь уходить, и не забудь выждать минут десять после того, как уйду я.

— Да, Долли, — поддразнила подругу Линда, и обе засмеялись. Волнение постепенно спадало. — Ну ладно, тогда иди. — Линда подняла крышку капота и окинула взглядом двигатель. — Мне тут есть чем заняться...

Но Ширли не ушла, а встала рядом с Линдой и тоже заглянула под капот.

— Как, по-твоему, с этой машиной не будет проблем? — запереживала она.

— Думаю, нет, — ответила Линда, чтобы успокоить Ширли. — Но точно смогу сказать, когда все проверю, ясно? Если не будешь мешаться под ногами...

— А мне показалось, что он еле пыхтел, когда ты подъезжала. Ты уверена в этой развалюхе?

— Знаешь что, Ширл, в моторах я разбираюсь получше тебя! У меня он поедет, как «мазерати». — Линда умела в одно мгновение превращаться из добродушного собеседника в злюку.

Ширли не собиралась терпеть перепады настроения подруги, подхватила свою сумку и пошла прочь.

— Не стоит благодарности! — крикнула она через плечо. — И что сделала дубликаты, и что принесла краску, и что ждала тебя все утро в такой собачий холод...

— Спасибо! — отозвалась Линда с широкой ухмылкой вполлица.

Ширли немного смягчилась, однако уже не вернулась. Линда опять склонилась над двигателем, и ее ухмылка быстро растаяла.

«Твою ж мать! Придется повозиться...»

Ширли все еще была раздражена, когда пришла навестить мать. Открыла своим ключом и окликнула Одри. Та прокричала из спальни, что выйдет через минуту. Поначалу Ширли показалось, что она ошиблась и зашла в другую квартиру: так чисто и опрятно в ней было, ни одной грязной тарелки. Вдруг в кухню, танцуя, впорхнула Одри, разряженная, накрашенная, с толстым слоем лака на волосах. От нее так разило духами, что Ширли чуть не упала.

— Ну, как тебе мое новое платье? Распродавали с грузовика — всего пятерка! — Одри прошлась перед дочерью, демонстрируя обсыпанное блестками кримпленовое вечернее платье.

Ширли постаралась скрыть ужас, вызванный цветом, фасоном и всем остальным в этом наряде. Одри же была так поглощена вращениями и па, что не обратила внимания на выпученные глаза дочери. К счастью, когда воображаемый танец закончился, Ширли совладала с чувствами.

— Симпатичное, — солгала она. — Где Грег? Мне нужно, чтобы он починил машину, там опять рукоятка сваливается с переключателя скоростей.

— Не хочу слышать о нем ни слова — застукала его сегодня...

— Что, опять девицу привел?

Одри раскрыла стенной шкаф, и оттуда вывалились гладильная доска, ком грязного белья, туфли и мусорный мешок, полный всякого барахла. «Так, значит, мать не убралась, а просто спрятала весь хлам с глаз долой», — подумала Ширли. Через некоторое время Одри отыскала в этой куче нужную вещь.

— Твой братец нюхал клей вот с этой штуковиной на голове, — сказала она и натянула на лицо старый противогаз. — Пришла, а он напрочь одуревший. Не знала, что с ним делать!

Ширли уставилась на мать. Из-под противогаза голос Одри звучал низко и густо, со странным приглушенным эхо. Ширли сорвала эту старую штуковину с матери.

— Ужасно, — сказала она, ни в малейшей степени не встревоженная пристрастием брата. — Просто кошмар какой-то... Мама, давай я сама эту гадость выкину, — предложила Ширли, вертя в руках противогаз. — Не бойся, Грег ее не найдет.

— Отлично! — согласилась Одри и тут заметила свое отражение в кухонном окне. После противогаза ее прическа превратилась в растрепанный веник. — Вот черт, придется снова укладывать волосы! Помнишь моего соседа по лотку? — спросила она у дочери, улыбаясь до ушей. — Тут на днях меня запримстил приятель его зятя и сказал, что не прочь со мной познакомиться. Мне кажется, он такой душка, Ширл! И при деньгах!

— Он мне душкой вовсе не кажется, мам. И деньги не главное. Я же помогаю тебе.

— Ну, не всегда же ты будешь рядом. Надо как-то самой себя обеспечивать. Он пригласил меня в «Голден наггет».

— Ты хотя бы знакома с ним?

— Это свидание вслепую. То есть наполовину вслепую. Меня-то он видел, а я его нет. Сосед говорит, что он красавчик. Ой, мне надо спешить, еще с волосами возиться. Ты-то что сегодня вечером делаешь?

Ширли разглядывала противогаз. Это именно то, что нужно Долли. Девушке хотелось поскорее показать ей находку.

— Я буду собираться в поездку, мам. Помнишь, я тебе говорила?

— А, да, точно. Пара недель в Испании тебе не помешает. Немного погреешься на солнышке. Нам всем бы это не помешало. Ширли, девочка моя, постарайся не зевать, если вдруг судьба подкинет тебе какой-нибудь шанс.

Одри имела в виду знакомство с богатым испанцем, но все мысли Ширли были о предстоящем ограблении. Это был единственный шанс, который она не хотела упускать.

— Удачи тебе с душкой-незнакомцем. — С этими словами Ширли поцеловала мать и ушла.

———

Линда, согнувшись, копалась в двигателе грузовичка из прачечной, как вдруг ее ноги коснулось что-то теплое. Молодая женщина подпрыгнула, стукнулась головой о поднятую крышку капота и опустила взгляд к земле. Там сидел Вулф и вилял своим дурацким хвостом.

— Еще не все готово, — хмуро сказала Линда Долли, которая в этот момент подошла к «лейленду».

— Выглядит неплохо, — заметила Долли. — Отличная работа, Линда!

Даже этот комплимент не вызвал в Линде ничего, кроме раздражения. В голосе Долли сквозило удивление, как будто она ожидала, что Линда сможет угнать только какую-то развалюху.

— Я помогу тебе, — сказала Долли, снимая пальто и складывая его на ящик яблок в углу парковки.

Прежде чем Линда успела придумать ответ, Долли взяла пульверизатор с краской, проверила, не наблюдает ли кто за ними, и оттянула брезент с одного борта грузовичка.

— Через два часа у нас общая встреча в гараже, — продолжила Долли. — Ты заканчивай то, что начала. Я закрашу логотипы и перевешу номера.

— Мне на все хватит времени. Вы можете заняться... своей частью работы, — сухо произнесла Линда, намекая на то, что грузовик — ее территория.

— За рулем этой машины буду сидеть я, поэтому и должна проверить, все ли с ней в порядке, — отчеканила Долли. Помолчав, она добавила другим тоном: — Послушай...

На парковке появился рыночный торговец. Долли рывком натянула брезент поверх логотипа и спрятала краску. Торговец кивнул, забрал ящик овощей и ушел. Линда ждала, когда Долли закончит фразу.

— Я здесь не для того, чтобы что-то проверять. Линда, я хочу... я просто хочу, чтобы мы с тобой вместе закончили эту часть головоломки. Теперь все готово, и хорошо бы знать, что мы сможем действовать заодно. Ты и я.

Линда смотрела на Долли. Она не испытывала к этой женщине теплых чувств и вряд ли когда-нибудь сможет подружиться с ней, но не за этим пришла к ней Долли. Чтобы осуществить свой план, четыре вдовы должны стать командой — вот и все, что ей нужно. Линда никогда не была сильна в подборе красивых и правильных слов, поэтому взяла поддельные номера и коротко сказала:

— Вы красите. Я вешаю номера.

Большего Долли и не требовалось.

Чтобы полностью скрыть логотип, красить пришлось в три слоя. И хотя Линда, пока приделывала номер на задний багажник, вымазала в белой краске свой черный пуховик, результат их трудов выглядел удовлетворительно.

Долли села на кресло водителя, к которому уже была приделана страховочная система.

— Заводится он только с подсосом, и потом не газуйте резко, — проинструктировала ее Линда.

Грузовичок завелся с первого раза.

— А ты куда сядешь? — спросила Долли.

Линда залезла в кузов и плюхнулась на корзину со свежевыстиранными простынями — вероятно, из какого-нибудь шикарного отеля. Долли засмеялась, и они поехали в гараж, попутно тестируя грузовичок в деле.

В дороге «лейленд» дважды заглох, заставив Долли поволноваться. Однако двигатель тут был ни при чем — Линда хорошо его настроила. Проблема была в плохом контакте нового замка зажигания, но при помощи скотча ее решили, и больше грузовик не доставлял им хлопот.

Когда Долли и Линда прибыли в гараж, напряжение в воздухе можно было резать ножом. Белла подготавливала и проверяла инструменты и оружие. Ширли столько раз перебрала их комбинезоны и балаклавы, что выучила в них каждый дюйм, и теперь в третий раз проверяла все паспорта и билеты перед тем, как разложить их по чемоданам, с которыми трем женщинам предстояло покинуть страну. Белла уведомила свой клуб о том, что увольняется, Линда без труда добилась, чтобы начальство выгнало ее с работы, а Ширли сказала матери, что едет отдохнуть в Испанию.

Они почти не разговаривали. К этому моменту все уже было сказано и отработано много раз. Каждая точно знала, что ей делать во время ограбления. Последние приготовления поднимали настроение: все чувствовали, что готовы к завтрашнему дню.

Белла заранее поставила бензопилу в кузов фургона, за рулем которого будет сидеть Линда. Теперь она сложила обрез и кувалду в хоккейную сумку, застегнула на ней молнию и убрала в кузов грузовичка из прачечной. Завтра Долли перенесет кувалду к задним дверцам, а обрез будет держать рядом с собой.

Долли села на водительское сиденье «лейленда», застегнула на себе страховочные ремни, а Линда подтянула их так, чтобы они плотно охватывали тело женщины в подбитом ватой комбинезоне.

— Так нормально, Долли?

— Кажется, да.

— Хорошо, теперь давайте посмотрим, сможете ли вы расстегнуться...

Долли не глядя нащупала застежку, нажала куда надо и соскочила с кресла прежде, чем Линда успела закончить фразу. Тогда Линда вручила Долли второй ключ от парковки возле рынка.

— Я перегоню грузовик обратно, поставлю на то же место. Ключ от зажигания положу под колесную арку.

— Думаешь, на парковке его оставлять безопасно? — спросила Долли.

— Я переночую в грузовике, простыни там уже есть, — улыбнулась Линда. — И не забудьте: сначала подольше подержать на подсосе, потом сильно не газовать.

Ширли убрала комбинезон, балаклаву, кеды и резиновые перчатки Долли в сумку и передала все ей; остальную одежду разложила на три аккуратные стопки на верстаке и подписала каждую — где чья. А затем поставила три чемодана в багажник своего «мини».

Показывая противогаз Долли, Ширли пояснила:

— Эта штука замаскирует ваш голос. — Когда Долли стала примерять противогаз, девушка поспешила предупредить: — Не пугайтесь, если почувствуете запах клея...

— Клея? — весело переспросила Линда. — Чем это ты занималась с этим противогазом?

— Ничем! — Ширли шутку не оценила. — Просто подклеила трубку, чтобы не отвалилась.

Долли взяла в руки лом, подняла, словно винтовку, встала посреди гаража и выкрикнула:

— Ни с места!

— Круто! — сказала Белла. — На Бэмби вы больше не похожи!

Долли сняла противогаз.

— А можно догадаться, что я женщина?

— Ни за что, — заверила ее Линда.

Долли положила противогаз в кузов «лейленда» рядом с остальным снаряжением. В полумраке блеснуло на левой руке ее обручальное кольцо. За последние недели она впервые обратила на него внимание. Повертев колечко туда-сюда, Долли стянула его с пальца. Рядом с женщиной неслышно встала Белла:

— Мы готовы.

Долли сжала ее локоть:

— Как думаешь, у нас получится?

Белла, удивленная таким вопросом, положила ладонь поверх руки Долли и усмехнулась:

— Пока вы босс, мы можем все.

Долли немного расслабилась:

— Я попрошу тебя приглядывать за Линдой. Нельзя, чтобы она сорвалась и начала стрелять.

Белла спокойно пожала плечами.

— Я заменила патроны в обрезе на холостые — достала через одного приятеля, — шепнула она с хитрой ухмылкой. — Если Линда все-таки нажмет на спусковой крючок, шуму будет много, но никто не пострадает.

Долли все крутила в руках кольцо.

— Ширли будет страшно, но настрой у нее боевой, она должна справиться. Ты подбодри ее, Белла, если что. Понимаешь, о чем я?

Белла кивнула, но ее беспокоила не Ширли, а сама Долли. Не сломалась ли женщина из-за напряжения этих месяцев? А ведь Долли ведет «лейленд», от нее зависит все. Если в решительный момент у их лидера сдадут нервы, все пойдет коту под хвост.

— Долли, я знаю, что вам будет труднее всех. В том смысле, что мы трое едем вместе в заднем фургоне. А вы одна и впереди. Но вы справитесь. Вы справитесь с этим лучше любой из нас.

Глаза Долли превратились в щелки.

— А вот обо мне беспокоиться не нужно. Я вас не подведу. — Она обернулась и увидела, что Ширли и Линда смотрят на нее в ожидании... чего-то. Долли откашлялась. — Что ж, на этом все, — сказала она. — Все готово — и вы готовы. Постарайтесь как следует отдохнуть, хотя понимаю, что это будет непросто. — Свои последние слова Долли произнесла уже в дверях — боялась, что покажутся слезы: — Я горжусь вами.

Потом, не оглядываясь, она окликнула Вулфа и ушла.

Глядя вслед Долли, три молодые женщины думали о том, что теперь они увидят ее только в день ограбления. Потом они встали тесным кружком и обнялись. Никто не проронил ни слова.

ГЛАВА 29

В день ограбления Линда рано утром пришла в гараж и застала там Ширли, которая стояла, согнувшись над мусорной урной. Ее рвало.

— Что с тобой? — забеспокоилась Линда.

— Ничего! У меня желудок сводит от нервов, — ответила Ширли. Бледная, с глазами в три раза больше обычного, она встала на пороге кухне, прижимая к груди урну.

— Черт возьми, Ширли, может, все-таки съела что-то не то?

— Да говорю же тебе — это нервы! Не каждый день я участвую в вооруженном ограблении! — взорвалась Ширли, хотя догадывалась, что и подруга, должно быть, на взводе.

На комбинезоне Ширли виднелись следы рвоты. Она уже замотала свою пышную грудь простыней, отчего верхняя половина ее тела теперь казалась широкой и мускулистой. Подсунутая в рукава вата бугрилась мощными бицепсами, и бедра тоже имели внушительный размер. В целом от шеи и ниже Ширли выглядела крепким парнем.

Линда принюхалась.

— Ты курила? — спросила она.

— Сделала пару затяжек, чтобы справиться с нервами.

— Ты же не куришь! Ты всегда отмахиваешься от дыма Долли, потому что тебя от этого запаха тошнит. Конечно, теперь тебя выворачивает наизнанку, курица ты безмозглая! — Линда обогнула Ширли, нашла в кухне полотенце, намочила уголок в раковине и стала оттирать с комбинезона Ширли потеки рвоты. Стоя рядом с ней, Линда видела, как сильно нервничает подруга. Надо было как-то успокоить ее. — Когда ты спрячешь лицо под балаклавой, — подмигнула она, — боюсь, я не устою перед таким крепышом и начну заигрывать с тобой.

Ширли выхватила у подруги полотенце, и обе женщины захихикали.

— Твоя очередь, — сказала Ширли.

Линда разделась, натянула до пояса комбинезон и завязала на талии рукава, пока Ширли обматывала полосами ткани ее грудь и плечи.

— Правда, это самое странное, что ты делала в жизни? — спросила Линда, и снова девушки прыснули от смеха. Они вряд ли смогли бы объяснить, над чем смеются, но обеим смех приносил облегчение.

В этот момент в ангар вошла Белла и тут же почуяла запах рвоты. Должно быть, Ширли стошнило, подумала она.

— Привет, — улыбнулась Белла подругам. — Вы тут уже вовсю готовитесь! Не терпится поскорее взяться за дело, да?

Ширли снова согнулась над урной.

— Ты в порядке? — спросила Белла, и Ширли слабо простонала в ответ.

Линда опять попыталась отвлечь подругу: взяла две пары перчаток и отдала их остальным девушкам, потом натянула на руки третью пару.

— Итак, с этой минуты перчатки не снимать. Я все тут сейчас протру, чтобы нигде ни осталось ни одного отпечатка, ни единого следа.

— Сколько сейчас времени? — спросила Ширли, поднимая голову от урны.

— Почти семь, — ответила Белла. — Ты что, свои часы потеряла?

— Они у меня шалят. Нам разве не надо сверить часы или что-то в этом роде?

Белла ласково улыбнулась:

— Ширл, мы все поедем в одной машине. Не беспокойся о времени. Просто держись рядом со мной.

Ровно в семь утра Долли подошла к парковке у рынка. В комбинезоне, набитом ватой, идти приходилось вразвалку. Волосы она намазала кремом и зачесала назад, на голову надела лыжную маску, скатанную кверху. В таком виде маска ничем не отличалась от обычной шерстяной шапки, но раскатать ее и закрыть лицо можно было в одно мгновение.

У Долли на пути двое работяг разгружали ящики с фруктами. На нее не обратили ни малейшего внимания. Какой-то прохожий, встретившийся ей по дороге, кивнул: «Здорово, приятель». Значит, принял ее за мужчину. Отлично.

На парковке Долли первым делом стянула с грузовичка брезент и убрала его в кузов. Потом она стала искать под правой передней аркой ключ зажигания, но сразу не нашла. Неужели Линда забыла положить его туда? Долли села на колени и заглянула под арку — там ничего не было. На нее стали поглядывать двое мужчин, стоящих у другой машины. Ощупывая колесо со всех сторон, Долли пыталась подавить подступающую панику. К счастью, ее внимание привлек металлический блеск на земле. Она подобрала упавший ключ и облегченно выдохнула.

Потом Долли забралась в кузов «лейленда» и, делая глубокие вдохи, чтобы успокоиться, убедилась, что хоккейная сумка с кувалдой и винтовкой на месте. Долли расстегнула молнию, положила кувалду на стопку белья возле задних дверей, а обрез засунула под водительское сиденье. Перебравшись на водительское место, она застегнула на себе ремни безопасности и подтянула посильнее, затем несколько раз резко нагнулась, чтобы проверить их прочность.

Настало время вставить ключ в зажигание. Долли повернула его, и двигатель пару раз чихнул, но не завелся. Она попробовала еще два раза — то же самое. «Ну заводись, заводись же...» — шептала Долли. Уголком глаза она видела, что двое мужчин опять смотрят в ее сторону, и старалась не поворачиваться к ним — вдруг ребята захотят подойти и помочь. «О, Линда, я убью тебя, если эта колымага не поедет!» Долли ведь уже ездила на грузовике. Почему машина сейчас ее не слушалась?

— Да закрой наконец заслонку и качни бензина, приятель! — крикнул один из торговцев, и тогда Долли вспомнила, что говорила ей Линда.

Двигатель мгновенно ожил и, прогревшись, загудел без перебоев. Долли в знак благодарности помахала торговцу рукой. Но, включая первую передачу, она слишком быстро убрала ногу с педали, и грузовичок дернулся с места. Слышно было, как захохотали мужчины.

— Чертов идиот! — выругался один из них.

Долли пропустила ругань мимо ушей. Лишь бы поскорее выбраться с парковки.

В гараже Белла подняла бензопилу, чтобы проверить инструмент еще раз. В рукава она натолкала столько ваты, что выглядела как качок на стероидах. Когда Белла дернула шнур, рукоятка выскользнула у нее из руки. Раньше она никогда не пробовала заводить пилу в резиновых перчатках по локоть, в которых руки были мокрыми от пота. Сделав еще пару попыток, Белла приноровилась к перчаткам. Все это время за ней внимательно следила Линда.

— Да в перчатках я, в перчатках! Ради бога, угомонись уже, — сказала Белла, укладывая бензопилу обратно в фургон.

Линда перевела взгляд на Ширли и тут же рассердилась, но на этот раз дело было не в перчатках.

— Ты накрасила глаза! Черт возьми, ты накрасила глаза!

— Нет! — крикнула в ответ Ширли. — Я не спала, и меня все время тошнит, поэтому я так выгляжу.

Проходя мимо Линды, Белла шепнула:

— Не дергай ее, слышишь? Если что, стереть косметику недолго.

— Да не красилась я! — повторила Ширли и придвинулась к Линде, чтобы та рассмотрела ее лицо вблизи. — И не приставай ко мне, поняла?

Между девушками встала Белла:

— Тихо! Вы не злитесь друг на друга, просто у вас стресс. Это нормально, но постарайтесь держать себя в руках.

Линда, извиняясь, погладила Ширли по руке.

Наконец Линда открыла водительскую дверцу фургона, забралась в кабину и спрятала под пассажирское сиденье свой обрез.

Белла обняла Ширли за плечи:

— Нам пора. Долли уже едет на свою стартовую позицию. Время пришло, дамы... вы готовы?

Ширли кивнула, Линда тоже.

— Тогда поехали!

Белла и Ширли раздвинули ворота гаража, чтобы Линда вывела фургон, затем закрыли и заперли, после чего забрались в кузов через задние дверцы. Они не обратили внимания на то, что ворота соседнего гаража, где обитала овчарка, тоже были открыты и оттуда за ними наблюдал темноволосый человек за рулем «БМВ».

———

Восемь месяцев назад, день в день, Терри Миллер, Джо Пирелли и Джимми Нанн выезжали из этого же гаража, чтобы совершить то же самое ограбление.

— *Поехали!* — *крикнул Терри из кузова, и Джимми с водительского сиденья помахал ему в знак того, что сигнал принят. Пока рука Джимми была поднята, Терри отметил, что у него на запястье часы Гарри.* — *Черт возьми, классные часы!*

Джимми обернулся к товарищу с улыбкой.

— *Он сказал, что собирается купить новые, как только срубим бабки. Мне идут, да?* — *Джимми повернул руку туда-сюда, чтобы заиграл свет на алмазном циферблате.*

Терри склонил голову к Джо, и они оба насмешливо переглянулись.

— *Гарри собирается поменять не только часы после этого дела,* — *фыркнул Терри и кивнул в сторону ничего не подозревающего Джимми.* — *Его женушка* — *горячая штучка, Джиму с ней не справиться. А вот Гарри...*

Джо засмеялся:

— *Часы в обмен на телку. По мне, так неплохая сделка.*

ГЛАВА 30

Долли не потребовалось много времени на то, чтобы доехать от рынка до ее стартовой позиции, примерно в двух минутах от гаража инкассаторской фирмы в Баттерси. Женщина остановилась на боковой улочке, но мотор не заглушила. С этого места хорошо просматривался выезд из гаража. Когда открылись тяжелые ворота, Долли знала, что из них выедет инкассаторский автомобиль, повернет направо, потом еще раз направо в конце дороги... по направлению к ней. Небо было ясным, дороги свободны — идеальные условия. Те, кто заполнит улицы Лондона в утренний час пик, еще только выбирались из постели. Город не знал, что в нем вот-вот произойдет.

Теперь самым важным был точный расчет по времени: надо было вывернуть на проезжую часть прямо перед машиной инкассаторов. Между ней и «лейлендом» не должен вклиниться никакой другой автомобиль.

И вот до инкассаторской машины сорок ярдов... тридцать. Когда осталось всего двадцать ярдов, Долли спокойно выехала на дорогу. Ее расчет оказался точным. Инкассаторской машине даже не пришлось тормозить, чтобы впустить «лейленд» на полосу.

Пока они следовали вдоль Йорк-роуд в сторону круговой развязки у моста Ватерлоо, Долли осознала, насколько важно было достать маршруты инкассаторов.

Всего через несколько минут они свернут на развязке налево и через мост двинутся в сторону туннеля под Стрэндом. Долли молилась о том, чтобы девушки успели вовремя выехать из гаража Гарри и занять нужное место в череде машин.

Уже почти у самого туннеля Долли слегка выехала из своей полосы, чтобы проверить, все ли в порядке у остальных. Линда была где надо — сразу за автомобилем инкассаторов. Тогда Долли вернулась в полосу и сбросила скорость до двадцати миль в час, чтобы слегка отстать от впереди идущих машин, а потом резко нажала на педаль газа и стала следить за спидометром.

Неказистый грузовичок из прачечной оказался резвее, чем она ожидала: стрелка быстро миновала цифру тридцать, тридцать пять, сорок... Они въехали в туннель. Долли бросила взгляд в зеркало заднего вида: инкассаторы шли почти вплотную к ней. Тогда она еще прибавила газу; скорость достигла пятьдесят миль в час, когда в конце туннеля появился проблеск света. Долли опустила балаклаву на лицо. Еще раз глянув в зеркало заднего вида и решив, что дистанция между ней и машиной инкассаторов ровно такая, как нужно, Долли ударила по тормозам. Машина инкассаторов врезалась в «лейленд» с такой силой, что ее капот смялся в гармошку. Долли швырнуло вперед, однако страховочные ремни уберегли ее от травм.

Включив первую передачу, она резко послала грузовик вперед, а потом так же резко — назад, так что задний бампер «лейленда» скрылся в складках покореженного инкассаторского автомобиля. Долли услышала скрежет металла, звон бьющегося стекла и затем свист пара, выходящего из лопнувшего радиатора. Ремни безопасности оказались очень кстати. Долли так бросало взад и вперед, что чуть не треснули ребра. Отщелкнув застежку, она схватила приготовленный противогаз и нырнула в кузов грузовика. В противогазе, с обрезом, подвешенным на пояс, с кувалдой в руке Долли встала у задних дверей и пинком распахнула их. В следующий миг кувалда полетела прямо в центр лобового стекла инкассаторов. Армированное стекло даже не треснуло. Тогда Долли вскинула обрез к груди и направила его прямо на двух ошалевших, перепуганных инкассаторов.

— Ни с места! — гаркнула она; из противогаза ее голос звучал низко, искаженно и зловеще.

Инкассаторы подняли над головой руки. Один из них крикнул охраннику в кузове:

— Они вооружены!

В ту же секунду из фургона позади инкассаторов выскочила Ширли и бросила в следующие за ними машины две дымовые шашки. Они сработали на славу: туннель тут же заволокло клубами дыма. Потом Ширли вскарабкалась на крышу машины инкассаторов и припасенными в кармане кусачками перерезала антенну.

Тем временем Линда выхватила из-под пассажирского сиденья обрез и заняла позицию у задних дверей их фургона. Какой-то человек уже выбирался из своего «фиата», но при виде дула, направленного ему прямо в грудь, быстро сел обратно и запер двери, и в этот момент сзади в его машину врезалась другая. Второй водитель попытался дать задний ход, но машина заглохла. Линда подбежала и прикладом разбила лобовое стекло. Женщина, сидящая за рулем, в ужасе закричала и закрыла лицо руками, и Линда без помех вытащила из замка зажигания ключ и зашвырнула подальше. Затем она отступила на начальную позицию и встала там, широко расставив ноги, с обрезом на изготовку.

Вслед за Ширли из фургона выпрыгнула Белла, подбежала к борту инкассаторской машины и завела бензопилу. В фонтане горячих искр пила резала металл словно масло.

У водителей инкассаторской машины от этого звука чуть не лопались барабанные перепонки; сидевший в кузове инкассатор обомлел от ужаса, когда из металла показалось лезвие пилы. Но хуже всего была неизвестность: он не знал, кто стоит с другой стороны, что ему грозит, выживет он или погибнет.

Всего за тридцать секунд Белла прорезала отверстие нужной величины и просунула в него свою винтовку, которую ей подала Ширли. Ей достаточно было качнуть ствол в сторону задних дверей, и инкассатор без единого звука отпер их.

Когда Белла залезла внутрь, перетрусивший инкассатор отпер контейнер с деньгами, после чего Белла заставила его вылезти из машины. Снаружи его ждала Линда — под прицелом ее винтовки он повалился на землю лицом вниз.

Вслед за Беллой в кузов забралась Ширли и принялась резать проволочную сетку внутри контейнера кусачками. Дело шло медленно... Спустя несколько секунд Белла оттеснила Ширли плечом, снова завела бензопилу и одним движением вспорола сетку, открыв наконец доступ к мешкам с деньгами. Ширли стала набивать их в открытый рюкзак на спине Беллы и, как только закончила, хлопнула товарку по плечу.

Из своих машин за происходящим наблюдали испуганные водители и их пассажиры. Место Линды заняла Белла. Не опуская обреза, чтобы держать публику и инкассаторов в страхе, Линда тяжело дышала, плотная маска липла к взмокшему лицу. Пока Ширли наполняла ее рюкзак, Линда чувствовала, как каждый мешок с деньгами пригибает ее к земле. Потом Линда набила деньгами рюкзак Ширли.

Когда Линда и Ширли выпрыгивали из инкассаторской машины, рюкзак последней зацепился за дверной запор, и Ширли повисла, как тряпичная кукла, болтая ногами. К ужасу Ширли, Линда этого не заметила — она уже мчалась к выходу из туннеля со стороны Стрэнда. К счастью, рядом была Белла. Как только она освободила Ширли, обе девушки побежали вслед за Линдой — так быстро, как только могли с третью миллиона за спиной.

Все это время Долли стояла на своем посту за грузовичком из прачечной. Ее сердце билось как сумасшедшее. Вот мимо нее пронеслась Линда, потом Белла. Долли выглянула из-за грузовика и увидела, что за Ширли гонятся двое мужчин. Один изловчился и прыгнул на нее, повалив на землю. Вата, которой был набит комбинезон, смягчил падение, но Ширли подвернула лодыжку.

Быстрее молнии Долли выскочила из-за «лейленда» и выстрелила вверх. Оба самодеятельных героя распластались на асфальте и закрыли голову руками под дождем плитки, посыпавшейся с потолка туннеля. Острый осколок попал в шею одному из мужчин, и он завопил, испугавшись, что в него попала пуля.

Ширли поднялась и неуклюже побежала к выходу из туннеля. Она сумела сделать всего несколько шагов, когда поняла, что с ногой проблема, и от боли у нее закружилась голова. Но девушка все равно двигалась вперед не оглядываясь.

Долли посмотрела на хаос, который они оставляли после себя, и возблагодарила небеса за то, что никто серьезно не пострадал. Никогда в жизни она так не боялась. Случайные свидетели скрючились на сиденьях своих машин, инкассатор из кузова и два героя из публики так и лежали на асфальте лицом вниз. Власть над ними всеми опьяняла, но нужно было убираться отсюда как можно скорее.

Долли перевела взгляд на Ширли. Оказалось, девушка ушла совсем недалеко, поскольку не могла наступать на поврежденную ногу. Линда и Белла уже скрылись из виду. Инкассаторы, сидевшие в кабине, понемногу приходили в себя и открывали двери, чтобы выйти из машины. У Долли еще оставался патрон в ее двуствольной винтовке, и она, заскакивая в кузов «лейленда», выстрелила куда-то над крышей машины инкассаторов. Двое водителей пригнулись и помчались по туннелю в ту сторону, откуда приехали.

Линда и Белла добрались до припаркованного неподалеку фургона с логотипом муниципального спецтранспорта на борту, но Ширли так и не показалась из туннеля. Девушки бросили рюкзаки в кузов, и Белла залезла туда же, а Линда села за руль и завела двигатель. Сначала Белла подумала, что Линда намерена уехать, не дожидаясь Ширли, но та крикнула: «Держись крепче!» — и безумным маневром бросилась наперерез потоку машин, чтобы развернуться. Машины уворачивались, вылетали на тротуары, сталкивались между собой, а Линда переехала через островок безопасности и понеслась обратно в туннель. Увидев, как из темного проема туннеля на свет ковыляет Ширли, Линда рванула на себя ручной тормоз, и фургон юзом сделал разворот на сто восемьдесят градусов, так что задние двери оказались прямо перед Ширли. Белла распахнула их и втащила подругу внутрь. Скрежетали подшипники, горела резина — Линда давила на газ.

Долли на грузовичке ехала следом за Ширли, готовясь подобрать ее, когда увидела, как девушку приняла в свои объятия Белла. Они в безопасности! Долли прибавила скорость и поехала в том же направлении, что и девушки, едва успевая лавировать в той неразберихе, которую устроила на дороге Линда.

Вдалеке послышался вой сирен. Долли поняла, что не все так безоблачно, как ей показалось. Все-таки из-за Ширли она выехала из туннеля с задержкой. Значит, теперь или никогда! Приметив переулок, Долли немного сбавила скорость, схватила сумку, открыла дверцу и прямо на ходу выпрыгнула.

«Лейленд» повилял, оставшись без водителя, выехал на тротуар и врезался в витрину. Стеклянные осколки обрушились внутрь, и две продавщицы выскочили из магазина как ошпаренные. Долли стянула противогаз и перчатки, зашвырнула в мусорный бак и побежала по переулку. Приближаясь к перекрестку с оживленной улицей, она перешла на шаг в расчете восстановить дыхание до того, как смешается с толпой пешеходов. Лыжную маску она опять закатала так, чтобы получилась обычная шерстяная шапочка. В таком виде Долли почти спокойно вышла из переулка и направилась к подземным туалетам недалеко от Музея транспорта в Ковент-Гардене.

Линда проехала по Кингсвей и потом повернула налево, в боковую улочку, ведущую к многоэтажному гаражу. Недалеко от Ковент-Гардена, где было относительно малолюдно, она остановила фургон. Линда и Ширли отдали Белле свои балаклавы, и она сложила их вместе со своей в мешок для мусора. Потом Белла выпрыгнула из кузова и, убедившись, что никто не смотрит, сорвала с борта фургона наклейки с логотипом спецтранспорта, разорвала пополам и засунула в мешок. Затем Белла сняла два поддельных номера, под которыми были установлены настоящие, и отправила их вслед за наклейками, после чего затянула на мешке завязки и выбросила в контейнер для сбора мусора. Вокруг было всего несколько человек, и никто из них вроде бы не обратил внимания на ее действия. «Слава богу, что вы все заняты своими делами», — подумала Белла, запрыгивая обратно на свое место в кабине рядом с Линдой.

Ширли лежала в кузове посреди рюкзаков и горько плакала. Белла обернулась к ней и, потянувшись, взяла девушку за руку. Легонько сжав ее пальцы, Белла сказала:

— У нас получилось, Ширли. У нас все получилось!

———

К тому времени, когда она дошла до туалетов, Долли едва держалась на ногах. Хватаясь за металлический поручень, она спешно спустилась по ступенькам, направилась в одну из кабинок и села на крышку унитаза. С нее градом лил пот, а сердце билось так, что Долли опасалась сердечного приступа. Постепенно она смогла отдышаться, зато закружилась голова, и Долли пришлось опереться о стенку кабины, чтобы не упасть в обморок. Она закрыла глаза и сосредоточилась на дыхании. Тело ее расслаблялось, но в мозгу билась бешеная, восторженная мысль: «Я справилась! БОЖЕ, ГАРРИ, У МЕНЯ ВСЕ ПОЛУЧИЛОСЬ!»

Глубокие медленные вдохи и выдохи наконец подействовали. Когда пульс пришел в норму, Долли встала и сняла балаклаву, комбинезон и кеды. Под комбинезоном у нее уже были надеты брюки и черный джемпер. Из сумки Долли вынула туфли, тонкую куртку до талии и шарф. Переодевшись, она достала со дна сумки женскую сумочку и повесила ее через плечо, потом посмотрела на часы. Оставалось только молиться и надеяться, что остальные целыми и невредимыми добрались до многоэтажной парковки. Долли хотелось пойти туда прямо сейчас, ведь до парковки было рукой подать, но надо было следовать плану.

Линда уверенно въехала на трехэтажную парковку, но все ее мысли были о том, сумела ли Долли вовремя скрыться из туннеля. Белла заметила озабоченность на лице Линды.

— Не трать попусту нервы, с Долли все в порядке. Она тертый калач.

Девушка улыбнулась. Порой кажется, что Белла умеет читать мысли.

Высадив Ширли на первом уровне около ее «мини», Линда припарковала фургон рядом с машиной Долли на верхнем этаже и вместе с Беллой перегрузила рюкзаки, набитые деньгами, в багажник «мерседеса». Обе женщины напоследок взглянули на деньги.

— Мы так ее доставали, Белла, — сказала Линда. — И вот мы тут, со всеми деньгами. Что мешает нам сложить их не сюда, а в мою машину? Она ни разу в нас не усомнилась, и мне...

Белла захлопнула крышку багажника:

— Она в курсе.

Открыв багажник «капри», они достали из своих чемоданов приготовленную одежду и пошли по лестнице в женский туалет на первом этаже, чтобы переодеться. Ширли нигде не было видно, поэтому и Линда, и Белла решили, что девушка выбросила комбинезон и ушла в той одежде, которая была на ней под костюмом.

Когда к Долли вернулось ее обычное самообладание, она вышла из туалета. По счастливому стечению обстоятельств в пробке застрял мусоровоз, и Долли, будто случайно проходя мимо, неприметно закинула в кузов сумку с комбинезоном и балаклавой. Вдоль Джеймс-стрит она направилась к ближайшей станции метро, где уже было не протолкнуться от спешащих на работу людей. Долли купила проездной на день и стала медленно спускаться по длинной лестнице вниз, к платформам. Как хорошо, что наконец можно никуда не спешить.

За полминуты Линда переоделась и была готова двигаться дальше, хотя руки у нее тряслись так сильно, что она размазала помаду по щеке, и ей пришлось дважды все стирать и начинать заново. Перед тем как расстаться, Линда и Белла крепко обнялись. Белла в модном пальто и шляпке вышла из гаража с чемоданом в руке и на главной дороге остановила такси.

— Аэропорт Лутон, пожалуйста, — сказала она, усаживаясь.

Таксист не мог поверить своему счастью.

— Как я рад уехать из города, мисс! — воскликнул он. — Утро было ужасное! Что-то случилось в туннеле под Стрэндом, скопились дикие пробки...

Через две остановки Долли вышла, пересекла платформу и села на электричку, идущую обратно в Ковент-Гарден. На выходе она постояла перед крутой лестницей и решила, что поедет на лифте. На сегодня хватит с нее физической нагрузки. На улице Долли неспешно зашагала в сторону парковки, время от времени останавливаясь перед витринами. Мимо проезжали полицейские патрули, а все остальное движение застопорилось. Однако Долли это не волновало. Теперь ей не нужно мчаться в укрытие. Она всего лишь одна из женщин, делающих покупки.

Выезжая с парковки, Линда заметила на первом уровне машину Ширли, остановилась и вышла посмотреть, что стряслось. Ширли сидела на водительском месте, по-прежнему в комбинезоне, скорчившись от боли. Линда открыла дверцу. Дело плохо. Ширли давно уже пора было выехать в сторону аэропорта. Она может опоздать на самолет.

— Соберись, подруга, — сказала Линда. — Понятно, что тебе больно, но нужно потерпеть. Хотя бы сними комбинезон, а в аэропорту, если успеешь, заскочишь в туалет и переоденешься.

Ширли с трудом вылезла и стояла, опираясь о крышу своего автомобиля, пока Линда стягивала с нее комбинезон.

— Я сама его выкину, — сказала Линда, засовывая комбинезон в пакет. — Тебе нужно спешить. Нам надо действовать по плану.

Ширли села обратно за руль, открыла бардачок и вынула косметичку.

Линда засмеялась:

— Что бы ни произошло, ты всегда должна выглядеть идеально!

Ширли слабо улыбнулась сквозь слезы.

Вернувшись к «капри», Линда завела двигатель и уехала.

На подходе к парковке Долли увидела, как из ворот выезжает «капри» Линды и скрывается за поворотом. Долли так обрадовалась, что едва не бегом поднялась по лестнице на верхний этаж. Подойдя к своему «мерседесу», она открыла багажник — там были аккуратно сложены все три рюкзака. Долли села внутрь, достала из бардачка парик и темные очки и во второй раз за день сменила внешность.

Когда она покидала парковку, то чуть не врезалась в «мини» Ширли: тот выскочил с парковочного места, остановился, потом снова дернулся вперед и ударился о стенку бампером. Долли резко затормозила, выпрыгнула из машины и бросилась к Ширли. Девушка с мокрым от слез лицом уже опустила окно и, не дожидаясь вопроса, простонала:

— Моя лодыжка... Я не могу выжать сцепление. Мне так больно. Не знаю, что...

Долли недослушала. Распахнув дверь «мини», она помогла Ширли выйти и довела ее до «мерседеса». Там она первым делом опустила переднее пассажирское кресло и протолкнула Ширли вглубь салона. От боли девушка вся скрючилась.

— Там есть плед, накройся с головой. И поторопись! Где твой билет? — спросила Долли.

— В сумочке под креслом...

Долли побежала к «мини», нашла сумочку и бросила ее на заднее сиденье рядом с Ширли.

— Ключ, ключ, Долли! Он остался в зажигании. И мой чемодан — как быть с чемоданом?

Долли захлопнула пассажирскую дверцу, а сама быстро села за руль.

— Чемодан уже не поместится, и нам надо спешить. Укройся пледом и молчи.

Ширли, всхлипывая, скрылась под пледом, и Долли стала думать, как добраться до аэропорта. В Ковент-Гардене повсюду, не стихая, выли полицейские сирены; дороги были перекрыты. Видимо, в Лутон им быстро не попасть — и в любом случае в аэропорту им вместе лучше не показываться, даже если Долли только высадит Ширли на стоянке. Придется ехать домой к Долли и там уже решать, что делать.

Без четверти десять Долли наконец вырулила на Тоттеридж-лейн. Тут было пусто, за исключением нескольких припаркованных машин. С колотящимся сердцем она свернула на свою подъездную дорожку. Перед тем как выйти из машины и открыть гараж, Долли шепнула Ширли, чтобы та не вылезала из-под пледа и сидела тихо. Ширли, закутанная с головой, не имела ни малейшего понятия, где она находится.

Когда стены гаража спрятали их от посторонних глаз, Долли открыла пассажирскую дверцу и опустила спинку кресла.

— Мы в моем гараже, милочка. Теперь можешь выходить.

Но едва Ширли вылезла из машины, послышалась полицейская сирена, и обе женщины замерли. Сирена звучала все ближе, ближе...

— О боже мой, это полиция, Долли! Они нас поймают! Что нам делать? — запричитала Ширли, и с каждым словом ее голос становился все тоньше и жалобнее.

Справившись с желанием отвесить Ширли пощечину, Долли аккуратно прикрыла ей рот своей ладонью.

— Ш-ш-ш! — шикнула она на девушку.

Через крошечное окошко в двери гаража Долли увидела, что полицейская машина, мигая синим маячком, подъехала прямо к ее дому. Из машины вышли два копа в форме и два в штатском. Одного из них Долли узнала: это был детектив-сержант Фуллер. Она поспешно вернулась к Ширли и вновь заставила ее лечь на заднее сиденье «мерседеса».

— Накройся с головой, молчи и не шевелись, — прошептала Долли, сняла парик и темные очки и сунула под плед.

Потом она отперла дверь, ведущую из гаража на кухню. «Думай, думай», — подгоняла она себя. Сняв черный джемпер, Долли бросила его в корзину с грязным бельем в кладовке, а из корзины достала халат, который положила туда днем ранее. Со своего спального места у двери подскочил и подбежал к хозяйке Вулф. Он запрыгал вокруг ее ног, счастливый, что Долли вернулась. Женщина включила кофеварку. Она пользовалась ей сегодня в шесть утра и знала, что кофе там еще много.

— Не сейчас, малыш, — сказала Долли Вулфу. — Мамочке надо подумать.

Затем она открыла буфет, достала пакет с овсяными хлопьями, высыпала немного в миску, из холодильника взяла бутылку молока и залила овсянку. Долли и не догадывалась, что умеет двигаться с такой скоростью.

Зазвенел дверной звонок. На кнопку нажали и не отпускали палец. Долли готова была держать пари, что звонил тот наглый молокосос Фуллер. К двери с лаем подбежал Вулф и стал бросаться на силуэты, видимые сквозь рифленое стекло.

Долли вскрыла пачку «Ривиты», сделала глубокий вдох, выдохнула и потом откусила кусочек от одного печенья. Звонок не умолкал. Стараясь не волноваться, Долли крикнула:

— Хватит трезвонить, иду уже, иду!

В прихожей она поймала Вулфа, взяла его на руки и только потом открыла дверь. Как Долли и предполагала, звонил Фуллер. Остальные полицейские стояли позади в ожидании приказов.

Даже не потрудившись показать ордер, Фуллер шагнул в прихожую. Он чуть ли не силой затолкал Долли в гостиную. Один из копов пошел по лестнице наверх, а двое других принялись обыскивать комнаты на первом этаже.

— Оденьтесь или накиньте пальто, миссис Роулинс. Вы едете в участок, — велел ей Фуллер.

— Вы не имеете права! У вас даже ордера нет! — отчеканила Долли, размахивая у него перед лицом вытянутым указательным пальцем.

Самодовольно ухмыляясь, Фуллер вытащил из кармана пальто сложенный лист бумаги.

— На что спорим? — с издевкой спросил он и направился из гостиной в кухню.

Там всего одна дверь будет отделять его от гаража. От гаража и от Ширли. Но Долли не могла оставаться с Фуллером — под халатом она была полностью одета, и это будет трудно объяснить.

— Что вам нужно на этот раз? — спросила она, останавливая сержанта.

— Мы вам все скажем в участке, так что одевайтесь поскорее — или хотите поехать прямо в халате?

Долли бегом поднялась к себе в спальню. От страха в ушах шумела кровь. Только бы Фуллер не стал обыскивать «мерседес»! Тогда он обнаружит не только Ширли, но и полные денег рюкзаки! Может, если она будет ругаться и спорить, ее быстрее увезут в участок? Долли стремительно скинула халат, схватила пальто и помчалась вниз — как раз вовремя: Фуллер взялся за ручку двери, ведущей в гараж.

— Что вы себе позволяете? — закричала Долли. — Я добьюсь, чтобы вас уволили! Везите меня в участок немедленно! Поскорее закончим с этим. Пойдемте — или мы вообще никуда не едем?

Фуллер не реагировал на ее крики. Он открыл дверь в гараж и заглянул внутрь. Там было темно, и он стал нащупывать на стене выключатель. Долли в панике крикнула:

— Что ж, прекрасно! — и быстро пошла к входной двери.

Фуллер тут же обернулся ей вслед:

— Куда это вы собрались?

— Выгулять свою собаку! — ответила Долли. — Раз вы никуда сейчас не едете, то я пошла.

Фуллер захлопнул гаражную дверь и бросился за Долли:

— Никуда вы не пойдете, миссис Роулинс, а поедете с нами в участок.

Теперь Фуллер первым шел к выходу, а Долли шагала следом, не прекращая ворчать и возмущаться:

— Мое терпение лопнуло! Чем скорее вы зададите свои дурацкие вопросы, тем скорее я смогу вернуться к своим делам... И раз вы меня увозите, то уж будьте добры, привезите обратно.

Открывая входную дверь, Фуллер сказал:

— Отпустите собаку, пожалуйста. Она с нами не поедет.

Ширли услышала голос Фуллера, когда он открывал дверь в гараж, и, боясь издать хотя бы малейший звук, так сильно впилась зубами в руку, что чуть не прокусила кожу. Девушка лежала и прислушивалась к тому, что происходит. Голоса и шум переместились из кухни на подъездную дорожку.

Долли орала во все горло:

— Если к моему возвращению он обмочит ковер, счет из химчистки будете оплачивать вы лично! — И потом чуть тише: — В какой участок мы едем?

— В самый главный, — ответил Фуллер. — В Скотленд-Ярд.

Ширли потихоньку выбралась из «мерседеса», доковыляла до гаражных ворот и выглянула в маленькое окошко, как делала Долли всего минут десять назад. Пожилую женщину довольно невежливо затолкали в полицейскую машину, и потом все уехали. В наступившей тишине Ширли прислонилась к машине, чтобы отдышаться. Они чуть не попались. Если бы копы прикоснулись к капоту «мерседеса», то поняли бы, что Долли куда-то ездила с утра. Ширли лихорадочно вспоминала все события утра и пыталась сообразить, что делать дальше. Долли только что спасла ее тем, что вызывающе вела себя с полицией... Возможно, у нее самой будут из-за этого проблемы. И самое главное: почему полицейские так быстро приехали к Долли? Почему ее увезли?

После того как полиция уехала, Эдди Роулинс осторожно приподнялся с земли. Ему с утра позвонил Билл и велел ехать к дому Долли и там дожидаться ее возвращения. Когда Грант сказал, что вдова совершает налет по плану Гарри, Эдди чуть не лопнул от смеха. «И как это, черт побери, старой ведьме удалось провернуть подобное дельце?!» Но стоило Биллу упомянуть, что, скорее всего, у Долли тетради Гарри, в которых подробно расписан весь план, Эдди отмел все сомнения.

Глядя, как полицейский автомобиль заворачивает за угол, Эдди соображал, что, черт возьми, ему теперь делать. Как и почему к Долли заявились копы, причем так скоро? Что пошло не так? Эдди чесал щетину на подбородке. Он предположил, что кто-то мог настучать на Долли, но почему тогда полиция не стала обыскивать дом и где мешки с деньгами? Неужели просмотрели? Значит, деньги все еще в доме? Если нет, то где? Эдди ожесточенно хмурил лоб, но принятие решений никогда не было его сильной стороной. Можно поискать телефонную будку и позвонить Биллу, а можно пробраться в дом Долли и посмотреть, не лежит ли там где-нибудь миллион фунтов. Из двух вариантов он выбрал тот, что попроще.

Ширли слышала, как в кухне воет Вулф, огорченный расставанием с хозяйкой, и решилась войти в дом, чтобы утешить песика. Едва она доковыляла до кухни и открыла дверь, как раздался булькающий звук. Подпрыгнув от страха, Ширли огляделась и увидела, что это бурлит кофеварка. «Ох, нервы ни к черту», — подумала девушка. Она нагнулась к пуделю, но Вулф вдруг повернул морду к двери в прихожую и начал тявкать. Ширли старалась утихомирить собаку, но Вулф упорно облаивал закрытую дверь.

Эдди пришло в голову, что он может одним выстрелом убить двух зайцев: заберется в дом, быстренько осмотрится и позвонит Биллу от Долли. И тогда не придется искать телефонную будку.

Фомкой Эдди осторожно и бесшумно выставил стеклянную дверь в гостиной и направился прямо в кухню, чтобы оттуда попасть в гараж. Если Долли в самом деле с утра пораньше ограбила инкассаторов и только что вернулась домой, то деньги должны быть в «мерседесе». Ну, или она скинула их где-то по дороге.

Эдди приоткрыл кухонную дверь на дюйм-полтора, чтобы дать Вулфу время узнать его. Эдди помнил, что и самая маленькая собачонка может превратиться в злобную бестию, если ее напугать. Вулф вроде бы приветственно затявкал. Довольный Эдди полностью открыл дверь в кухню и оцепенел. Возле кофеварки стояла какая-то блондинка. В панике оттого, что его застукали в момент проникновения в дом Долли, Эдди кинулся на девушку: лишний свидетель был ни к чему.

Ширли показалось, что она перенеслась в прошлое, в тот момент, когда на нее набросился Тони Фишер. «На этот раз я тебе покажу, ублюдок», — подумала девушка и с диким воплем замахнулась правой рукой и что есть силы ударила незнакомца.

В молодости Эдди немного боксировал с Гарри. Мужчина поднял левую руку, чтобы защититься от удара, и в то же время выбросил вперед правую руку, попав Ширли в подбородок. Но из-за подвернутой лодыжки девушка потеряла равновесие и повалилась назад прежде, чем ее подбородка в полной мере коснулся кулак Эдди. Поэтому вместо полноценного удара получился киношный трюк. В следующий миг Ширли уже подскочила к обидчику, стала царапать ему глаза и пинать здоровой ногой. Эдди схватил девушку за запястья и развел ее руки в стороны.

— Где деньги, сука? — гаркнул он и, отпустив одну ее руку, ударил Ширли по лицу.

Поначалу Вулф думал, что это какая-то игра, и прыгал вокруг, вставал на задние лапки, тявкал и вилял хвостом. Но злобный голос Эдди, звук пощечины и пронзительный крик Ширли заставили песика понять, что это вовсе не игра. И тогда Вулф вонзил зубы в ногу Эдди. Укус не причинил сильной боли, но стал полной неожиданностью, и в ту долю секунды, когда Эдди отвлекся на собаку, Ширли вырвалась из его хватки. Когда девушка поворачивалась к кухонному столу, Вулф душераздирающе взвыл.

Схватив кофейник, Ширли сняла крышку и вылила все еще кипящую коричневую жидкость на Эдди, стараясь попасть в глаза. Он завопил от боли, потому что горячий кофе обжег ему лицо и шею, кожа покрылась пузырями. Наполовину ослепший, Эдди побежал из кухни в прихожую, по пути врезавшись в стол и опрокинув вазу с цветами.

Ширли слышала, как разбилась ваза, как стукнула входная дверь и как тяжелые шаги Эдди удалялись по гравийной дорожке в сторону улицы. Потом заурчал автомобильный двигатель и растаял где-то вдали. В звенящей тишине Ширли упала на стул и опустила голову в ладони. У нее болела челюсть, ныла лодыжка и кружилась голова. Девушка начала всхлипывать наполовину от страха, наполовину от облегчения. Ширли не знала, что за человек напал на нее, но он искал деньги — значит, знал об ограблении. О, как же ей хотелось, чтобы Долли была рядом!

Утирая глаза, девушка оглядела кухню. Вся стена была забрызгана кофе, капли были даже на потолке у двери в прихожую, но, подумалось Ширли, вряд ли это хоть сколько-нибудь огорчит Долли. Потом вдруг бедняжка поняла, что в доме слишком тихо.

— Вулф? — шепнула она. — Вулфик!

Ширли поднялась со стула. Может, Вулф побежал за тем мужчиной на улицу? Вдруг ее взгляд упал на что-то пушистое в углу кухни. Нет, все было гораздо хуже.

— О нет, нет, нет!.. Боже, прошу тебя, только не это...

На полу неподвижно лежал Вулф. Ширли опустилась рядом с ним на колени, не переставая молиться: «Пожалуйста, пусть он будет жив...» Она прикоснулась к его маленькому телу, но никакой реакции не последовало. Из пасти Вулфа вытекло немного крови. Ширли сидела на кухонном полу рядом с телом любимого питомца Долли и плакала. Поглаживая мягкий белый мех пуделя, девушка поняла, каким утешением было для хозяйки брать песика на руки. И как теперь Долли справится без него? Ей больше некого было любить в этой жизни.

ГЛАВА 31

Арни Фишер налил себе дозу успокоительного, залпом выпил его и громко рыгнул. Смерть Карлоса стала для него тяжелым ударом. И не только потому, что парень Фишеру нравился; беда в том, что поползли слухи и о связи Арни с Карлосом, и о нападении Тони на Ширли Миллер. Арни старался держать брата в узде, но сейчас ему казалось, что со всех сторон подступают проблемы.

Фишера прошиб пот. Больше всего он боялся, что Боксер Дэвис говорил правду о Гарри Роулинсе. Если этот пьянчуга был прав и Гарри Роулинс жив, им с братом грозят серьезные неприятности. Уже много лет Арни сбывал наворованное Роулинсом, и в других сферах бизнеса Фишеров без Роулинса не обходилось. Нет, надо как-то приструнить безмозглого брата.

И ровно в этот момент Тони пинком открыл дверь в кабинет Арни.

— Посмотри-ка... — Он протянул старшему брату свежий номер вечерней газеты. — Первая страница: «Дерзкий вооруженный налет на инкассаторов». — Тони шлепнул газетой по письменному столу. — Сейчас во всех газетах и новостях только об этом и говорят. Четыре человека в масках — и они хапнули какие-то безумные сотни тысяч. Нравится тебе это или нет, но жена этого отморозка Роулинса точно приложила здесь руку. Я еду к ней сейчас же и вскрою сучке горло...

Арни встал и швырнул в брата большим стеклянным пресс-папье, но оно пролетело мимо. Тогда он обошел стол и схватил Тони за воротник рубашки.

— Слушай меня, — яростно заговорил Арни, весь в каплях пота, — нам нужно сдать назад и залечь на дно. Ты уже и так припугнул ее, а я вовсе не желаю, чтобы Гарри Роулинс вскрыл горло мне. — Оттолкнув брата, Арни вернулся в свое кресло, отпер один из ящиков стола и вынул оттуда толстую пачку денег. — Возьми вот это и первым же рейсом улетай в Испанию. Оставайся там, пока я не подам тебе сигнал. На этот раз, Тони, делай, как я говорю, или — клянусь Богом! — с тобой поступят так же, как с Боксером Дэвисом.

Тони ухмыльнулся и спрятал деньги во внутренний карман пальто.

— Ты у нас главный, — только и сказал он.

Голос Арни был тих и грозен:

— Отнесись к этому серьезно, Тони, потому что я пытаюсь защитить тебя. Будь тише воды ниже травы, пока я не скажу. Парни в Испании приглядят за тобой.

Тони всегда знал, когда и как можно возражать брату, но таким непреклонным не видел его еще ни разу. И страх... От Арни буквально разило страхом.

— Хорошо, я сегодня же уеду, — согласился младший Фишер.

— Умница.

Арни проводил брата долгим взглядом. Он надеялся, что Тони послушается совета, потому что и сам Арни собирался последовать за братом в Испанию, как только завершит в Лондоне кое-какие дела. Потом Арни взял в руки газету и просмотрел заголовки. Смерть Гарри Роулинса освобождала Арни и от самого Гарри, и от его знаменитых тетрадей. Если же Гарри Роулинс жив... для Арни это было равноценно пожизненному заключению.

———

Долли сидела в Скотленд-Ярде в помещении для допросов и ждала Фуллера. Она уже пересмотрела стопку фотопортретов разных людей, после чего ее спросили, узнает ли она среди них кого-нибудь из сообщников мужа. Даже если бы она и узнала кого-нибудь, то ни за что не сказала бы об этом копам. Возможно, в противном случае полиция отвязалась бы от нее, но Долли не хотела прослыть доносчицей. Она посмотрела на часы: половина двенадцатого. В надежде досадить охраннице, стоящей у двери, Долли постукивала по полу ногой. Уж очень противное было у той выражение лица и глазки-щелки.

— Как насчет чашки кофе? — спросила Долли.

Ответа не было. Женщина в форме продолжала обсасывать свои зубы.

— Послушайте, Ури Геллер, если будете и дальше так смотреть, у вас наручники погнутся! — съязвила Долли.

И по-прежнему охранница даже бровью не повела.

Долли закурила и опять посмотрела на часы:

— Понимаете, у меня есть собака. И я не успела ее выгулять. Она столько времени одна и уже наверняка вся извелась. Впрочем, я тоже, если на то пошло. Эй! Я к вам обращаюсь! Есть какие-то соображения, сколько меня еще будут тут держать? И вообще, в чем, собственно, дело? — С сигаретой в руке она указала на фотографии, разложенные на столе, небрежно посыпая их пеплом. — Я же вам сказала, что никого из них не знаю. И какое отношение это все имеет к тому цветному парню, за которым вы гоняетесь?

И опять ничего. Долли стала насвистывать мелодию из полицейского сериала Би-би-си «Диксон из Док-Грин».

Сержант Фуллер вошел в комнату для допросов и сел напротив Долли. Пресса сходила с ума. Все хотели знать, что делает полиция в связи с нападением на инкассаторов, есть ли уже подозреваемые и не связано ли это ограбление с недавним похожим налетом, в котором погибли трое преступников. Фуллер пытался узнать хоть что-нибудь у старшего инспектора Сондерса, но тот был в каком-то ступоре. Весь участок превратился в кромешный ад.

Долли затянулась сигаретой.

— Сколько еще мне тут торчать?

Фуллер безразлично посмотрел на женщину и ответил без выражения:

— Сколько понадобится.

Открылась дверь, и вошел старший инспектор Сондерс. Он подозвал к себе Фуллера; они шепотом посовещались прямо у двери. Долли показалось, что речь шла о задержании инкассаторов на тот случай, если налет совершен при их участии, но ей мало что было слышно.

— Прошу прощения, — обратилась Долли к Сондерсу с преувеличенной вежливостью, — мне неловко прерывать ваш разговор, но я уже просмотрела все ваши фотоснимки. Никого из этих людей я не знаю и раньше не видела, поэтому, если позволите, я бы хотела поехать домой, меня там ждет моя собака.

Сондерс подошел к Долли почти вплотную:

— Среди знакомых вашего мужа были темнокожие мужчины?

Долли помолчала, словно пыталась вспомнить.

— Нет, мне ничего об этом не известно.

— Тогда это все, миссис Роулинс, можете идти, — сказал Сондерс, к большому удивлению Долли и негодованию Фуллера, а затем обернулся к охраннице. — Проводите ее, — приказал он.

Когда охранница открыла перед Долли дверь, другой полицейский ввел в помещение водителя инкассаторской машины. На одной стороне лица у него было несколько мелких порезов. Он прошел всего в паре дюймов от Долли, ей даже пришлось отступить, чтобы они не столкнулись.

После ухода Долли Фуллер разложил фотографии перед водителем:

— Есть ли среди этих людей те, которые участвовали в налете этим утром?

Инкассатора била дрожь. Он мог сказать только то, что один из налетчиков, как ему показалось, был чернокожим — судя по цвету глаз под балаклавой. Фуллер с тяжелым вздохом сел и в который уже раз стал показывать портреты преступников, хотя понимал, что это безнадежно. Сотрудник инкассаторской фирмы все еще находился в шоке, а на грабителях были маски.

Долли вернулась к себе на такси, расплатилась с водителем и, едва не приплясывая, пошла к дому. Настроение у нее было чудесное. Открыв входную дверь, Долли окликнула Ширли. Ей хотелось поскорее обрадовать девушку вестью о том, что их ни в чем не подозревают.

— Я в гостиной, — отозвалась Ширли.

И Долли, захлебываясь словами, принялась рассказывать обо всем, что было в полиции, о вопросах, которые ей задавали, о том, что копы связывают налет с кем-то из сообщников Гарри.

— И туда же привели одного из инкассаторов, представляешь, Ширл, в ту же комнату, где была я. Он был от меня на расстоянии вытянутой руки — и ничегошеньки не заподозрил. — Долли глянула на себя в зеркало в золотой раме. — О, какой кошмар у меня на голове! — И рассмеялась. — Копы думают, что один из грабителей был чернокожим... Ха, сегодня всем чернокожим воришкам Лондона придется несладко!

— Это очень хорошо, — тихо произнесла Ширли.

Она сидела, опустив голову так, чтобы Долли не было видно подбитого глаза и поцарапанной щеки. Ширли предстояло рассказать о гибели Вулфа, но она пока не могла собраться с духом.

Долли налила себе большой бокал бренди:

— Хочешь выпить, Ширли?

— Нет, спасибо... Долли, мне нужно кое-что вам сказать...

— Конечно, дорогая. В чем дело, что-то не так? — спросила Долли, но в этот момент зазвонил телефон — два раза тренькнул и умолк. — Подожди, Ширл... — Долли подняла руку. Секунду спустя телефон зазвонил снова. На этот раз Долли сняла трубку.

Очевидно, человеку на другом конце провода было что рассказать. В конце концов Долли сказала:

— Рейс Ширли отменили, поэтому она приедет немного позже. Волноваться не о чем. Хорошего отдыха, милая... Да-да, у нас все получилось. — Долли положила трубку. — Это звонила Линда. Она прошла паспортный контроль, скоро будет в воздухе. Все складывается... — Тут Долли повернулась к Ширли и увидела ссадину в том месте, где перстень Эдди процарапал нежную кожу девушки. Вокруг ссадины набирал цвет синяк.

Отставив бокал на телефонный столик, Долли быстро подошла к Ширли.

— Господи, девочка моя, что случилось? — спросила она и взяла Ширли за руку.

— Кто-то проник в дом... — запинаясь, выговорила Ширли. — Он хотел знать, где деньги...

Долли заметно встревожилась:

— Ты видела нападавшего? — (Ширли кивнула.) — Ты его узнала? Что он тебе сделал?

Девушка замотала головой:

— Почти ничего...

— Деньги... Он нашел деньги?

Ширли подняла глаза на Долли:

— Нет, они все еще в вашей машине.

Поведение Долли сразу же изменилось. Она взяла себя в руки, сосредоточилась и тут же стала самой собой.

— Как он пробрался внутрь? Ты открыла ему дверь?

— Нет! Он сам пробрался через стеклянную дверь на веранду.

Телефон издал три звонка и умолк, через две секунды опять зазвенел, и только после этого, как и в прошлый раз, Долли сняла трубку. Два гудка — для Линды, три гудка — для Беллы, такой код они установили. Белла сообщала, что тоже уже садится в самолет, и хотела узнать, как дела у Долли.

— Все хорошо. Ширли пропустила свой рейс из-за лодыжки. Она сейчас со мной и вылетит к вам дня через два. Отдыхайте! — Долли положила трубку прежде, чем Белла успела задать какие-нибудь вопросы, и налила себе еще бренди.

Ширли повернулась к Долли:

— Клянусь, я никогда не встречала этого человека раньше! Он просто вошел в кухню и пнул... — И все равно ей было не выговорить ужасную новость. Девушка закрыла лицо руками.

Долли опять села рядом и погладила Ширли по колену:

— Так, милая, попробуй успокоиться и рассказать все по порядку. На-ка, глотни бренди. — Долли вложила бокал в ладони Ширли и сама сжала их вокруг округлого хрусталя. — Вот молодец. Ты пока справляйся с нервами, а я выбегу на минутку с Вулфом, пока он не начал поливать комнатные цветы.

Нужно было сказать хоть что-то, прежде чем Долли зайдет в кухню.

— Мне очень жаль, Долли, мне так жаль! — выдавила из себя Ширли, и Долли остановилась. — Он защищал меня от того человека. Укусил его и... Я не видела всего, но Вулф был прямо под ногами, кусался и лаял, а потом... — Ширли залилась слезами.

Она никогда не видела в глазах Долли такого сильного ужаса.

— Пожалуйста, скажи, что с ним все хорошо. — Пальцы Долли нервно теребили край блузки. — Где он?

— Я положила его в корзинку, — всхлипнула Ширли. Следом за Долли девушка прошла на кухню и смотрела, как сраженная горем хозяйка склонилась над неподвижным пуделем. Долли взяла обмякшее тельце, прижала к себе и стала тихонько качать. Он был еще теплый. Голос Долли переполняла боль.

— Мой малыш, о мой бедный малыш!

Минуты две или три она прощалась с Вулфом, а Ширли молча стояла в дверях, боясь пошевелиться. Потом Долли как будто окаменела, тело ее напряглось, рот превратился в жесткую складку. Женщина осторожно опустила Вулфа обратно в корзинку и погладила по шерстке. Потом встала, достала из комода кружевную скатерть и расстелила ее на полу. С бесконечной нежностью, словно младенца, Долли завернула в скатерть тело Вулфа и взяла на руки.

— Похорони его в саду, прямо в корзинке, — попросила она Ширли, — со всеми его мисками и поводками. Все, что увидишь из его вещей, закопай там же. — Долли поцеловала Вулфа в мордочку, отдала Ширли и взяла ключи от машины.

— Куда вы, Долли? Пожалуйста, не оставляйте меня тут одну, — взмолилась Ширли.

— У меня дела, но я ненадолго. Через день-другой мы вместе уедем из страны. Моего малыша не стало, и у меня больше нет причин здесь оставаться. Закрой за мной гаражные ворота.

Долли вышла из кухни в гараж так быстро, что Ширли не успела ничего сказать. Хромая, она доковыляла до корзинки Вулфа, положила туда песика, его миску и поводок, а потом понесла все в сад.

В гараже Долли открыла ворота, подошла к машине и отдалась наконец своему горю. Разрывающая сердце боль была такой же, как в тот день, когда она родила мертвого младенца. Гарри не было с ней в те дни — он уехал куда-то «по делам», а Долли на «скорой» увезли в больницу с преждевременными схватками на восьмом месяце беременности. Долли помнила, как над ней склонилась акушерка с ласковым лицом и подала еще теплое тельце мертворожденного сына. Он был прекрасен, со светлой мягкой кожей, и Долли безутешно плакала, вложив свой палец в его крохотную ладошку. Она безмерно гордилась своим мальчиком за то, что он так сильно и долго боролся за жизнь, и благодарила его за то время, что они были вместе. Долли сказала ему, что он похож на отца и что ей очень грустно расставаться с ним так скоро. Лежать в палате, где другие женщины нежно баюкали своих новорожденных, было пыткой.

Долли не знала, как рассказать о случившемся Гарри. Ведь он так радовался, узнав о ее беременности! Их любовь стала еще сильнее, муж был нежен и страстен, обещал окружить заботой и любовью их сына. Его переполняло счастье при мысли о том, что он скоро станет отцом — отцом мальчика, что было для него предметом особой гордости. Его горе Долли переживала даже сильнее, чем собственное. Она мечтала дать Гарри все, что он ни пожелает, настолько сильна была ее любовь.

О приходе мужа Долли догадалась прежде, чем он вошел в родильное отделение, — почувствовала его присутствие. Она ждала и страшилась этой встречи, не знала, как рассказать об их утрате, но по его печальным глазам поняла, что доктора ее опередили. Гарри не относился к числу тех людей, которые открыто выражают эмоции, однако в тот день было иначе. Они вместе плакали и обнимали друг друга так крепко, что Долли до сих пор помнила, как сильные руки Гарри сжимали ее плечи. И еще она помнила, как он прошептал ей в ухо: «На этом все, Долли. Больше я не вынесу». В тот момент ее надеждам на полноценную семью пришел конец.

Когда они с Гарри вернулись домой, он не занимался своими делами еще много недель, потому что ухаживал за Долли с утра до ночи, пока она не оправилась физически, приносил в спальню еду и питье и даже пытался поддерживать в доме чистоту и порядок — насколько это было в его силах.

Долли прижалась головой к крыше «мерседеса», вспоминая, как Гарри помогал ей пережить их общую трагедию. Однажды он пришел домой с белым пушистым комочком и положил его ей на колени.

— По-моему, нам следует назвать его Вулфом, — сказал Гарри с любящей улыбкой.

Но в его глазах Долли прочитала другое послание: «Он теперь будет твоим малышом. На этом все. Тема закрыта». Это не было жестокостью с его стороны, а всего лишь практичностью. Их жизнь должна была возвращаться в обычную колею, печали и скорби в них не было места.

Долли припомнила, как держала на руках месячного щенка и баюкала, словно младенца. Он сворачивался уютно в сгибе ее локтя и почти сразу засыпал. Вулф был доволен, и она тоже. Но теперь... теперь боль утраты разрывала ей сердце. Звук — не плач, а низкий, глубокий звук тоски и гнева — с трудом вырвался из ее горла. Долли повернулась к стене гаража и с глухим стуком ударила сжатым кулаком по бетону, потом еще раз и еще. Только когда на стене стало расползаться красное пятно от разбитых в кровь костяшек, она осознала свои действия и остановилась. Боль, которая заполонила ее грудь, медленно перетекала в руку и отвлекала Долли от желания отрешиться от реальности и умереть.

ГЛАВА 32

Резник подобрал остатки желтка куском хлеба, обсосал его, а потом проглотил и аккуратно сложил нож и вилку на тарелку. Прихлебывая чай, он оглядывал чистую, прибранную кухню, где грязными были только немытая сковорода и его тарелка. Со второго этажа доносилась композиция ирландского диджея Терри Вогана — это его жена Кэтлин слушала радио. Резник вздохнул. «О боги, надеюсь, я еще не разучился играть в гольф».

Он давно не выходил на поле для гольфа и спустился под лестницу, чтобы отыскать свои клюшки. Резнику пришлось вытащить из шкафа резиновые сапоги, пневматическое ружье и старый пылесос — только после этого он добрался до клюшек, которые, как оказалось, начали ржаветь. И на туфлях для гольфа завелась плесень, но с этим легко будет справиться. Нужно просто оставить их на газете на кухонном столе вместе со щеткой и ваксой, и Кэтлин их почистит. Вся его обувь обычно чистилась именно таким образом.

Резник достал из сумки четыре мячика. Положив набок кружку из-под чая, он потренировался загонять в нее мячик в прихожей на полу. Ни черта не получалось, но пока он стоял так, склонившись и сосредоточившись на клюшке, на его лице мелькала улыбка. Так хорошо было заняться чем-то, помимо работы.

Наверху Кэтлин услышала стук мячиков о стенку в прихожей. Она поджала губы, выждала немного — стук не прекращался — и закричала:

— Джордж! Джордж, что ты делаешь?

Следующий мяч Резник ударил с такой силой, что он залетел прямо в кружку, раскрутив ее и выбив дно.

— Да! — заорал он.

— Джордж!

Кружка перестала вращаться и остановилась так, что Резнику стала видна надпись на ее боку: «Лучший в мире босс». Он получил ее в подарок от тайного Санты семь лет назад. Резник знал, что кружка от Элис, потому что в подарок были насыпаны его любимые шоколадные конфеты. Еще секретарша купила ему большую бутылку его любимого виски. Удивительно, как она умела запоминать случайно оброненные слова. Резник разглядывал некоторое время кружку, потом перевел взгляд на обстановку прихожей. До чего ж тут убого. Кое-где заметна женская рука, но цвета и декор скучные, нелюбимые.

Резник взял клюшку, мячик и пошел на второй этаж.

Кэтлин лежала в кровати с газетой в руках, а на столике сбоку от нее стоял поднос с утренним чаем.

— Я собираюсь перекрасить прихожую, — сказал Резник, положив мячик на ковер и готовясь сделать свой первый удар в спальне.

Кэтлин даже не оторвала взгляд от статьи, которую читала.

— Сначала оденься, — съязвила она и перевернула страницу.

— Я не имею в виду прямо сейчас. Нужно все спланировать.

— Этим ты сейчас занимаешься, да? Планируешь?

— Я решил, что снова буду играть в гольф, — радостно сообщил Резник.

— Свежий воздух тебе не помешает, — ответила жена. — И главное — я хоть немного отдохну от тебя, — добавила она вполголоса.

Резник врезал клюшкой по шарику, и тот ударился о стену, перелетел через комнату, попал в шкаф, отскочил к туалетному столику и приземлился в тапочку Кэтлин.

— Есть! — воскликнул Резник и вздёрнул кверху кулак.

Кэтлин не обратила на это внимания. Джордж просто пытается вывести её из себя. Стоит ему заскучать, и он превращается в дьявола.

— А в какой цвет ты её собираешься красить? Я про прихожую.

— В белый, — наобум ответил Резник.

Кэтлин скажет ему, что это будет за цвет.

— Персиковый был бы неплох, — решила она. — Подойдёт к абажуру, который я купила. А если ты захватишь и гостиную, то персиковый — идеальный фон для наших гардин.

— Значит, в персиковый, — подытожил Резник, абсолютно равнодушный к тому, какого цвета будет прихожая или гостиная, и выудил из тапочки шарик; положил его на ковёр и уже замахнулся клюшкой, когда увидел, что жена смотрит на него поверх очков. Тогда Резник поставил клюшку на пол, оперся о неё, как о трость, и спросил:

— Какие у тебя планы на сегодня?

Кэтлин отложила газету, сняла очки и улыбнулась. Резнику стало не по себе — жена нечасто дарила ему улыбки.

— Полагаю, сначала я буду наводить порядок в шкафу под лестницей. Потом помою посуду после твоего завтрака. Потом, разумеется, буду чистить твои туфли для гольфа, ну а потом, если ты будешь красить, я до вечера останусь у Маргарет. — Кэтлин вернула очки на нос и уткнулась в газету.

Резник поглядел на свою жену, сидящую в их постели. К Элис он испытывал более теплые чувства, чем к этой женщине. Элис добра к нему, она терпимее относится к его дурным привычкам, чем Кэтлин, и всегда стремится сделать ему что-нибудь приятное. Резник уже не мог вспомнить, когда Кэтлин перестала делать что-то приятное для него. Джорджу пришло в голову, что и жена, должно быть, думает о нем примерно то же самое, и ему стало стыдно за то, что он не заметил, как умер их брак. Но стыд быстро рассеялся. Настоящая трагедия крылась в том, что Резнику было все равно.

И вдруг он прыгнул через кровать и включил радио на полную громкость:

— *Расследование вооруженного налета на инкассаторов в туннеле под Стрэндом этим утром идет полным ходом. Известно, что четверо людей завладели более чем миллионом фунтов стерлингов и скрылись. Полиция ищет грузовик «лейленд», участвовавший в налете, и белый фургон муниципальной службы, в котором подозреваемые скрылись с места преступления...*

Сорвав с себя пижаму, Резник стал одеваться.

Гарри Роулинс слушал тот же самый выпуск новостей. Он знал, что журналисты любят приукрашивать факты на потребу публики, и сомневался, что украдено больше миллиона. Вряд ли добыча превышает шестьсот-семьсот тысяч. Но, так или иначе, все равно он не знает, где деньги, и это раздражало. В приступе ярости Гарри смахнул маленький транзисторный приемник со стола, и тот разбился о стену.

Труди вздрогнула. Она обрабатывала лицо Эдди антисептиком у кухонного стола. Места, куда попал кипящий кофе, покрылись волдырями, а красивые наманикюренные ногти Ширли оставили кровавые царапины. При каждом прикосновении влажной ватки Эдди морщился, но ни на миг не сводил глаз с кузена.

Гарри был не в духе. Он закурил сигарету, набрал полные легкие дыма и медленно выпустил его через нос, поглядывая на испуганного брата.

— Гарри, она накинулась на меня, словно дикая кошка. Это что-то невероятное! Я не знаю, что это за фурия и откуда она взялась.

Из рассказа двоюродного брата Гарри точно знал, кто она такая, но предпочитал держать Эдди в неведении. Роулинс посмотрел на дешевые наручные часы у себя на руке, потом опять перевел взгляд на кузена:

— Видок у тебя тот еще. Больно, наверное?

— Очень! Когда я доберусь до этой сучки, так ей всыплю, она еще пожалеет, что на свет родилась!

Труди оглянулась на Гарри. Ей было неприятно, когда мужчины говорили о жестокости, особенно по отношению к женщинам. В это мгновение из спальни донесся детский плач. Гарри, вконец обозленный, мотнул головой, приказывая Труди заняться младенцем, но та продолжала обрабатывать раны Эдди. Тогда Гарри поднялся, отбросил с дороги стул и шагнул к любовнице. Труди все поняла и тут же скрылась в спальне.

— Ты уверен, что копы не нашли бабки? — спросил Гарри, наклоняясь через стол к Эдди.

Кузен шумно сглотнул.

— Думаю, не нашли, Гарри, — нетвердым голосом выговорил он. — Они недолго пробыли в доме, забрали Долли и уехали. Она их костерила на чем свет стоит, и никаких сумок у них в руках не было. Копы вышли из дома с пустыми руками.

Гарри отошел к окну, затушил пальцами сигарету и щелчком швырнул окурок в сторону раковины. Но даже окурок его не послушался — упал на пол, не долетев до цели. Гарри прижался лбом к оконному стеклу и сжал кулаки. До чего же его бесит собственное бессилие! Он привык все и всех контролировать. От прикосновения к холодному стеклу стало немного легче. Налет — мужское дело, и тот факт, что Долли, судя по всему, удалось ограбить инкассаторов, ущемлял мужское достоинство Гарри. Роулинсу хотелось сейчас только одного: добраться до бабок и скрыться. По праву деньги принадлежат не ей, а ему — это же его планы, его записи, его связи, его мозги... А она взяла и присвоила все себе. Потом губы Гарри медленно растянулись в усмешке. Нет, все-таки Долли — настоящий мужик и заслуживает уважения. Он знал, что сейчас в ее крови бурлит чистый адреналин, и надеялся, что супруга сумеет сохранить ясный ум. Все так же прижимаясь лицом к стеклу, Гарри расхохотался. Ширли, мать ее, Миллер! Следовательно, и Линда Пирелли тоже в деле. Невероятно!

Отсмеявшись, вслух Гарри сказал:

— Ох уж эти бабы, да, Эдди?

Кузен понятия не имел, что имеет в виду Гарри, поэтому в ответ только тихо и осторожно захихикал.

Гарри повернулся лицом к Эдди и уселся на подоконник. Он говорил медленно, будто рассуждал сам с собой:

— Копы наверняка обыскали дом. Раз она покрикивала на них, значит бабло уже где-то припрятано. И даже если еще не припрятано, та блондинка, которая ошпарила тебя кофе, скоро расскажет Долли, что кто-то ищет деньги... Ты сильно облажался, Эдди.

Гарри молниеносно пересек комнату и что есть силы ударил двоюродного брата в нос. Тот с воплем упал со стула на пол. Гарри встал над ним словно неистовый, разъяренный гигант. Эдди сжался в ожидании побоев... К счастью, обошлось без них, и кузен облегченно перевел дух, когда Гарри опять вернулся к окну и стал смотреть на улицу. Нос у Эдди распух, в нем пульсировала боль. Мужчина утерся рукавом — на ткани остались следы крови, из чего Эдди сделал вывод, что нос сломан.

— Позови ко мне Билла. И следи за Долли — круглосуточно, — приказал Гарри. — Чтобы она и шагу без тебя не сделала.

— Может, подождать, когда она уйдет из дому, и все обыскать? — предложил Эдди.

Гарри развернулся:

— Разве я это говорил? Я говорил тебе: «Эдди, обыщи дом»? А, Эдди? — (Кузен опустил голову и прикусил язык.) — Твоя задача — следить за ней. Пока она действовала строго по плану — моему плану, поэтому я знаю, каким будет ее следующий шаг. Ей нужно отмыть деньги. В тетрадях названы соответствующие люди, она может обратиться к ним. Но сделает это, только если будет чувствовать себя в безопасности, потому что ей придется рассказать об этих деньгах. Вот тогда мы сделаем наш ход. Если же Долли будет затягивать с этим, я сам навещу ее. — В глазах Гарри мелькнул недобрый огонек.

— Но Долли уверена, что ты погиб!

Гарри улыбнулся:

— Что ж, значит, ее ждет сюрприз. Ну хватит, выметайся отсюда!

Эдди пошел к двери, боясь даже подумать, на что способен Гарри.

— Я не хочу делать ей больно, Гарри, только не Долли. Я не могу. Собаку-то жалко, а уж человека... тем более женщину...

Гарри перебил кузена:

— Что там насчет собаки?

Эдди застыл на месте, проклиная свой длинный язык.

— Когда блондинка набросилась на меня, — забормотал он, — я... я, вообще-то, не видел ничего, но кажется, я наступил на собачонку. Она кусала меня за ноги, блондинка царапала мне лицо. Я ударил блондинку и пнул... то есть она лаяла, лаяла, а потом перестала.

Гарри посмотрел на кузена с такой ненавистью, что Эдди попятился из гостиной и, едва переступив через порог, повернулся, чтобы убежать. Но быстрый как молния Гарри уже схватил кузена за шиворот, развернул к себе и припечатал спиной к стене.

— Так бы и раздавил тебя, червяка! — ощерился Гарри. — Боксера Дэвиса ты убить не в состоянии, а пуделя запросто. В этом вся твоя сущность, Эдди. Помни одно: это ты привел Боксера в тот переулок, это ты поставил его перед машиной Билла. Если Долли начнет ошибаться из-за гибели собаки, если что-то пойдет не так, ты отправишься вслед за Боксером.

От ужаса кузен обмяк и совсем перестал соображать. С чего вдруг Гарри так взъелся?

— Это всего лишь собака, — пролепетал Эдди.

Гарри врезал кузену в живот и прошипел яростно:

— Из-за тебя она сейчас расстроена, а в растрепанных чувствах люди делают ошибки. — И он вытолкал Эдди за дверь так, что тот запутался в собственных ногах и упал на лестничной площадке. Гарри с отвращением смотрел на кузена. — Найди мне Билла. Следи за Долли. И ничего больше.

Дверь с грохотом захлопнулась.

Сжимая голову ладонями, Гарри метался по комнате, словно дикий зверь в клетке. Долли он ненавидел за то, что она преуспела там, где он потерпел фиаско. Гарри хотелось отобрать у жены добычу, чтобы показать, кто здесь босс. Но если Вулф и вправду погиб!.. Гарри ничуть не смущала мысль о том, чтобы выбить почву у Долли из-под ног в момент ее наивысшего триумфа. Но отнимать у жены победу, когда она только что потеряла своего малыша... Гарри не мог справиться с чувством вины, вот почему он чуть не убил Эдди.

Расстаться с Долли он решил еще до неудавшегося налета, и поэтому с такой легкостью отдал свои часы Джимми Нанну. Гарри планировал уехать вместе с Труди и ребенком в Испанию и остаться там навсегда, но для этого нужны были деньги, и немало. В тот злосчастный день, уезжая из кромешного ада, разверзшегося в туннеле под Стрэндом, Роулинс был в полной растерянности: как быть дальше? На его счастье, Долли, слегка помешавшаяся от горя, решила занять место мужа и провернула то самое — его! — ограбление. Гарри оставалось только забрать у нее деньги.

В гостиную из спальни вернулась Труди.

— За что ты его ударил? — спросила она.

Гарри словно не слышал ее. Он молча пошел в спальню. Труди последовала за ним.

— Не надо так уж сильно давить на него, — попросила девушка. — Что, если он пойдет против тебя и выболтает все Долли? Ты подумал, что она тогда сделает?

По-прежнему не отвечая на ее вопросы, Гарри начал расстегивать пуговицы на рубашке.

— Тогда я тебе скажу, что она сделает, — не отступалась Труди. — Свалит куда-нибудь со всеми бабками, только ее и видели.

Гарри пожал плечами, снял рубашку, отбросил ее в угол комнаты и лег на спину с призывной ухмылкой. Сегодня он не желает больше ни о чем разговаривать.

— Пообещай мне, Гарри, что не сделаешь какой-нибудь глупости, — взмолилась Труди, но ее внимание уже было приковано к ухоженному мускулистому телу, а внутри зародилось ответное желание — Гарри всегда так действовал на нее, с самой первой их встречи.

Познакомилась она с Гарри Роулинсом за год до того, как ее муж Джимми Нанн начал на него работать. Однажды Труди в компании Ширли Миллер и других девушек зашла в клуб Фишеров сыграть в рулетку. Гарри был там один, и Ширли, уже знакомая с ним, представила Роулинсу подругу. Труди сразу почувствовала влечение к этому мужчине и стала с ним флиртовать. Ширли предупредила подругу, что Гарри Роулинс женат и вообще не тот человек, с которым следует сближаться. Труди отмахнулась от этих слов: она хотела его, и никакие предупреждения не помешают ей получить желаемое.

Когда Гарри сидел за карточным столом, Труди села рядом и намеренно прикоснулась к нему бедром. Роулинс обернулся — девушка обольстительно улыбнулась. Это возымело должный эффект. Его рука нырнула под стол и стала нежно поглаживать колено Труди, постепенно забираясь по ноге все выше. Девушку охватил невыразимый трепет желания, мучительный и восхитительный одновременно. Она хотела, чтобы этот момент продолжался вечно. Когда Гарри попытался убрать руку, Труди схватила ее и направила себе в промежность. Роулинс пробуждал в ней такую страсть, что она отдалась бы ему прямо там, на карточном столе.

За той случайной встречей последовали дни и ночи страстного секса, в основном в дешевых отелях, на заднем сиденье автомобиля, в лесу — везде, где можно было спрятаться от чужих глаз. Где бы они ни встречались, Труди в его руках была мягче глины.

Девушка помнила лицо Гарри одним особенным вечером в захудалом отеле, когда она сказала, что у них будет ребенок. Сначала он засомневался и спросил, точно ли это не ребенок Джимми. Но Труди заверила его, что этого не может быть — у нее с Джимми не было секса уже больше месяца. Гарри привлек девушку к себе. Он обнимал и целовал ее, а потом положил голову ей на живот. Лица своего любовника в тот момент Труди не видела, но знала, что глаза Роулинса были мокрыми.

После рождения ребенка Гарри сидел в машине перед больницей и ждал, когда от Труди с младенцем уйдет ее муж. Когда наконец настала его очередь, Роулинс осторожно поднялся в родильное отделение. Там он странно притих, будто эти стены напоминали ему о чем-то печальном, но во взгляде его светилось обожание — у него сын, он получил то, чего не смогла ему дать Долли.

Гарри прижал малыша к себе и поцеловал его мягкую шелковистую головку. Вдруг улыбка на его губах превратилась в оскал, глаза сузились в недоверчивом прищуре.

— Почему сюда приходил Джимми? Ведь ребенок не от него? — спросил Роулинс.

— Он этого не знает, — объяснила Труди. — Всю беременность я называла ему другой срок, более поздний. Клянусь тебе, Гарри, это твой сын...

После этого Роулинс больше не высказывал подозрений, однако Труди не смогла забыть, как он, гладя пушок на младенческой макушке, зловеще предупредил: «Если выяснится, что ты солгала, пеняй на себя».

Все мысли и воспоминания улетучились из ее головы, едва Гарри притянул ее к себе на кровать и нащупал под халатиком ее грудь. Потом он посадил Труди верхом себе на бедра, скинул халат с ее плеч, обнажив тело, и улыбнулся. Когда Гарри хотел секса, улыбка до неузнаваемости меняла все его лицо, смягчала глаза. У Труди в голове не укладывалось, что это тот же человек, который всего пару минут назад напугал ее и побил Эдди.

Гарри сел в постели и начал целовать ее шею, медленно опускаясь к груди. Труди обхватила ногами его талию; все ее тело подрагивало от растущего желания и неги. Только с Гарри она ощущала эти приливы эротического вожделения. Он нежно положил ее на спину и покрыл поцелуями каждый дюйм ее кожи. С момента его «гибели» они провели вместе уже несколько месяцев, но это ничуть не уменьшило ее страсть. Стоило Роулинсу прикоснуться к Труди, как в ней просыпалась острая потребность ощутить его внутри себя. Любовью Гарри всегда занимался молча. Секс был невероятно хорош и без слов, но все-таки Труди хотелось, чтобы он сказал, что любит ее, — хотя бы раз.

ГЛАВА 33

Долли пришлось добираться до монастырского приюта в огромной спешке. В пустой класс через несколько минут вернутся с обеда дети. Она обрадовалась, когда увидела, что подаренные ею яркие высокие шкафчики уже установлены и вовсю используются — в отделениях лежали и висели детские вещи, только верхние полки пустовали, до них детям было не дотянуться. Там и будут храниться добытые вдовами деньги, пока не придет время их забрать. Долли решила, что вряд ли найдет стража лучше, чем мать настоятельница.

По пути в монастырь Долли сделала крюк и заехала в гараж. Это было рискованно, но нужно было где-то пересчитать деньги, поделить поровну и разложить по четырем одинаковым сумкам. Из каждой доли она взяла по небольшой сумме и сложила в пятую, маленькую сумку. Это будет их общий кошелек в течение ближайших недель.

Заталкивая тяжелые сумки в четыре разных отделения, Долли запыхалась и взмокла. Пот градом стекал по ее лицу, от него щипало глаза. Каждое отделение — для нее, Беллы, Линды и Ширли — запиралось на свой ключ. Когда все четыре ключа оказались у нее в кармане, Долли принялась заклеивать верх шкафчиков постерами с детскими стишками. По окончании ее работы вообще никто не догадается, что в шкафчиках есть еще одна полка.

Звонок зазвенел, когда Долли оставалось наклеить последний постер. Она быстро окунула кисть в банку и размазала клей по тыльной стороне стихотворения «Little Miss Muffet».

— Добрый день, миссис Роулинс. Вы еще не уехали? — В класс деловито вошла сестра Тереза и удивилась, застав там Долли.

— Я улетаю через пару дней, — бодро ответила она. — И подумала: прежде чем уехать, надо украсить шкафчики постерами с детскими стишками... И тут Долли заметила, что пятая, меньшая сумка с деньгами стоит под столом раскрытая, так что видны сложенные в ней пачки банкнот. — О господи! — вырвалось у нее.

— Вам помочь? — спросила сестра Тереза.

Долли поспешно закрыла сумку и выпрямилась:

— Осталось приклеить всего один постер, я уже намазала его клеем.

Сестра Тереза помогла приклеить последний лист на место, и обе женщины отошли, чтобы полюбоваться результатом трудов Долли.

— Замечательно, миссис Роулинс, вы так добры. Теперь дети с легкостью выучат все эти стишки, — восхитилась монахиня.

Долли улыбнулась про себя. «Получилось идеально, — подумала она. — В верхней части шкафов не видно ни замочных отверстий, ни швов. Никому и в голову не придет, что там есть еще отделения».

Класс наполнился щебетом и смехом детей. Одна прелестная девочка по имени Изабелла обхватила Долли за ногу — она всегда так делала при встрече, при этом почти ничего не говорила. Сегодня эта безыскусная привязанность чем-то напомнила Долли ее маленького Вулфа. Она будет скучать по детям из приюта — и по монахиням с их неизменным великодушием.

Послеполуденные часы Долли провела, помогая Иза-белле и остальным детям выучить алфавит. Она отдавалась этому занятию всей душой, ведь оно будет последним. Работа в приюте — бескорыстная, незамысловатая, благодарная — всегда доставляла ей удовольствие. Детям требовалось от Долли только ее время, а она рада была им поделиться. Да, ей определенно будет недоставать простоты монастырской жизни.

В половине пятого Долли ушла из приюта и направилась в ближайшее туристическое агентство. Там она заказала билет первого класса до Рио на завтрашнее утро. В ответ на вопрос, не нужен ли ей обратный билет, Долли сказала, что пока не знает, как долго задержится в Бразилии. Потом она проехала около мили до следующего агентства и там, назвавшись миссис Ширли Миллер, купила еще один билет на тот же рейс, только на этот раз в экономклассе.

В ожидании звонка Сондерса Резник целый день провел дома — то присядет на минутку, то снова подскочит и забегает по гостиной — и курил одну сигарету за другой. Пепельница в гостиной была переполнена, однако инспектор вдавил туда очередной окурок и сунул в рот новую сигарету.

Он посмотрел на часы. Было уже шесть, из кухни пахло жареной печенкой с беконом — Кэтлин готовила ужин. За весь день телефон зазвонил только раз, и Резник ястребом бросился к нему, но это была Маргарет, партнерша жены по бриджу.

— Прости, Маргарет, — быстро выпалил в трубку Резник, — Кэтлин нет дома. Мне придется повесить трубку, потому что я жду очень важный звонок.

Подошла Кэтлин и забрала телефон из рук мужа. Он с укором взглянул на жену, на что та не обратила ни малейшего внимания.

— Не занимай линию надолго, — только и сказал Резник.

Кэтлин подтолкнула его к кухне:

— Найди себе какое-нибудь занятие, Джордж. Присмотри за сковородой, чтобы печень не пригорела. Ну давай же, иди.

Через пять минут Кэтлин, поговорив с подругой, вернулась на кухню, где Резник вилкой выуживал из печени в соусе кусочки бекона и поедал их. Супруга сердито поджала губы и стукнула его по руке:

— Не ковыряйся в еде! И не ври моим друзьям, будто меня нет дома, когда ждешь воображаемый звонок. — Помешивая печень, Кэтлин видела, что ее слова огорчили мужа, однако не сочла нужным приукрашивать правду. — Ты на пенсии, Джордж. Поезжай в гольф-клуб или покрась прихожую, как и собирался.

У Резника был вид побитой собаки.

— Ох, до чего же ты упрямый! — продолжала Кэтлин. — Взял бы и сам позвонил, раз тебе так хочется.

— Это мое дело. Пусть они мне звонят.

— Нет, это не твое дело, Джордж. Уже нет.

Кэтлин слила из кастрюли с картошкой воду и достала толкушку из ящика. Резник отобрал у нее толкушку и стал яростно давить картофель, вымещая на нем всю скопившуюся за день злость. Кэтлин молча наблюдала за ним. Ей никогда не нравилось, что муж работает в полиции, потому что он не умел оставлять работу в участке. Он приносил ее домой, засевшую в нем занозами, которые болели и зудели, и временами жить с ним рядом было невозможно. «Но, — приходила к неутешительному выводу Кэтлин, — Джордж на пенсии куда хуже Джорджа в полиции». Больно было видеть его таким обиженным и злым, но она больше не желала с ним нянчиться.

Продолжая мять картошку, Резник кричал жене:

— А я говорил им! Я говорил, что эти грабежи связаны. Все задуманы и спланированы одним человеком. Проклятым Роулинсом! Я предупреждал их: нельзя его недооценивать! Это большая ошибка — сбрасывать Гарри Роулинса со счетов.

— Гарри Роулинс! Гарри Роулинс! — закричала в ответ Кэтлин. — Сколько лет я слышу это имя. За все, что в твоей карьере шло не так, ты винил этого Роулинса! А сам ты ни в чем не виноват, так, Джордж? Нет, виноват этот несчастный мертвец.

Толкушка, разбрасывая по кухне комочки пюре, полетела в раковину. Резник помчался в прихожую за плащом и шляпой.

— Выброси наконец все это из головы, Джордж! — кричала ему вслед Кэтлин. — Я не собираюсь кормить и обстирывать тебя, пока ты загоняешь себя в могилу раньше времени, слышишь? Не собираюсь!

— Ну и не надо! — бросил в ответ Резник и захлопнул за собой входную дверь.

Он сел в старую помятую «гранаду» и поехал к дому Роулинсов. Зачем туда ехать, он и сам не знал. Машина словно сама выбирала путь. В глубине души Джордж не верил, что ему позвонят из участка. С чего вдруг? Карьере давно пришел конец; уже который год его мнение ничего не значит. Резник надеялся, что сейчас в участке настоящее светопреставление и что Сондерсу влетит по первое число. При мысли о том, что у старшего инспектора слегка поубавится спеси, Резник злорадно улыбнулся.

Потом ему вдруг пришло в голову, что Сондерс и остальные коллеги могли намеренно избавиться от него, Джорджа, чтобы забрать себе его расследование и всю славу за поимку и арест Гарри Роулинса. Чем больше Резник обдумывал такую вероятность, тем сильнее убеждался в том, что его подозрения верны. Да они с самого начала вставляли ему палки в колеса, потому что хотели поскорее отправить на пенсию! Ну нет, этому не бывать, он еще покажет им. Вот возьмет и раскроет дело сам! «Старый пес еще не подох, — бормотал Резник. — Гарри Роулинса арестую я. Гарри Роулинс мой».

ГЛАВА 34

Эдди сидел за рулем автомобиля Джимми Нанна. В пассажирском кресле рядом с ним похрапывал Билл Грант. Эдди поправил боковое зеркало так, чтобы лучше разглядеть машину, остановившуюся в пятидесяти ярдах позади них. Водитель вышел, закурил сигарету и неторопливо двинулся вперед по противоположной стороне улицы. Судя по всему, этот человек никуда не спешил, и Эдди забеспокоился. Он ткнул Билла в бок:

— Перед домом Гарри бродит какой-то тип. Его лица я пока не разглядел...

— Смотри прямо перед собой, — приказал Билл. — Подвинь свое зеркало так, чтобы мне было видно. Он уже приближается к фонарю, шевелись. — Эдди сделал все, как было велено. — Вот дерьмо! — прошипел Билл, когда лицо неизвестного на мгновение попало в круг света. — Это чертов Резник! Последний срок я мотал из-за него. И у этого ублюдка всегда зудело в заднице насчет Гарри.

— Может, отъехать? — спросил Эдди.

— Нет. Башку-то наклони, чтобы он тебя не увидел.

Резник заметил, как человек в машине поправлял зеркало, однако машина была ему незнакома. Проходя мимо, инспектор остановился и стал рассматривать подошву ботинка, как будто только что наступил на собачье дерьмо. Лицо пассажира он смог увидеть только сбоку, и хотя оно вроде кого-то напоминало, Резник не смог вспомнить, кого именно. Зато водитель на долю секунды повернулся в его сторону, и уж его-то Резник узнал: Эдди Роулинс! Джордж несколько раз перечитал регистрационный номер, чтобы запомнить, и пошел дальше мимо дома Роулинсов, в котором светилось единственное окно — в спальне.

Побродив по кварталу, Резник вернулся на ту улицу, где припарковались Эдди и Билл, сел в свою машину и тронулся с места. За углом он притормозил и записал номер их машины.

— Что ты задумал, Эдди? — прошептал Резник себе под нос. — И на кого ты работаешь? Не на одного ли нашего общего знакомца? — Он вставил сигарету в ухмыляющиеся губы и закурил.

— Нам бы смыться поскорее, а? Он ведь сейчас вернется с другими копами, — заканючил Эдди, как только Резник отъехал.

— И что он сделает? Арестует нас за то, что мы сидим в машине? Схожу-ка я к Гарри, он скажет, что делать. — Билл вылез из машины и потянулся, хрустя суставами. — Не засни, пока меня нет.

— Возьми такси, а то пропадешь неизвестно на сколько.

— Пешая ходьба по прямой — это роскошь, которой я не имел много лет. Не ной. Обратно я приеду на машине Труди.

Эдди почувствовал себя неуютно, оставшись в одиночестве. Но, рассудил он немного погодя, так все-таки спокойнее, чем рядом с человеком, который насмерть задавил Боксера Дэвиса и даже глазом не моргнул.

_____

Купив билеты на самолет, Долли еще заехала в магазин за кое-какими продуктами и только потом, уже по темноте, отправилась к дому. Она так устала, что даже не заметила Эдди, сидящего перед ее домом в машине Джимми Нанна. А когда подъехал Резник, Долли вместе с Ширли находилась в садике за домом.

Две женщины смотрели на небольшой холмик свежевскопанной земли, увенчанный самодельным крестом из бамбука и цветком.

— Я не знала, любил ли он цветы... — сказала Ширли, потому что не смогла придумать ничего другого.

— Он любил мочиться на них, — ответила Долли.

Ширли заметила, как на губах женщины промелькнула тень улыбки.

— Особенно на розы соседей.

— Давайте я стащу для него одну розу? — предложила Ширли.

Долли уставилась на девушку. Та нередко говорила удивительные глупости, но Долли все равно ее любила.

— Нет, милая. Этого цветка вполне достаточно. Спасибо, что позаботилась о Вулфе вместо меня. Я не смогла бы похоронить его.

— Не за что, — сказала Ширли, потом, помолчав немного, спросила: — Можно мне принять ванну? Я вся запачкалась, пока копалась в земле...

К девяти вечера они обе были совершенно без сил. После ванны Ширли переоделась в ночную сорочку и халат, которые одолжила ей Долли. Через узкую щель в занавесках в спальне она проверяла, что делается за окном.

Из ванной вышла Долли и села на кровать:

— Все заперто?

Ширли кивнула:

— Я проверила окна и двери. И приготовила вам молока. — Девушка показала на прикроватную тумбочку.

Долли достала из флакончика в верхнем ящике таблетку и запила ее глотком молока.

— А ты не хочешь принять снотворное? — спросила она у Ширли. — Чтобы лучше спать с больной ногой.

— Да... — рассеянно ответила девушка, все еще глядя на улицу. — Долли, после вашего возвращения я уже в третий раз смотрю в окно и каждый раз вижу у вашего дома «БМВ», только сначала там было двое мужчин, а сейчас остался один. Вы думаете, это полиция или....

Долли встала рядом с Ширли у окна.

— Наверняка полиция, — успокоила она девушку. — Тот человек уже не вернется, можешь не бояться. С нами ведь полиция! — Она не хотела пугать Ширли и поэтому не стала говорить, что машина у дома — не тот автомобиль без опознавательных знаков, который раньше все время там стоял. — Ну все, спать. — С этими словами Долли забралась под одеяло. — Если я не посплю, то умру от усталости. Возьми снотворное и забудь обо всем до утра.

Ширли села на край ее кровати и проглотила таблетку, запивая теплым молоком. На тумбочке она заметила фотографию Долли и Гарри. Они выглядели такой счастливой, любящей парой — Долли в красивом платье и Гарри, неотразимый, в очень дорогом костюме. То были лучшие времена для них обоих.

— Ты сегодня была молодец, — сказала Долли, улыбаясь девушке. — Вела себя храбро и стойко. Я горжусь тобой. А теперь ложись, тебе тоже надо выспаться.

Ширли приподняла стакан, предлагая Долли допить молоко, но та покачала головой и закрыла глаза. Прихлебывая молоко, Ширли смотрела на Долли. Казалось, что прошедший день состарил ее лет на десять, таким утомленным и осунувшимся было ее лицо. Ширли легко прикоснулась к руке Долли и прошептала:

— Храни вас Бог.

Долли на секунду сжала руку Ширли — так крепко, что той стало больно, — и потом отпустила.

Ширли унесла остатки молока в соседнюю спальню и поставила стакан около кровати, на которой ей предстояло провести ночь. Эта комната была больше, чем спальня в ее доме. Стены украшали стильные фотографии Долли и Гарри. Вот они на море, вот на вечеринке, вот с друзьями. Допив молоко, Ширли все продолжала ходить вдоль стен, рассматривая снимки. «Какая чудесная жизнь была у Долли...» — думала она. И вдруг остановилась — ее взгляд зацепился за небольшое фото на туалетном столике. Ширли схватила его и с колотящимся сердцем побежала обратно в спальню Долли.

— Проснитесь! — тревожно зашептала она, включила настенное бра и затрясла Долли за плечо.

Долли не сразу вынырнула из сна, но едва приоткрыла глаза и увидела панику на лице Ширли, как тут же пробудилась.

— Кто этот человек в центре, который обнимает вас с Гарри? Кто это? — Дрожащими руками Ширли протягивала фото.

Долли протерла глаза и спросонок секунду или две пыталась сфокусировать взгляд.

— Это Эдди, — ответила она. — Эдди Роулинс, кузен Гарри. А что?

— Это был он, Долли! Это он вломился сегодня в ваш дом, набросился на меня и убил Вулфа.

Долли села в кровати и выхватила фотографию из рук Ширли:

— Ты уверена?

— Я же не придумала это сама, Долли! Клянусь, это был он! Я знаю, что это был он. Вулф сначала вел себя так, будто пришел кто-то из своих, а он и есть свой. Что, если это он сейчас сидит в машине у дома? Что, если он вернется?

Долли взяла Ширли за руку:

— Нет, он не вернется. Ты его как следует напугала. Деньги в безопасности. Мы в безопасности. Перед домом в той машине — полицейские, я ведь тебе уже говорила. Верь мне, Ширли. Ты же мне доверяешь?

Ширли кивнула. Она доверила бы Долли свою жизнь.

Долли отвела девушку обратно в гостевую спальню, уложила в постель и подоткнула одеяло:

— Я позабочусь о тебе, милая. О тебе, Линде и Белле. Не переживай так сильно, прошу тебя. Я знаю, для тебя все это очень необычно, а я долгие годы жила на нервах, поэтому верь мне, когда я говорю, что все будет в порядке. — Выключив бра над кроватью, она посидела рядом с Ширли, пока та не заснула.

Потом Долли вернулась в свою комнату и взяла в руки фотографию, обнаруженную Ширли. С ней она подошла к окну, приоткрыла занавеску и посмотрела на стоящую внизу машину. Ночная тьма не позволяла разглядеть, кто в ней сидит, но Долли умела ждать. В конце концов мимо проехал другой автомобиль и на миг осветил лицо человека за рулем. Словно ледяная стрела пронзила сердце Долли.

— Ах, Эдди! — ахнула она. — Глупый, глупый Эдди!

На глазах у Долли выступили слезы, но в мозгу уже шла напряженная работа. Эдди слабак и не способен действовать самостоятельно. Не могло быть и речи о том, чтобы он по собственной инициативе вломился в ее дом, напал на Ширли и затоптал бедного Вулфа.

— Кто же дергает тебя за ниточки, Эдди? — прошептала Долли, но уже знала ответ, хотя и боялась себе в этом признаться.

Золотая зажигалка в квартире Джимми Нанна.

Жестокая расправа над Боксером Дэвисом.

Появление в гараже Билла Гранта, который знал, кто она такая.

Эдди, орудующий внутри и снаружи ее дома по чьему-то приказу.

Долли села на край кровати и сжала руками свою усталую, полную спутанных мыслей голову.

— Это был всего лишь слух, — попробовала она убедить саму себя. — Я его придумала. Это неправда. Это не может быть правдой!

Но при всей своей невозможности, чудовищности, унизительности найденный ответ прочно засел у нее в голове.

— Нет, нет, нет! Я видела твои часы.

О сне можно было забыть. Теперь она не сомкнет глаз до утра, а сердце будет болеть, словно зажатое в тисках.

— Но я же видела твои часы, — выкрикнула Долли в темноту. — Я видела твои часы!

ГЛАВА 35

Кэтлин Резник проснулась оттого, что на первом этаже топал Джордж. Она взглянула на будильник: почти полночь. Должно быть, заявился пьяный и теперь расхаживает по дому с виски в одной руке и сигаретой в другой. Так было, когда в газетах написали о его отстранении от следствия. В тот раз Джордж напился до того, что заснул с зажженной сигаретой и чуть не спалил дом.

Накинув халат, Кэтлин спустилась с намерением отчитать мужа. В гостиной плавали клубы дыма. Кэтлин открыла было рот, но Резник поднял руку, останавливая ее. Он говорил по телефону: трубка зажата между плечом и ухом, в руках Резник держал блокнот и ручку. И нет, он не был пьян — напротив, собран и энергичен, как никогда.

— Да, это старший инспектор Сондерс из Скотленд-Ярда. Я проводил наблюдение, и мне нужно знать, кто владелец автомобиля с номерами, которые я вам только что назвал. Это очень срочно.

Что это Джордж затеял? Кэтлин сквозь дым подошла к мужу и встала рядом, сложив на груди руки. Ясно одно: он делает то, что делать не должен.

— Простите, как? Джеймс, а дальше? Нанн... И адрес? — Резник записывал информацию в блокнот. — Благодарю, констебль. Вы очень любезны. — Джордж повесил трубку, отложил блокнот и открыл телефонную книжку.

— Ты зачем выдавал себя за Сондерса? — строго спросила Кэтлин.

Резник листал телефонную книгу.

— Мне нужно было проверить одну машину, и я позвонил в ближайший участок. Не свою же фамилию называть, сама подумай. Слушай, а где домашний телефон Элис? Мне казалось, он должен быть у нас в телефонной книжке.

Кэтлин всплеснула руками:

— Ты не можешь звонить бедной женщине посреди ночи!

Джордж поднял на жену жесткий и холодный взгляд:

— Могу! Элис — единственный человек, кому я могу позвонить в любое время суток. Так что неси свое неодобрение обратно в кровать и не мешай мне выполнять мою работу.

Наконец номер Элис нашелся, и Резник снова взялся за трубку.

Кэтлин окончательно рассердилась и пошла на второй этаж.

— У тебя нет работы! — прокричала она сверху.

В телефонной трубке раздавались длинные гудки. В ожидании ответа Резник взглянул на часы. Может, жена все-таки права... но дело не терпит, это слишком важно.

— Элис?

— Что случилось? — Разумеется, Элис не злилась на то, что он разбудил ее в первом часу ночи. Она беспокоилась, не попал ли Резник в беду.

— Все в порядке, Элис. Послушай, сделай для меня кое-что завтра утром.

Элис сидела за туалетным столиком с ручкой в одной руке и с телефоном в другой. Записывая инструкции

Резника, она увидела свое отражение в зеркале. Боже, как она похожа на мать! На лице толстый слой крема, ночная рубашка отпугнет любого мужчину. Элис мысленно поблагодарила небеса за то, что Резник позвонил, а не зашел к ней.

— Смотри не попадись, Элис! Кроме тебя, мне некого больше попросить о таком одолжении. Ты поможешь мне?

Элис опять посмотрела на некрасивую женщину в зеркале и улыбнулась ей:

— Конечно, сэр, я вам помогу.

ГЛАВА 36

Билла в квартиру впустила Труди, и теперь он ждал, когда к нему выйдет Гарри. В убогой квартирке все пропахло детскими пеленками. Грант все еще морщился от неприятного запаха, когда из спальни, заматывая на себе полотенце, вышел Гарри.

— Я подумал, что стоит зайти к тебе, сообщить последние новости, — ухмыляясь, пояснил свой визит Билл. Его весьма забавляла мысль, что, возможно, он прервал интимные утехи Гарри и Труди. — Долли дома, — продолжил он. — Она приехала, когда уже стемнело, и с тех пор не выходила. Я звонил Чесоточному Рэю; пока не слышно о том, чтобы Долли пыталась куда-то пристроить деньги, но он еще поспрашивает.

Гарри приложил палец к губам и первым двинулся на кухню. Дождавшись, когда Билл тоже туда войдет, он плотно прикрыл дверь и поставил на плиту чайник.

Потом Гарри подытожил результаты дня:

— Когда она вернулась из полиции, блондинка рассказала ей о визите Эдди... Надеюсь, Долли не вычислит моего безмозглого родственничка. Вряд ли блондинка и Эдди встречались раньше, так что будем считать, что тут мы не засветились. Но потом, как ты говорил, Долли куда-то уезжала, да? — (Билл кивнул.) — Уверен, она ездила прятать деньги. — Гарри усиленно размышлял. — Но куда? Где она могла их оставить?

Билл переступил с ноги на ногу. Ему осточертела вся эта волокита. Он не мог взять в толк, почему Гарри не разрешает ему пойти к Долли и вытрясти из нее всю информацию.

— Тот коп Резник зачем-то приезжал, побродил вокруг дома, — добавил он. — Был один, надолго не задержался.

Гарри рассмеялся:

— Насчет него не беспокойся. Этот идиот способен раскрыть разве что кражу леденцов в киоске. — Он вручил Биллу чашку чая и в задумчивости стал мерить кухню шагами. — Если к шести утра ничего не изменится, приезжайте сюда за мной, и мы втроем зайдем в дом. Я разберусь с Долли, а вы с Эдди проследите, чтобы блондинка не подняла шум. Думаю, Эдди не прочь с ней встретиться еще разок после того, что она сделала с его лицом.

— Хочешь знать, что я думаю? — Билл отпил чая. — Нам уже давно следовало забраться в дом и взять причитающееся нам по праву. А так мы проваландались неизвестно зачем и дали твоей бабе время припрятать бабки...

Билл еще говорил, когда Гарри, завязав покрепче полотенце, подскочил к нему, схватил за шею и с размаху прижал к стене. Гарри уже знал мнение Билла. Ему давно было известно, какие мысли возникают в этой прогнившей насквозь башке.

— Решения здесь принимаю я, слышишь? А ты просто делаешь, как я скажу!

Билл стоял, понурив голову, прижатый к стене, отведя руку с чашкой в сторону, чтобы не облиться. Он не боялся Гарри. Если дело дойдет до рукопашной, то шансы одолеть Роулинса у него все же были, пусть и небольшие. Но Гарри — босс, и Билл уважал это. Из них двоих именно Гарри имел деньги и мозги, репутацию и могущество. У Билла ничего этого не было, поэтому он и молчал, потупив взор. Грант предпочитал жить в тени, однако сведущие люди были наслышаны о нем как о надежном исполнителе. Работу он делал быстро и без шума, ради этого его и нанимали. Билл никогда ни на кого не стучал и стучать не будет. В тех трех случаях, когда он по поручению Гарри вправлял отдельным личностям мозги, никакой связи между происшествиями и Роулинсом не обнаружилось. Сдержанность такого рода дорогого стоила, и Гарри хорошо платил.

Едва Гарри отпустил Билла, как в кухню заглянула Труди с плачущим малышом на руках. Гарри, еще на взводе, накинулся на нее с бранью.

— Какого черта тебе здесь надо?! — рявкнул он, догадываясь, что девушка подглядывает за ним.

Билл воспользовался моментом и смылся. Труди испуганно заморгала:

— Просто хотела сделать себе чая и дать малышу молока, вот и все.

Резник наблюдал за домом, где жил Джимми Нанн. Инспектор поставил машину почти напротив, но позади нескольких припаркованных на ночь автомобилей и в результате имел отличный обзор, невидимый для обитателей убогого жилища. Резник увидел, как из подъезда Нанна вышел человек, и узнал в нем пассажира из машины, стоявшей перед домом Долли Роулинс.

Когда человек проходил под уличным фонарем, Резник сумел хорошо рассмотреть его.

— А ведь я тебя знаю, — прошептал он, тыча указательным пальцем себе в лоб, словно заставлял мозг напрячься и вспомнить имя. — Кто же ты такой?

Человек сел в старенький «форд» и тронулся с места. Резник решил поехать за ним, и вскоре они оказались в окрестностях дома Долли Роулинс. Резник затормозил перед последним поворотом, поскольку не был уверен, каким будет следующий шаг этого странно знакомого ему мужчины. Сначала надо понять, кто он, этот приятель Эдди Роулинса.

Думай, думай, думай...

Резник закрыл глаза и стал мысленно перебирать всех преступников, которых арестовал за годы службы. Иногда он тряс головой в досаде, что в очередной раз зашел в тупик. Наконец его глаза широко открылись.

— Черт! Грант! — выдохнул он.

Резник тер ладонями лицо, пока в его мозгу кипела работа. Что, черт возьми, происходит?! Эх, сейчас бы обсудить все с кем-нибудь. Как ни странно, Резник понял, что ему не хватает Фуллера. Конечно, сержант — самодовольный карьерист, но при этом толковый коп, который умеет слушать. Этим он отличается от Эндрюса, предел способностей которого — дорожный патруль.

— Итак, — сказал Резник, словно рядом сидит Фуллер. — Билл Грант. Почему он следит за домом Гарри Роулинса? Почему у него машина Джимми Нанна? Как он познакомился с Эдди Роулинсом? На кого-то ты работаешь, Билл Грант?.. Уж я тебя знаю. Ты соглашаешься замарать руки только ради больших денег.

Эх, сейчас бы вызвать подмогу, чтобы следили за домом; забрать бы Эдди Роулинса и Билла Гранта в участок, а потом нагрянуть с обыском в квартиру Джимми Нанна...

В этот момент из-за угла выехал «форд». Резник пригнулся, а когда машина проехала, быстро выпрямился и успел заметить, что теперь за рулем сидит Эдди Роулинс. Значит, Билл Грант остался перед домом Долли Роулинс в «БМВ» Джимми Нанна. То есть за домом ведется постоянное наблюдение: две машины, два человека, исполняющие указания босса. Но кто этот босс? На кого они работают? Разумеется, в глубине души Резник уже знал ответ на эти вопросы.

_____

Не в силах сомкнуть глаз, Долли отправилась в гостевую комнату, где спала Ширли. Из окна этой комнаты было лучше видно улицу. Под домом в «БМВ» сидел Эдди Роулинс. Долли требовалось убедиться, что это действительно он вломился в ее дом утром.

Она потрясла Ширли за плечо, но та не шелохнулась. Тогда Долли стянула с девушки одеяло.

— Эй, Ширли, просыпайся, — громко сказала Долли.

Наконец девушка могла приоткрыть глаза, и Долли помогла ей встать с кровати.

Вместе они приникли к щели между занавесками и увидели, как подъезжает на «форде» Билл Грант и меняется с Эдди местами. Ширли задрожала как осиновый лист. Она пришла в ужас, поняв, что вчерашний бандит не намерен оставить их в покое. Долли ласково обняла ее за плечи:

— Это Эдди Роулинс, кузен Гарри. Он трус, Ширли. Ничтожный человечишка, который бьет женщин и топчет собак. Он пустое место, слышишь? И он больше не поднимет на тебя руку, это я тебе обещаю.

Искренность в голосе Долли моментально успокоила Ширли. И как это у Долли получается быть такой сильной? «Жаль, моя мама не такая», — с сожалением подумала Ширли.

Второго человека Ширли не знала, зато Долли была с ним знакома. Это тот самый мужчина, который приходил к ним в гараж и назвался Биллом Грантом. Долли зажмурилась и прошептала: «Идиотка!» Грант мог следить за каждым их шагом. А если он все знал, то нет ничего удивительного в том, что Эдди влез к ней в дом в поисках денег...

Долли надо было придумать, как уйти из дому незаметно для Билла и как сбросить его с хвоста, если он все-таки проследит за ними. И если вернется Эдди, то им придется убегать от двух преследователей на двух разных машинах, что гораздо сложнее... От физического и нервного изнеможения Долли едва могла думать, и ей стало страшно, а это было новое для нее ощущение. Жаль, что Ширли не улетела вчерашним рейсом, как планировали: если у Долли случится срыв, то обошлось бы хоть без свидетелей! Но Ширли была рядом с ней и, как ребенок, нуждалась в постоянной поддержке.

Отправив девушку на кухню готовить небольшой перекус, Долли заметалась по комнате. Есть она не хотела, но нужен был предлог, чтобы остаться одной и спокойно все обдумать. Она посмотрела на часы. Всего два часа ночи, а их рейс вылетает из Хитроу вскоре после полудня. Приезжать в аэропорт до десяти утра нет смысла, а ехать туда примерно час. Долли вздохнула. Покидать дом при свете дня не лучшая идея, и она понимала, что чем скорее они уйдут отсюда, тем больше у них шансов избавиться от преследователей под покровом темноты.

Немного погодя у Долли созрел план. Он был промежуточным и весьма эксцентричным, но какого черта — за последние месяцы она привыкла к эксцентричности. С этой мыслью она отправилась на кухню.

— Долли, я подумала, что можно поджарить овощи. Вы хотите...

— Мы должны покинуть дом в четыре утра, самое позднее — в половину пятого, — перебила Ширли Долли. — Ты доверяешь своей матери?

Ширли выключила под сковородой газ:

— Да, конечно.

— Она умеет водить машину?

— Да, — ответила Ширли, дожидаясь, когда Долли поделится с ней своим планом.

— И у тебя есть брат, так?

— Да, Грег. Он живет с мамой.

— Хорошо, — сказала Долли и перешла к инструкциям: — Скажи Грегу, чтобы он поехал на парковку в Ковент-Гардене и забрал оттуда твою машину. Потом пусть оставит ее на Маунт-Клоуз — это тупиковая улица, вторая отсюда, если поехать от дома направо. Водительскую дверь нужно оставить открытой, а ключи положить под кресло. Когда все будет готово, пусть позвонит сюда.

Ширли неуверенно морщила лоб:

— В два часа ночи Грег или бродит где-то пьяный, или дрыхнет дома без задних ног. Если второе, то я позвоню маме, и она его разбудит, но если его нет...

— Будем надеяться, что он в своей кровати. И еще скажи ему, что если твоей машины нет на месте, если ее угнали, то ему придется использовать воображение и найти нам что-то взамен. Но так или иначе, мне нужно, чтобы к четырем часам утра в тупике Маунт-Клоуз стояла машина, любая машина. За это он получит сто фунтов. А матери скажи, пусть едет сюда как можно скорее. Деньги для Грега я передам ей. Ты все поняла?

— Все, — подтвердила Ширли, вынула из буфета тарелку и собралась накладывать со сковородки свой завтрак.

Долли стремительно подскочила к хлебнице, достала два куска хлеба и бросила их на тарелку Ширли, оставив в рыхлом белом мякише глубокие отпечатки пальцев.

— Сделай по-быстрому бутерброд, — нетерпеливо сказала Долли. — И съешь его, пока набираешь номер.

Пять минут спустя Долли перегнулась через перила лестничной площадки и окликнула Ширли. Та выглянула из кухни с бутербродом в руке и доложила:

— Длинные гудки. Но я подожду.

Спустя еще пять минут Долли опять склонилась над лестничным пролетом. В руке она держала ножницы.

— Пока ничего, — сказала Ширли. — Наверное, брат у своей девушки, а мама иногда спит с берушами...

— Что ж, продолжай звонить, — велела Долли, взмахнув рукой, в которой держала ножницы.

— Вы обрезаете себе волосы? — спросила Ширли.

— Что?

— Для маскировки, — пояснила свой вопрос Ширли. — Надеюсь, мне не нужно будет обрезать мои...

— Честное слово, Ширли, иногда ты меня удивляешь. Что ты выберешь — получить пожизненный срок или остаться без своих кудряшек?

Ширли стояла в прихожей, вертела пальцами локон и прикидывала, пойдет ей каре... или лучше боб? Долли закатила глаза и пошла обратно в спальню:

— Да не будем мы обрезать тебе волосы! Звони матери!

Ширли набрала номер матери еще раз, и наконец трубку на том конце сняли, но молча.

— Мам, это ты? — закричала Ширли.

— Не-а, это я... — невнятно промямлил Грег. — Чего звонишь посреди ночи? — Вечером он пил и, вероятно, нюхал бог знает что, но как только сестра упомянула сто фунтов, сразу протрезвел.

После разговора с братом Ширли крикнула Долли:

— Я пойду оденусь, Долли. Грег сделает, что вы попросили, а мама уже едет сюда.

Долли у себя в спальне облегченно вздохнула. Она жгла последние страницы тетрадей Гарри в металлической урне для мусора. Кожаные обложки не горели, поэтому она резала их ножницами, пока следила, как страница за страницей превращается в пепел.

Когда Долли в последний раз была в банке, то долго не могла решить, забирать тетради домой или нет. Теперь она хвалила себя за то, что взяла их, потому что другой возможности съездить в банк у нее больше не будет. Девушкам Долли не рассказывала о местонахождении тетрадей ради их же безопасности. Меньше знают — меньше проблем у них будет.

Встав перед туалетным столиком, Долли улыбнулась. Столько дорогой косметики, изысканных духов... Одним резким взмахом женщина смела все флаконы и баночки на пол. Всё, она готова. И прекрасно себя чувствует.

Потом Долли проверила, полностью ли сгорели страницы в урне. То оружие, которым Гарри защищал себя и шантажировал других мошенников, уничтожено. И она найдет способ сделать так, чтобы об этом стало известно.

Когда Долли напоследок осматривала спальню, ее взгляд упал на их с Гарри портрет в рамке. Она сняла его с комода, положила на пол лицевой стороной кверху и топнула по нему ногой, раздавив стекло, и потом еще покрутила каблуком, чтобы битое стекло врезалось в бумагу. «Подлец!» — процедила Долли сквозь стиснутые зубы. А затем подхватила два чемодана и навсегда покинула свою спальню.

Долли отнесла чемоданы в гостиную и села на диван. Из сумочки она достала билеты на самолет, после чего открыла один из чемоданов и стала вынимать из него аккуратно сложенную мужскую одежду.

Ширли закончила красить губы и проверила в зеркале прическу. Для этого несусветного времени суток выглядела она чертовски хорошо. Спускаясь по лестнице на первый этаж, Ширли различила в запахах завтрака густые нотки духов Долли. В гостиной она нашла саму Долли, а также два красных чемодана, один из которых был раскрыт. Его дно устилали пачки денег.

— Здесь около ста тысяч, — объявила Долли. — Это нам на расходы в Рио. Должно хватить на пару месяцев хорошей жизни. Садись, милочка, и слушай меня очень внимательно. — (Ширли послушно села.) — Тут два одинаковых чемодана, верно? Только один с красной биркой, другой с синей.

— Верно, — согласилась Ширли, старательно морща лоб.

Чемодан с красной биркой — это тот, что лежал на полу раскрытый, с пачками денег на дне.

— Чемодан с красной биркой вычищен внутри и снаружи, сверху донизу, так что на нем нет ни моих, ни твоих отпечатков. Поэтому прикасайся к нему только в перчатках. — Долли вручила девушке пару изящных перчаток из кремового шелка.

— Красный чемодан с красной биркой, в котором деньги, — чистый. Его нельзя трогать без перчаток, — повторила Ширли. — Кстати, перчатки бесподобные, — добавила она.

— Считай их подарком, — мимоходом сказала Долли, а затем продолжила: — Красный чемодан с синей биркой — мой. В красном чемодане с красной биркой лежат деньги, сверху я положу мужскую одежду.

— Поняла, — кивнула Ширли. — Я думаю...

Долли как будто не слышала ее и продолжала говорить:

— Ты берешь чемодан с деньгами и свой чемодан...

— А вдруг мою машину угнали? — спросила Ширли в панике.

— Тогда мы купим тебе новый чемодан и новые шмотки, которые ты сможешь в него сложить. Но твоя машина на месте. Ни один уважающий себя вор не станет угонять эту груду ржавого металла. Так, ты слушаешь? Хорошо. Я беру красный чемодан с синей биркой — в нем моя одежда — и прохожу регистрацию на рейс, как обычно. Ты задерживаешься перед стойкой регистрации, чтобы подыскать подходящего... парня.

— Лоха! — воскликнула Ширли.

— В каком-то смысле да, идею ты уловила. Это должен быть мужчина.

— Да-да, понимаю — мужская одежда! И тогда, если таможенники что-то заподозрят, на чемодане будут только его отпечатки. Я угадала, да? — Ширли очень гордилась тем, что так быстро поняла план Долли.

— В точку, Ширл. Продолжим. Ты находишь мужчину, который путешествует налегке. Говоришь ему, что не знала об ограничениях по весу багажа, изображаешь безмозглую блондинку и жалуешься, что с двумя чемоданами тебе придется платить штраф за перевес. Хлопаешь ресницами и просишь его зарегистрировать твой чемодан на его имя.

Ширли в глубоком умственном напряжении кусала через шелковую перчатку ногти.

— Не жуй перчатки! — прикрикнула на нее Долли. — Это был подарок на юбилей!

— Ой, простите! — Ширли вытянула руки по швам и стала беззвучно проговаривать весь план с начала до конца.

— Когда мы приземлимся в Рио, — продолжила Долли, — то чемодан с деньгами...

— Красная бирка, — шепотом напомнила себе Ширли.

— ...и мой точно такой же чемодан...

— Синяя бирка.

— ...выгрузят на багажную карусель. Я возьму чемодан с деньгами и пронесу через таможню.

— А мне, значит, надо будет взять ваш чемодан? — спросила недоумевающая Ширли.

Долли чуть не взорвалась, но вспомнила, что должна быть спокойной, чтобы Ширли была спокойной.

— Нет, не сразу... пусть он ездит на багажной карусели, а ты следи за мной. Если таможенники меня остановят и откроют чемодан, я очень удивлюсь при виде мужской одежды вместо моей и еще сильнее удивлюсь, если они докопаются до денег. Я скажу, что, должно быть, по ошибке взяла чужой чемодан, вернусь к карусели и возьму чемодан с синей биркой. Свой чемодан со своей одеждой. И буду стоять на том, что о другом чемодане ничего не знаю.

Ширли таращила глаза, руки сцепила и прижала к груди, которая часто вздымалась... Казалось, что она в прострации, но нет, девушка внимательно слушала подругу. Слушала по-настоящему. Она не оторвала бы глаз от лица Долли, даже если через гостиную пронесся бы торнадо.

— А теперь самое важное, — медленно и четко говорила Долли. — Если — только если! — я без проблем пройду таможню, тебе можно взять мой чемодан с ленты. Даже если тебя по какой-то причине остановят, никаких проблем не будет, потому что в обоих твоих чемоданах женская одежда и ничего больше, — с триумфальной улыбкой закончила Долли.

До чего же хитроумный план!

И тут мозг Ширли перегрелся и прекратил работать. Она плюхнулась в кресло:

— Я никогда не запомню все это!

Долли досчитала до пяти, сделала глубокий вдох и присела на подлокотник кресла. Только не хватало сейчас истерики.

— Конечно же запомнишь, милочка. Ведь ты уже столько всего сделала! Подмена чемоданов — чепуха по сравнению с ограблением. Так что не волнуйся, а когда будешь готова, попробуй все повторить. Просто на всякий случай, для пущей уверенности.

Ширли начала снова, но Долли слушала невнимательно. Где эта проклятая Одри? Пока Ширли повторяла шаг за шагом их план, Долли встала, подошла к окну и чуть-чуть раздвинула занавески. Билл Грант по-прежнему сидел в машине.

— Не понимаю, зачем мы так рискуем, Долли, — заныла Ширли. — В смысле, зачем везти с собой такую кучу денег? Это же с ума можно сойти! Нам и не нужно столько. И что, если вас поймают?

Долли сжала кулаки. Ее лицо исказила гримаса гнева.

— Рискую только я! — выпалила она. — Я понесу деньги через таможню в Рио, а не ты. Тебе вообще нечего бояться, у тебя будут только твои и мои вещи. Если таможенники мне не поверят, то арестуют меня, а не тебя, так что помолчи и делай, что я тебе говорю!

Ширли чуть не заплакала — не потому, что Долли накричала на нее, а потому, что из-за стресса любая мелочь грозила срывом. Девушка взяла стопку вещей Гарри и бросила ее в чемодан поверх денег.

— Ты всегда так пакуешь чемодан? — спросила Долли, на что Ширли мотнула головой. — Тогда, пожалуйста, сложи все, как положено. Если таможенники все-таки откроют чемодан, в нем ничто не должно показаться им подозрительным.

Ширли вытащила вещи Гарри из чемодана и потом по одной аккуратно сложила поверх денег.

— Что будет с нами, если вас арестуют? — тихо спросила девушка, сидя на полу перед раскрытым чемоданом. — У меня, Беллы и Линды не будет денег, чтобы вернуться домой.

Долли пришла в ярость. С самого начала она выкладывает из своего кармана тысячи фунтов, а у Ширли все мысли только о себе самой и подружках. Девушки видят в Долли только бездушного банкира, который должен выдавать им деньги, стоит лишь захотеть. Они не понимают, что у нее больше не будет денег — во всяком случае, таких, которые можно будет легко и быстро достать. В этом чемодане — вся их наличность. Да, если Долли все же арестуют, они окажутся в трудном положении, но, по крайней мере, они будут в трудном положении у бассейна, а не в тюрьме.

Жалобно всхлипывая, Ширли продолжала укладывать вещи Гарри в чемодан с деньгами. Долли знала, что из трех молодых вдов Ширли была наименее эгоистичной и никогда не спрашивала, где будут спрятаны деньги или когда она получит свою долю. Просто девушка напугана и ей очень нужно знать, что все будет хорошо. Долли подавила раздражение и заговорила более мягким тоном:

— Я дала Белле и Линде приличную сумму денег. Вам троим этого хватит, если меня поймают.

Ширли невольно рассмеялась:

— Знаю я их. Наверное, все уже спустили.

— Возможно, ты права, — сказала Долли. — Будь у меня наличные, я бы тебе их отдала, но сейчас у меня на руках ничего не осталось. Послушай, почему бы тебе не взять пару тысяч из чемодана? Положишь их себе в сумочку — на всякий дурацкий случай. Ну, что скажешь?

Ширли приподняла часть одежды Гарри и посмотрела на пачки денег на дне чемодана. Она хорошо представляла, что сказали бы Белла и Линда, будь они здесь, и замерла в нерешительности.

— Тут ведь не только ваши деньги, Долли, — наконец произнесла она. — Они принадлежат всем нам. Все-таки это не очень правильно — рисковать сотней тысяч общих денег. Давайте возьмем понемногу, вы и я, а остальное оставим.

На этот раз Долли сдержалась. Сомнения Ширли были понятны. А раз эта красивая головка не относится к числу сообразительных, Долли готова развеивать ее сомнения снова и снова — все равно приходится ждать Одри, и очень важно, чтобы в дальнейшем Ширли действовала четко по плану.

— Нам потребуется много денег, гораздо больше, чем те несколько тысяч, которые мы смогли бы перевезти в сумочках и карманах, потому что в Англию мы вернемся еще не скоро, — в который уже раз принялась объяснять Долли. — Надо дождаться, чтобы здесь все стихло. Значит, чем больше мы возьмем, тем дольше сможем оставаться в Рио, вдали от забот и проблем.

Ширли поджала губы и вернулась к вещам Гарри. Немного погодя она спросила у Долли, не хочет ли та чая или чего-нибудь поесть, ведь она так и не позавтракала. Вместо ответа Долли подошла к буфету с напитками, налила себе бокал бренди и села на диван.

— Иди позвони матери, — велела она Ширли. — И если ответит, спроси, какого черта она еще не выехала!

Когда Ширли вышла, Долли осмотрела все вокруг оценивающим взглядом. За дом дадут неплохую цену, а хороший довесок принесут мебель и антиквариат. Она вонзила в толстый ковер каблук, воображая, будто это их с Гарри супружеский портрет из спальни. Потом нога ее расслабилась, глаза защипало от слез. Долли вспоминала, как прижимался к ее ногам Вулф. Затем печаль переросла в злость, и решение было принято моментально: все теперь принадлежит ей. Раз уж ее заставили играть роль безутешной вдовы, она скажет своим адвокатам, чтобы выставляли дом со всем имуществом на продажу.

Долли поднялась, прошла в кабинет Гарри, отыскала в ящиках письменного стола документы на дом и убрала в свою сумочку. Письменный стол Гарри был дорогим, чистым, нетронутым... безликим. При всей своей изысканности и добротности этот стол мог принадлежать любому. Ничто в нем не напоминало о Гарри, ничто не говорило о характере и привычках владельца. Остальной дом многое рассказывал о супругах Роулинс, но, поняла Долли, это было результатом ее стараний. Это она наполнила комнаты красивыми вещами и сделала их уютными. Это ее индивидуальность видна в каждом предмете. А Гарри Роулинс почти не оставил следов. Его личность оставалась тайной. «Как я могла быть такой слепой столько лет?» — спрашивала себя Долли.

В ее голове снова что-то прояснилось и улеглось. Долли заглянула в маленький шкаф в углу кабинета Гарри и нашла там копию его завещания и банковские выписки. Эти бумаги тоже отправились в ее сумочку. В завещании упоминалось только ее имя, других наследников не было, а сам Гарри, как свидетельствовали документы, был мертв и похоронен. Когда адвокаты продадут дом, все деньги поступят в банк в Рио. С недвижимости она получит не менее полутора сотен тысяч.

И как только Долли устроится в Рио, то прекратит все банковские операции. И первое, что она отменит, это оплату квартиры Айрис! Нет, Долли не намерена посылать деньги человеку, которого ненавидит всей душой! Пусть Айрис обходится собственными средствами, и Долли надеялась, что свекрови придется отказаться от квартиры и поселиться в доме престарелых. У Долли злорадно блеснули глаза, когда она представила себе эту картину: Айрис в столовой морщит нос над запеканкой. Но Долли перестала улыбаться, сообразив, что об этом может узнать Гарри. Все последствия действий Долли в этот день были необратимы. Если она оставит Гарри и его мать бездомными и нищими, то Роулинс непременно отыщет ее и убьет.

Долли с тоской вспоминала о днях, когда она была счастлива в неведении о предательствах мужа. Он заставил ее оплакивать его, заставил похоронить другого человека — вероятно, Джимми Нанна, как теперь догадывалась Долли. Вряд ли Гарри мог прятаться у Труди в квартире при живом Джимми. А тот малыш... Неужели это сын Гарри? Долли зажмурилась изо всех сил, стараясь выдавить эту мысль из головы. Но она прочно там засела.

Сквозь плотно сжатые веки вырвались наружу слезы и покатились по щекам. Если бы Гарри ушел к женщине, которая ему по-настоящему нравится и делает его счастливым, Долли простила бы его. Конечно, это было бы больно, но она поняла бы, потому что и сама сделала бы что угодно, чтобы иметь семью. Однако Гарри не просто оставил ее ради другой женщины; он растоптал ей душу своей ложью, предательством и жестокостью. Как теперь понять, что было обманом, а что правдой?

———

В дверях кабинета стояла Ширли и в третий раз повторяла одно и то же, потому что мыслями Долли была где-то далеко:

— Мама не отвечает. Должно быть, уже едет.

Долли опрокинула в рот остатки бренди. Алкоголь резко ударил по желудку, по телу разошлась горячая волна. Женщина посмотрела на часы: начало четвертого.

Ширли и Долли вместе пошли обратно в гостиную. Там Долли налила себе еще бренди и села напротив Ширли, которая попросила подругу не увлекаться, так как заявиться в аэропорт навеселе не лучшая идея. Долли забросила ногу на ногу, покачала носком туфли и достала сигареты.

— Бросьте-ка и мне одну, — сказала Ширли.

Долли метнула сигарету, словно дротик, и она приземлилась прямо Ширли на колени.

— Еще недавно ты терпеть не могла сигаретный дым, — заметила Долли.

— За последние месяцы мы все очень изменились. Как тут не измениться...

Зазвонил телефон, и Долли чуть не подпрыгнула. Обе женщины застыли и считали звонки — один, два, три звонка, четыре... Телефон не умолкал.

— Наверное, это Грег, — решила Ширли.

Она сняла трубку и сначала говорила опасливо, но потом расслабилась, стала часто повторять «да» и кивать. Наконец девушка положила трубку на место.

— Он поставил машину в тупике напротив дома номер пятнадцать; ключи под креслом. И просил не забыть передать ему деньги.

Вместо ответа Долли затянулась сигаретой и глотнула бренди.

— Теперь так странно слышать, что Грег переживает из-за ста фунтов. У меня-то ого-го сколько денег. — Ширли мечтательно улыбнулась. — А сколько, как вы думаете, Долли?

— У тебя примерно двести пятьдесят тысяч, милочка. Я вычла из ваших долей те суммы, которые выдавала вам из собственного кармана... и все равно остается приличный капитал. — Долли поднялась и пошла к окну посмотреть на улицу в щель между занавесками. — Черт! — воскликнула она. — Эдди вернулся. — (Ширли встала рядом с ней, и они вместе видели, как переговариваются Эдди и Билл.) — От них двоих нам будет сложнее уйти.

— Почему? — спросила Ширли, широко раскрыв глаза. Долли отвернулась от нее. Оставалось только диву даваться, как Ширли удалось дожить до таких лет... хотя, конечно, у нее был Терри. Долли села, прикурила от окурка новую сигарету, а окурок выбросила в пепельницу. Носок туфли у нее теперь подергивался непрерывно, и она ничего не могла с этим поделать.

Они молча сидели вдвоем, слушая, как тикают часы на каминной полке. Краем глаза Ширли наблюдала за Долли. Губы у той едва заметно двигались, как будто она разговаривала сама с собой.

— Что нам делать, Долли? Вы сказали, что с двумя нам будет сложнее...

— Куда же твоя мать запропастилась, а? — Долли больше не могла отвечать на глупые вопросы.

Ширли отошла к окну. Билл сидел на капоте «БМВ», а Эдди стоял рядом.

— Что мешает им войти в дом прямо сейчас? — спросила Ширли. — Что мешает им открыть наши чемоданы и найти деньги?

Вопросы! Бесконечные вопросы! Долли чуть не заорала: «Гарри! Это Гарри мешает им войти в дом!» Должно быть, Эдди и Билл получили приказ наблюдать за домом и больше ничего не предпринимать, иначе они были бы уже тут. Конечно же, этот приказ в любой момент может смениться другим, но пока Гарри выжидал.

А Ширли не могла остановиться и все накручивала себя:

— Как только они увидят эти деньги, то захотят остальное! Они захотят отобрать у нас все. Страшно подумать, что они сделают с нами, чтобы заполучить деньги!

— Вот и не думай! — вспылила Долли. — Не стой там, гадая, что может случиться. — Долли перевела дух. Нет, надо успокоить Ширли. — Деньги в безопасности, дорогая. Они их никогда не найдут.

— Но только вы знаете, где они, и если с вами что-то случится, что тогда?

Долли закрыла глаза и отвернулась. И нервы у Ширли сдали.

— А почему они просто наблюдают? Почему они ничего не делают?

— Успокойся.

— Успокойся! А вы почему такая спокойная? Такая холодная? Как камень... Что вы скрываете от меня? — Долли поверить не могла, что именно сейчас, в самый неподходящий момент, Ширли вдруг расхрабрилась и превратилась в Линду. — Что за человек там вместе с кузеном вашего Гарри? Еще один родственник?

— Господи! — простонала Долли. — Похоже, у тебя в мозгу короткое замыкание.

— Но почему-то они вас не особо пугают, хотя могут ворваться сюда в любой момент и убить нас обеих! Вам не страшно, потому что вы знаете, что они так не сделают, да? Откуда вы это знаете? Вы с ними в сговоре, признавайтесь! — С каждым словом лицо Долли становилось все строже, губы сжимались все плотнее, на висках вздулись вены, но Ширли от страха потеряла всякую способность соображать. — У вас с Эдди были планы? А я помешала ему забрать деньги, да? Я чувствую себя в меньшинстве, Долли, и хочу знать, где спрятаны деньги. Немедленно!

Долли сцепила руки, чтобы не отлупить бестолковую девчонку. Однако вконец обезумевшая Ширли снова открыла свой красивый рот:

— Похоже, Эдди метит на место вашего Гарри. Ну и пожалуйста, только сначала отдайте мне мои деньги!

С искаженным от гнева лицом Долли бросилась к Ширли и отвесила ей пощечину. Девушка стойко выдержала удар и ответила тем же — да с такой силой, что Долли пришлось отступить на шаг, чтобы не упасть.

— Я извиняюсь за свои слова о том, что вы с Эдди сговорились, — сказала Ширли, — но я хочу знать, где деньги. Мне нужно это знать, как и Линде с Беллой.

Нервы Долли были на пределе. У нее не осталось сил спорить, что-то доказывать или оправдывать свои действия. Ей хотелось, чтобы девушки не знали о тайнике, потому что тогда они не смогут рассказать о нем в полиции, даже если их поймают. Но сейчас Долли было все равно.

— Деньги в детском приюте при монастыре, — сказала она. — В классной комнате установлены новые шкафчики. Верхние четыре отделения, до которых детям не дотянутся, заклеены плакатами со стихами. Там и лежат деньги. Четыре отделения, четыре сумки, четыре равные доли. Лежат и ждут, когда их заберут домой. — Долли села на диван и открыла сумочку. — Вот ключи для каждой из вас. Когда пойдете за деньгами, просто назовите мое имя. — Долли встала и посмотрела Ширли прямо в глаза, вручая ключи по одному. — Вот ключ Линды. Ключ Беллы. И твой.

Во взгляде Долли стояло глубокое разочарование. Ширли не знала, что сказать.

Тишину прервал звонок в дверь.

— А это, должно быть, мама, — прошептала Ширли.

Сейчас они могли только следовать плану. Чтобы достичь цели, Долли и Ширли должны действовать заодно. Все остальное придется отложить на потом.

———

Эдди с удивлением наблюдал за женщиной в поношенном пальто, ботах и платке, которая взошла на крыльцо дома Роулинсов и нажала на кнопку звонка. Когда дверь открылась и женщину впустили внутрь, Билл и Эдди переглянулись.

— Может быть, это уборщица? — предположил Эдди.

— Кто же еще, — съязвил Билл. — Моя уборщица тоже в четыре утра приходит... Нет, скорее, это кто-то из тех, кто участвовал в ограблении. Я расскажу Гарри. — Он прыгнул в «БМВ» и уехал.

Эдди сел обратно в «гранаду» и продолжил наблюдение.

Когда Ширли и Одри вошли в гостиную, Долли уже взяла себя в руки и сидела на диване с вежливой улыбкой на лице и с четвертым бокалом бренди в руке.

— Ты уже встречалась с миссис Роулинс, мама?

— Прелестный дом у вас, — сказала Одри светским тоном и с таким видом, как будто не раз бывала в подобных особняках.

— Присаживайтесь. — Долли повела рукой в направлении кресла и открыла сумочку. — Вот сто фунтов для вашего сына и двести для вас — за хлопоты.

— Охренеть! — воскликнула Одри и взяла деньги.

Ширли смутилась. Как быстро мать позабыла о манерах!

— Я прошу вас, Одри, сделать следующее: поехать на моем «мерседесе» в центр города, а оттуда на юг, в сторону Гатвика, — произнесла Долли с невозмутимым лицом, словно это самое обычное дело: в четыре часа утра просить об одолжении незнакомого человека.

Одри уставилась на Долли, разинув рот:

— Я, кажется, не совсем поняла...

— Мам, — прервала ее лепет Ширли и закурила новую сигарету. — Просто сделай так, как просит Долли. Пожалуйста.

— С каких это пор ты куришь? — вскинулась Одри.

— Мама!

— И второе, если позволите, — продолжила Долли, возвращая беседу в нужное ей русло. — Вероятно, вас будет преследовать один человек в «форде-гранада». Если у вас получится скрыться от него, было бы замечательно. А теперь, — она поднялась с дивана, — я отлучусь на минуту.

Едва Долли вышла из комнаты, Одри вскочила на ноги:

— Что за ерунда, Ширл? Вы что, вместе едете отдыхать? Чего вдруг?

— Прошу тебя, мама. К Долли привязались какие-то хулиганы, и я помогаю ей, только и всего.

— Только и всего? Этого вполне достаточно, дочка. Она втягивает тебя в какие-то неприятности? Так ты знай, мы можем прямо сейчас уйти...

— Да нет же, мам. — Ширли опустила голову, вспоминая только что разыгравшуюся ссору между ней и Долли. — Она моя подруга, и я хочу ехать вместе с ней.

Отобрав у Ширли сигарету, Одри глубоко затянулась, потом выдула дым кольцом и восхищенно оглядела богато обставленную комнату.

— «Мерс»! — рассмеялась она. — Бьюсь об заклад, ты не сказала ей, что я еще не сдала экзамен на права.

Когда Долли спустилась на первый этаж, у нее в руках было элегантное платье, кожаные туфли и головной платок.

— Рядом с входной дверью есть гардеробная. Идите и переоденьтесь.

Озадаченная новой неожиданной просьбой, Одри все-таки сделала то, о чем попросила ее Долли, — ради дочери она на многое была готова. Со спины, в новой одежде Одри удивительно походила на Долли. Спереди она по-прежнему выглядела как рыночная торговка, однако с помощью головного платка Долли, макияжа и темных очков ее преображение стало полным.

Эффект портило затасканное пальто Одри, поэтому Долли отправилась в прихожую и вернулась оттуда с длинной норковой шубой. Это был подарок Гарри на восемнадцатую годовщину их свадьбы. На прием в честь годовщины был приглашен и Эдди, шубу он видел и даже похвалил фасон. Если Одри будет в шубе, то кузен Гарри точно ничего не заподозрит.

Долли отдала шубу Одри, и та, обмирая от счастья, сунула руки в рукава.

— Какая вещь! — проговорила Одри, обо всем позабыв. — Шикарная, правда, Ширл? — И она погладила себя по бокам и груди, наслаждаясь шелковистым мехом.

Ширли и Долли отошли на пару шагов и оглядели Одри восхищенными взглядами. Несмотря на ссору, обе понимали, что эта часть плана должна пройти гладко. Если Эдди хоть на секунду засомневается в том, что Одри — это Долли, то не поедет вслед за ней и они не смогут сбежать из дому незамеченными.

«Странная женщина эта Долли, — думала Одри. — Вроде бы вежливая, но при этом как будто вся на нервах». Да и Ширли, если на то пошло, сама не своя. Одри никак не могла понять, почему ее дочь решила лететь в Испанию с Долли Роулинс, которая гораздо старше ее. Как они подружились? Как они вообще сошлись? Одри знала, что и та и другая потеряли мужей, но близко никогда не общались. А больше всего ее интересовало, кто угрожает Долли и почему Ширли взялась спасать ее. Что же до участия самой Одри, то за двести долларов она бы голая сплясала в местном полицейском участке, а поездка на «мерседесе» в норковой шубе — это ж одно удовольствие.

Долли и Ширли кивнули друг другу. Одри была готова исполнить отведенную ей роль. Долли вручила матери Ширли ключи от машины.

— Норку можете оставить себе, — сказала Долли, а потом обратилась к Ширли: — Милочка, не принесешь мои темные очки из ящика туалетного столика, пожалуйста? — А когда Ширли ушла, обратилась к ее матери: — Я попрошу вас еще кое о чем. — С этими словами она протянула Одри плотный конверт, при виде которого у глупой торговки загорелись глаза. — Прошу вас купить марку и отправить почтой это письмо.

Одри была разочарована, однако быстро утешилась и, опуская конверт в карман роскошной шубы, заулыбалась. «Послать письмо и получить в награду шубу — неплохая сделка, — похвалила она себя. — Очень даже неплохая».

Одри не могла знать, что в конверте были запечатаны документы на недвижимость, копия завещания Гарри и указания адвокатам продать дом со всей обстановкой, а полученные деньги перевести на новый счет. Долли сжигала мосты. Обратного пути больше не было.

Когда Ширли вошла в спальню Долли, там пахло гарью, хотя ни огня, ни обгорелых вещей видно не было. Флаконы и бутыли, еще вечером стоявшие на туалетном столике, валялись на полу. Одна бутылочка с лаком для ногтей разбилась, и густо-бордовый лак медленно впитывался в кремовый ковер. Ширли пришла в ужас при виде такого беспорядка посреди идеально прибранного дома. Она решила, что у Долли был нервный срыв. Обнаружив в одном из ящиков туалетного столика темные очки, Ширли собралась уходить, но вдруг заметила какой-то лоскут на полу. Она медленно открыла дверцу шкафа и ахнула. Внутри не осталось ни одного целого предмета одежды Гарри, все было искромсано в клочья, даже ботинки были порезаны или забрызганы радугой лаков для ногтей. Как страдает, должно быть, Долли, раз переживает такие приступы мести, и какая она сильная, раз могла скрывать это всю ночь. Ширли и не догадывалась, что под сдержанностью Долли Роулинс прячется целая буря чувств.

Тем временем в гостиной Долли отдавала Одри ее старое пальто и шерстяные боты.

— Бросьте это в багажник «мерседеса», — велела она.

— Вообще-то, мне бы лучше надеть мои боты. С каблуками я ни в жизнь не выжму сцепление.

— Там нет никакого сцепления, — ответила Долли. — В моем «мерседесе» автоматическая коробка передач.

— Какая коробка?

«О боже, — подумала Долли. — Придется еще и урок вождения давать этой тупице!»

— Пойдемте в гараж. Я вам все покажу.

Она была настолько терпеливой, насколько это было возможно, учитывая, что время подходило к половине пятого, а им еще надо было уйти от слежки и попасть в аэропорт, чтобы успеть на свой рейс до Рио.

Одри села на водительское сиденье, и Долли объяснила, как работают две педали и рукоятка переключения скоростей. Она видела, что у Одри проблемы с определением, где право, а где лево, поэтому сильно ущипнула мать Ширли за левое бедро.

— Не пользуйся ногой, которая болит, хорошо, дорогуша?

Потом они вернулись в дом, где Ширли надела на мать черные очки, довершив маскировку. Одри сделала несколько глубоких вдохов. Никогда еще она не переживала такого захватывающего приключения.

— Ну что же, — сказала она дочери, — отдохни как следует. Увидимся, когда вернешься, я так понимаю. — Одри потянулась, чтобы поцеловать дочь в щеку, но Ширли схватила ее и крепко обняла.

— Пока, мама, — прошептала она.

— Пошли, нам пора. — Долли не хотела, чтобы Одри встревожилась из-за странного поведения дочери.

— Я люблю тебя... — добавила Ширли и быстро отвернулась от матери. Той надо было пойти в гараж и открыть ворота — так, чтобы Эдди ее увидел.

Одри включила заднюю скорость и стала выводить «мерседес» из гаража на подъездную дорожку. Ширли стояла на крыльце и махала рукой.

— Пока, Долли! — крикнула она вслед «мерседесу» и пошла закрывать гараж.

Одри, нервничая за рулем незнакомого автомобиля, слишком сильно нажала на педаль газа, и машина задним ходом выскочила на проезжую часть. Тогда Одри нажала на тормоз и выкрутила руль. Завизжали шины: задние колеса, потеряв сцепление, заскользили вправо, и в панике Одри врубила «драйв». «Мерседес» дернулся вперед и быстро поехал по полосе встречного движения. Наконец Одри справилась с собой и с машиной и дальше поехала практически без эксцессов.

За происходящим внимательно наблюдал Эдди. Как только «мерседес» Долли набрал скорость, он завел «гранаду». Странное поведение Долли на дороге Эдди списал на спешку. «А может, у нее нервы сдают», — предположил он. Если так, то отобрать у этой старой ведьмы деньги будет проще, чем конфету у малыша. Эдди заулыбался при мысли о барыше. «Вот идиотка, — бормотал он, следуя за „мерседесом“. — Столько вкалывала, а получишь пшик. Потому что за тобой пришли, Долли Роулинс».

Из окна гостиной Ширли проследила за тем, как машина Эдди завернула за угол. За ее спиной стояла Долли, полностью готовая к выходу, с двумя чемоданами в руках.

— Все, уехал. — Ширли взяла у Долли один из чемоданов, и они вместе направились к дверям.

— Прибавь ходу, Ширл. Судя по тому, как водит твоя мать, времени нам может не хватить.

Долли и Ширли со всех ног бежали к тупиковой улице, где Грег припарковал «мини». Лодыжка у Ширли все еще ныла, и поначалу каждый шаг был мучительным.

— Не отставай! — крикнула Долли через плечо.

— Я рядом, — ответила Ширли, борясь с болью.

Потом в крови забурлил адреналин, и Ширли вошла в ритм, постепенно сокращая расстояние между собой и Долли. Когда они добрались до машины, первым делом бросили свои одинаковые чемоданы в багажник, где, к радости Ширли, по-прежнему лежал чемодан с ее вещами.

Девушка нагнулась над водительским креслом и стала шарить под ним в поисках ключа. Долли нетерпеливо барабанила по крыше автомобиля.

— Скорее, милочка, — сказала Долли. — Твоя мать, должно быть, уже разбила «мерс», и Эдди догадался, что за рулем не я.

— Я никак не могу... — Ширли застыла на полуслове. — И что он тогда сделает?

Долли с опозданием поняла, что пошутила неудачно.

— Ничего, Ширл, не волнуйся. Эдди трус.

— Раньше вы другое про него говорили, — возразила Ширли, все еще пытаясь нащупать ключи. — Вы говорили, что он ничтожество, который только и умеет, что бить женщин и топтать собак. Моя мама — женщина, и если он хотя бы пальцем к ней притронется... — Ширли выпрямилась с ключами в руке.

Долли взяла у девушки ключи и закончила за нее фразу:

— Знаю, дорогая. Ты его убьешь.

Ширли направила на Долли прямой и твердый взгляд:

— Нет, Долли. Убью, но не его.

Девушка обошла машину и села на пассажирское сиденье. Долли осталась смотреть в пустое пространство. Да, пожалуй, доверие Ширли она утратила полностью. Долли хладнокровно использовала Одри и Грега, чтобы получить то, что ей нужно. В результате Грег мог оказаться в тюрьме, а Одри и вовсе рисковала жизнью. А Ширли, та девушка, которая прежде смотрела на нее как на мать, теперь испытывает к своей товарке только ненависть.

Но Долли все исправит. Как только они окажутся в безопасности, она все исправит.

ГЛАВА 37

Элис понимала, что если ее поймают, то неприятностей не избежать. Возможно, она даже потеряет работу. Но Элис все равно выполнит просьбу Джорджа Резника просто потому, что это его просьба.

В офис она пришла в шесть утра. Там еще никого не было, и значит никто не мог видеть, чем она занимается. Собрав со своего стола папки и аккуратно напечатанные отчеты, Элис сложила все в пакет и поспешила по коридору к выходу. Офицеры ночной смены даже не посмотрели в ее сторону, когда секретарша проходила мимо.

Как и было условлено, Резник ждал Элис в забегаловке за углом. Когда она появилась, он пил кофе и ел яичницу с сосиской, обильно политую кетчупом. При виде секретарши Джордж махнул официантке.

— Рад тебя видеть, милая. — Он улыбнулся, показав зубы с налипшими на них кусочками сосиски.

— Я тоже рада, сэр, — ответила Элис.

Она с тревогой смотрела на пальцы Резника — они были измазаны кетчупом. Если на документы попадет хоть капля соуса, все сразу поймут, кто их брал. Резник вечно пачкал едой важные бумаги, а все его папки украшены кофейными кольцами.

Официантка принесла для Элис чай, и Резник снова расплылся в улыбке. Элис ненавидела чай, но с благодарностью приняла чашку, ведь Резник крайне редко угощал кого бы то ни было. Секретарша улучила момент и сходила к прилавку за салфетками, после чего вручила их Резнику. Под ее взглядом он послушно вытер руки, и только тогда Элис подала своему начальнику первую папку. Пока Резник просматривал записи, Элис устно изложила основные факты:

— О Джимме Нанне тут почти ничего нет. У него еще не было приводов в полицию, поэтому все данные здесь от гражданских служб. Нанн был гонщиком, подавал надежды, и дважды его штрафовали за опасное вождение. Женат на некой Труди, есть шестимесячный ребенок. Получает пособие, налоги не платит, без работы два года. По данным департамента труда, последние два месяца не приходил за пособием по безработице.

— Почему не приходил, а, Элис? — тут же уцепился за ниточку Резник. — В тюрьме? Нет. Путешествует? Вряд ли, раз у него полугодовалый сын. Устроился на работу? Сомнительно, после двух лет безделья. Мертв? — Он задумчиво взглянул на коллегу, и Элис показалось, что она слышит, как вращаются колесики в его мозгу.

Секретарша вручила ему вторую, более толстую папку.

— Уильям Грант, вышел из Брикстонской тюрьмы девять месяцев назад, — объявила она. — Тяжкие телесные повреждения, грабеж, поджог.

— Убийство? — спросил Резник.

Элис пригубила чая:

— За убийство его не судили. Но вы увидите, что его преступления... Как бы это назвать?

— Не имеющие закономерность?

— Именно. И с жертвами он никак не связан, ценности у них остаются нетронутыми... Как будто он действует от имени другого человека и свои деньги получает от него.

Резник опять улыбнулся. Ему очень нравилось, что иногда ход мыслей Элис совпадал с его выводами. Какое у нее чутье!

— Ты совершенно права, Элис. Он наемник. Когда в прошлый раз я отправлял его за решетку, он с первого допроса ушел в несознанку: «без комментариев», и все тут. — Резник посмотрел на фотографию. Определенно, это тот самый человек, который выходил из дома Джимми Нанна.

— И наконец... — Элис передала Резнику третью папку с материалами о последнем налете на инкассаторов.

Резник быстро перелистал содержимое. Страница за страницей читались как пособие по модус операнди Гарри Роулинса. С каждым словом Джордж все сильнее убеждался, что этот налет — дело рук этого подонка. С лица инспектора не сходила торжествующая ухмылка.

— Он у меня в руках, Элис. Наконец-то мы поймаем этого негодяя!

Элис посмотрела на часы. Время завтрака дневной смены, сейчас в кафе замелькают знакомые лица.

— Сэр, вы ведь не собираетесь совершить какую-нибудь глупость? — спросила она.

Резник захлопнул папку и вернул ее Элис, чтобы она убрала все обратно в пакет. Джордж снова улыбался:

— Я возвращаюсь, Элис. Они все ошибались насчет того, что Гарри Роулинс мертв. И я им покажу, кто прав. — Он посмотрел на обеспокоенное лицо Элис, на ее большие ладони, прижимающие к груди пакет с папками, и перегнулся через стол, чтобы крепко чмокнуть секретаршу в щеку. — Не переживай за меня. Не люблю, когда ты переживаешь — особенно за меня.

Элис едва смогла сложить дрожащие губы в улыбку и быстро ушла. Сердце ее бешено колотилось, и на то было две причины: во-первых, Резник в одиночку шел против Гарри Роулинса, а во-вторых, женщина все еще ощущала на своей щеке его теплые липкие губы.

———

Вместо того чтобы поехать прямиком к Гарри с рассказом о прибытии в дом Долли загадочной женщины, Билл Грант сделал крюк и завернул к гаражам на Ливерпуль-стрит. Он рассудил, что неизвестная женщина — тоже участница налета. Гарри планировал в открытую встретиться с Долли в доме. Если деньги там, то Билл получит какие-то крохи, а львиная доля достанется Гарри. Но если деньги в гараже и Билл сам их найдет, тогда Гарри Роулинс может проваливать ко всем чертям.

Пока Билл обыскивал каждый уголок помещения, время пролетело незаметно. Он ничего не нашел, а когда взглянул на часы, то было уже начало восьмого. На час позже назначенного. Гарри велел заехать за ним в шесть...

Подъехав к дому Труди, Билл поставил машину на обочине и бегом поднялся в квартиру. Тяжело дыша, он постучался.

Дверь открыла Труди. Взгляд ее был ледяным. В нем отчетливо читалось презрение.

— Заходи, — уронила она. — Гарри тебя уже целый час ждет.

Билл постучал по циферблату своих наручных часов:

— Прости, Гарри. Опять в них что-то заело. Но в твоем доме все равно ничего не происходит. Глупые гусыни как будто ждут нас.

— В самом деле? — спросил Роулинс. — По-моему, ты врешь. — Он был одет в голубые джинсы, белую водолазку, синий свитер и кроссовки.

— В каком смысле? — испугался Грант.

Со зловещим блеском в глазах Гарри подступил к Биллу вплотную:

— Где тебя носило? Что ты затеял?

— Ничего, Гарри, просто я немного прикорнул, когда уехал от Эдди. У меня глаза слипались. — Билл не посмел признаться в том, что заезжал в гараж, уж очень зол был Гарри. — А что случилось?

Вся ярость Гарри прорвалась наружу.

— Пока ты спал, Долли сбежала! Кто-то оделся в ее шубу и уехал на ее «мерседесе». Этот придурок Эдди повелся, и теперь мы понятия не имеем, куда подевалась Долли. И можешь не сомневаться: денег в доме уже нет.

До Билла стало доходить, что он провалил задание.

— Так где теперь Эдди?

— Он звонил мне недавно, у него двигатель сдох, он едет сюда на автобусе. Как только появится, мы все отправимся ко мне домой и разнесем там все, к чертовой матери. Должна быть хоть какая-то подсказка, какой-то намек на то, куда делась Долли или куда она спрятала деньги.

Долли остановилась перед автовокзалом Виктория, чтобы высадить Ширли. Дальше девушка поедет в Хитроу на автобусе, а Долли на машине, чтобы никто не заподозрил, будто они путешествуют вместе. На улицах, несмотря на ранний час, было довольно оживленно. Мысль о том, что ей придется толкаться среди чужаков с чемоданом, полным денег, привела Ширли в ужас.

— Я не смогу, Долли. Я хочу остаться с вами. — Вся ее недавняя храбрость куда-то испарилась.

Долли, напротив, полностью овладела собой.

— Я бы тоже предпочла, чтобы мы держались вместе, милая, — солгала она. — Но ты сама знаешь, почему нам надо разделиться. Никто не должен догадаться, что мы знакомы друг с другом. Выходи.

Поскольку Ширли не двигалась, Долли сама вышла из машины, открыла багажник и вытащила два чемодана — с деньгами и с вещами Ширли. Она поставила их на асфальт прямо перед пассажирской дверцей. Через окно Долли увидела, что Ширли спрятала лицо в ладонях и разревелась. «Что б тебя! — выругалась про себя Долли. — Только этого не хватало!»

Снова сев за руль, она принялась утешать подругу:

— Не плачь, милая! Еще пара часов — и мы будем в небе. А завтра в это время мы все — ты, я, Белла, Линда — будем сидеть у бассейна и попивать... в общем, будем попивать то, что там попивают в Рио.

Ширли молча подняла глаза на Долли. В них читалась вся скорбь этого мира.

— Ладно, — наконец сказала Долли. — Можешь остаться со мной. Только сходи положи чемоданы обратно в багажник.

Как только Ширли вышла из машины, Долли бросила девушке ее сумочку, захлопнула пассажирскую дверь, завела двигатель и выехала на дорогу. Ширли даже не успела сообразить, что происходит, а когда сообразила, то чуть было не побежала вслед за «мини» с криком и проклятиями, но огляделась и передумала. Стать центром внимания всего автовокзала было еще страшнее, чем в одиночку добираться до Хитроу.

Эдди приехал на квартиру Джимми Нанна усталый и потный. Автобус так и не пришел, и бедолаге пришлось бежать почти две мили. Дверь открыл Гарри и втащил кузена внутрь за концы шарфа, а потом так затянул их, что Эдди посинел.

Низким тихим голосом Гарри произнес:

— Ты только понапрасну коптишь небо, Эдди, ты в курсе? Если я убью тебя сейчас, кто о тебе вспомнит? А? Букмекеры, и то вряд ли.

У Эдди глаза вываливались из орбит, лицо багровело, а руки тщетно цеплялись за свитер Гарри, пока тот смотрел на кузена и ждал, когда он прекратит дергаться.

Из-за спины Гарри подал голос Билл:

— Сейчас не лучшее время, чтобы избавляться от трупа. Слишком много народа.

Гарри отпустил шарф, и Эдди упал на пол, хватая ртом воздух.

Билл помог бедолаге добраться до дивана и сел с ним рядом.

Гарри ходил перед ними взад и вперед и тоже глубоко дышал, стараясь успокоиться.

— Если она смылась, если денег нет, то я убью вас обоих. И начну с тебя. — Палец Гарри был направлен на двоюродного брата.

Эдди в диком ужасе таращился на кузена с дивана. Нервы несчастного совсем сдали, и он непроизвольно хихикнул. Гарри ястребом кинулся к нему, готовый забить кузена насмерть. Билл поднялся и встал на пути у Гарри, а когда тот подскочил, то изо всех сил оттолкнул разъяренного босса назад.

— Я же сказал: не сейчас! — заорал Билл, молясь Богу, чтобы Гарри прислушался к нему. — Я хочу тебе помочь, Гарри! Да, он никчемный кусок дерьма, но это твой дом. За стеной твоя девушка и твой ребенок. Хочешь его прикончить — давай, я и сам для тебя это сделаю, когда все закончится. Когда мы получим деньги, а Долли получит по заслугам за то, что выставила тебя дураком. Это на нее ты сердишься, Гарри, а не на Эдди. Он вообще ничто.

Красный туман рассеялся, Гарри понемногу пришел в себя, но на всякий случай отвернулся от кузена, чтобы опять не сорваться. Билл глянул на Эдди и подмигнул. Тот почувствовал себя купальщиком, которому из воды улыбнулся крокодил.

— Мы едем ко мне домой, — заявил Гарри, — и перевернем там все вверх дном. — Он схватил свою куртку. — Живо!

Из спальни выбежала Труди и схватила Гарри за руку:

— Пожалуйста, Гарри, не надо! Уже светло. Умоляю тебя, не выходи на улицу. Если тебя кто-нибудь увидит, то все будет кончено.

Гарри кинулся к Эдди и опять схватил его за шарф. Кузен чуть не наделал в штаны, но Гарри только забрал у него шарф и замотал себе пол-лица по самые глаза.

На краткий миг Билла посетила мысль о том, что они с Эдди могли бы пойти против босса: с ними двумя Гарри бы точно не справился. Но наемник быстро отмел эту идею, достаточно было одного взгляда на то, как дрожащий Эдди потирает шею и пытается не упасть. Все трое вскоре покинули квартиру.

Труди бросилась к окну. Ей оставалось только смотреть через стекло, как мужчины усаживаются в «БМВ» Джимми. Девушка заметила, что когда Билл тронул машину с места, то припаркованный неподалеку автомобиль тоже ожил, но вслед за «БМВ» не поехал до тех пор, пока между ними не встала другая машина. В конце улицы «БМВ» повернул налево, следующая за ним машина уехала направо, а подозрительный автомобиль все медлил и повернул налево за «БМВ» только после того, как его обогнал двигающийся в том же направлении грузовик.

Труди ударила ладонями по стеклу. Она ничего не могла сделать. Она даже не знала, где именно жили Гарри с Долли.

В спальне закричал ребенок. Сейчас Труди понимала его, как никогда. Она тоже хотела бы набрать полную грудь воздуха и излить всю тревогу в долгом громком вопле. Назревала катастрофа. Гарри так долго таился, был так осторожен, а потом проклятая Долли Роулинс взяла и повторила одно из его ограблений! Старая ведьма! Старая, злая, уродливая ведьма!

Труди пошла в спальню и крикнула:

— Заткнись!

Малыш, сидевший в манеже и орущий без всякой видимой причины, прибавил громкость. Труди казалось, что весь ее мир вот-вот обрушится, и она не выдержала, подскочила к ребенку и сильно шлепнула его. Тут же опомнившись, она схватила младенца на руки и крепко прижала к себе. Ребенок от неожиданного шлепка умолк. Труди безутешно плакала.

В Хитроу Ширли с тревогой следила за тем, как водитель автобуса выгружает багаж. «Вот только увижу ее, — сердито думала она, — и сразу выскажу все, что думаю. И девочкам непременно сообщу, что она оставила меня на улице. Линда, когда узнает, возненавидит ее еще сильнее!» Ширли понимала, что ведет себя как разобиженный капризный ребенок, но сейчас эта злость помогала ей сохранять сосредоточенность.

Девушка взяла тележку, погрузила на нее оба чемодана и, войдя в терминал, нашла на электронном табло номер стойки регистрации на рейс до Рио. Ширли докатила тележку до нужной ей очереди, строго велела себе успокоиться и приступила к поискам подходящего простофили среди пассажиров. «Молодой парень, без багажа...» — повторяла она про себя. Необходимость флиртовать с незнакомцем пугала. Надо сказать, что Ширли совсем не умела флиртовать, разве что на конкурсах красоты строила судьям глазки. Пришлось постоять в сторонке и потренироваться хлопать ресницами.

Минут через двадцать Ширли начала не на шутку волноваться. В очереди все стояли с большими чемоданами — и нигде не было видно Долли. Что, если план провалится на первом же этапе из-за того, что на их рейсе не найдется ни одного молодого человека без багажа?

Ширли катала тележку по залу, наблюдала и ждала. Прошло еще пятнадцать минут, а в очереди не появилось ни одного подходящего пассажира. Ситуация становилась критической. Возможно, Ширли придется рискнуть и самой пронести чемодан, заплатив за лишний багаж наличными, которые она отложила в сумочку. Этого девушка не хотела делать ни при каких обстоятельствах — серийные номера на банкнотах легко отследить.

Наконец Ширли заприметила вероятного кандидата. Неряшливого вида молодой мужчина с одним только рюкзаком встал в хвост очереди и стал проверять свои документы. Ширли выхватила из сумочки билет с паспортом, довольно беспардонно растолкала всех, кто стоял у нее на пути, и въехала тележкой в пятки интересующего ее пассажира.

— О, простите! Не хотела вас таранить. Это ведь очередь на рейс в Рио? — Изображая волнение, Ширли уронила билет и паспорт, и молодой человек тут же поднял их. — Я такая неловкая, — продолжала тараторить Ширли, очень правдоподобно изображая тупую блондинку. — Я работаю моделью, у меня в Рио первые съемки для иностранного журнала. И такой ужас — оказывается, на самолет нельзя брать много багажа, а я взяла два чемодана платьев и бикини. Наверное, у меня огромный перевес, ума не приложу, как мне быть, потому что у меня даже денег нет, чтобы заплатить штраф. Но семнадцать бикини — это самое меньшее, что нужно взять на съемки у моря... — Ширли даже не пришлось заканчивать фразу.

— Позвольте, я вам помогу, — сказал молодой человек и потянулся к чемодану, где лежали вещи Ширли.

Она остановила его, положив ладонь на его руку.

— Второй чемодан тяжелее, — сказала девушка, — если вы не возражаете...

Простофиля ни капельки не возражал. Весело подмигнув Ширли, молодой человек подхватил чемодан с деньгами и продвинулся вместе с очередью к стойке регистрации.

Ширли была в полном восторге от своих актерских способностей. Пока подходила их очередь, она поддерживала вежливый разговор. От ее собеседника пахло немытым телом, выглядел он неопрятно, но, судя по речи, было хорошо образован. С огромным облегчением Ширли смотрела, как ее новый знакомый по имени Чарльз регистрируется на рейс и ставит чемодан на ленту конвейера. Вот на рукоятку налепили багажный ярлык, и сто тысяч фунтов поехали на погрузку в самолет.

Когда настала очередь Ширли, она шепнула девушке за стойкой:

— Пожалуйста, посадите меня подальше от вот того пассажира.

Девушка оглянулась на Чарльза, понимающе улыбнулась и дала место в другом конце самолета. Вот что значит женская солидарность, думала благодарная Ширли.

И на паспортном контроле, и в зале вылета Чарльз не отходил от своей новой знакомой. Он рассказывал о том, как путешествовал по всему миру, сколько стран проехал автостопом, что видел, кем работал, чтобы оплатить проезд и жилье. У него богатые родители, однако молодой человек отказывался брать у них деньги и всегда находил самые дешевые варианты для своих путешествий. «Господи, ну до чего же он скучный!» — вздыхала про себя Ширли и запивала скуку шампанским, которым угостил ее Чарльз. В конце концов она извинилась и сказала, что ей нужно сделать несколько важных звонков перед вылетом.

Ширли обошла все рестораны, закусочные, пабы и винные бары — даже туалеты, но Долли нигде не было. Ширли понимала, что вернуться уже не может — чемодан с деньгами в самолете. Значит, придется лететь в Рио и признаваться Линде и Белле в том, что их провели! Продумывая план дальнейших действий, Ширли старалась глубоко дышать. Наверное, им троим надо будет сразу лететь обратно в Лондон и мчаться в монастырь... А что, если денег там нет? А что, если их там и не было? А что, если... У Ширли едва не взорвалась голова от всех этих вопросов, но вдруг она увидела уголок аэропорта, который до сих пор не осматривала. И конечно же, там, в зале первого класса, сидела Долли Роулинс и преспокойно завтракала.

Билл Грант опять поправил зеркало заднего вида и присмотрелся.

— Нет, это не полицейская машина, но она все время держится за нами, через один автомобиль.

— Классический прием копов. — В голосе Эдди слышалась паника.

Гарри сам посмотрел на эту машину, откинулся на спинку кресла и тряхнул головой.

— Есть такие мухи — сколько ни гонишь их, все равно жужжат над ухом, — процедил он с нескрываемой ненавистью.

Двое его спутников не решились попросить объяснений.

— Ехать дальше? — спросил Билл.

Визит в дом Долли при свете дня не самая лучшая идея, особенно если за ними хвост.

— Следуем плану, — рявкнул Гарри, снова глянул в зеркало заднего вида и проговорил сквозь зубы: — Проклятье! Я думал, что размазал его по стенке раз и навсегда. Он выслеживал меня, как охотничий пес. И подобрался ко мне очень близко...

— А теперь он вернулся, — подытожил Билл.

Гарри недоумевал: как Резник отыскал его? Откуда этому копу известно, что Гарри Роулинс жив? А может, он и не знает ничего, может, он просто следит за Эдди и Биллом после убийства Боксера Дэвиса? Гарри поднял шарф повыше. Он не сомневался в том, что ему удалось выйти из квартиры Джимми незамеченным. Вряд ли Резник узнает его по одним лишь глазам, ведь столько лет прошло. Гарри усмехнулся под шарфом. Если Билл и Эдди загремят из-за Боксера за решетку, его это ничуть не волновало.

Билл больше не мог сдерживаться: он должен знать, что происходит.

— Так, значит, это коп?

— Тип у нас на хвосте не кто иной, как скандально известный детектив-инспектор Джордж Резник.

— Черт! Что же нам делать, Гарри? — проблеял Эдди.

— Не дрейфь! Удача только что повернулась к Резнику спиной, — сказал Гарри.

Билл затормозил за полсотни ярдов от дома Долли, и Резнику ничего не оставалось, кроме как проехать вперед. Он решил, что объедет квартал, вернется к дому и, незамеченный, как ему казалось, припаркуется на безопасном расстоянии. Но когда он ехал мимо «БМВ», Гарри вздумал подразнить старого копа и стянул шарф к подбородку, открыв лицо. Внутри машины было недостаточно светло, чтобы Резник на сто процентов поверил своим глазам, однако сердце инспектора забилось с такой частотой, что сомнений быть не могло: он только что видел Гарри Роулинса...

Гарри быстро раздал приказы:

— Эдди, открывай гараж. Билл — он весь твой, как появится.

Эдди потрусил через дорогу открывать ворота. Билл вышел из машины и спрятался за живой изгородью. Сам Гарри пересел на водительское сиденье и заехал на «БМВ» в гараж.

Резник поставил машину напротив дома Роулинсов и стал наблюдать. Он так сжимал руль, что когда оторвал руки от руля, то они задрожали, как желе. Джордж увидел, что Эдди закрыл одну гаражную створку за въехавшим внутрь «БМВ», а потом из гаража вышел второй человек и закрыл вторую створку. Этот человек не ушел сразу, посмотрел прямо на Резника и закурил. На полсекунды пламя спички ярко высветило каждую черту лица, за которым Джордж гонялся уже столько лет.

— Роулинс! — вырвалось у Резника.

Его губы растянулись в счастливой ухмылке. Он был прав! Он был прав с самого начала!

Для инспектора стало полной неожиданностью, когда водительская дверь резко распахнулась и ему в лицо посыпались удары кастета, надетого на руку Билла. Зажатый рулем, Резник не мог ни убежать, ни защитить себя. Он вскинул руки, чтобы отразить атаку, однако было уже поздно. Его голова под градом ударов моталась из стороны в сторону, а потом несчастный почувствовал, как его схватили за волосы и несколько раз ударили лицом о руль. Накатывало беспамятство, замелькали перед глазами вспышки: красные, синие, желтые — всех цветов радуги. Сквозь фейерверки Резник слышал, как хрустнул его нос под кулаком Билла. Все, что Джордж мог делать, это отрубиться, только так избавившись от ужасной боли.

Наконец инспектор обмяк и повалился вбок, наполовину свесившись из машины наружу. Билл сделал шаг назад и изо всех сил пнул Резника в голову, так что верхняя часть тела дернулась и сместилась внутрь салона. Оглядывая улицу, Билл захлопнул дверь, опустил кастет в карман и неторопливым шагом пошел через дорогу. Жестокое избиение Резника длилось не более тридцати секунд.

Билл думал, что он закрыл дверцу, но в щель между ней и кузовом попала правая ладонь Резника. Кровь текла из раздробленных пальцев, на лице не осталось живого места, но боли Джордж теперь не чувствовал, только дуновение прохладного воздуха, которое становилось все ощутимее по мере того, как дверь медленно, дюйм за дюймом, открывалась и освобождала придавленную руку. Резник не мог шевельнуться, не мог подать голос. Не в силах хотя бы приоткрыть распухшие, окровавленные веки, инспектор просто сидел и ждал, когда его найдут.

Едва Билл перешел улицу и скрылся в темноте гаража Долли, на тротуаре показался какой-то собачник. Он двигался в сторону машины Резника.

Грант застал кузена Гарри за обыском гаража.

— Он наверху, — сообщил Эдди.

Грант прошел в гостиную и, открыв складной ножик, начал вспарывать подушки дивана и кресел — те самые подушки, которые один раз уже вспорол Тони Фишер и которые после этого аккуратно зашила Долли. Билл пачкал ткань кровью Резника, но решил, что теперь это не важно.

Наверху Гарри постоял в дверях пустой детской. Там не осталось ни одного предмета мебели, только светло-голубые обои с рисунком из танцующих медвежат. Они напомнили Гарри о том, что когда-то эта комната предназначалась для его сына. Странная, болезненная злость наполнила его душу. Где бы ни была Долли, возвращаться в этот дом она больше не собирается. Эта комната была смыслом ее жизни. Вулф был смыслом ее жизни. Гарри был смыслом ее жизни. Ничего не осталось.

Незастланная кровать в гостевой спальне рассказала о том, что блондинка провела в доме ночь. Гарри обыскал комнату, но ничего не нашел. Безрезультатность поиска приводила его в бешенство. Необходимо как можно скорее найти хоть что-нибудь, указывающее на деньги. Долли сильно опережает его и хорошо заметает следы. Если Гарри так и не обнаружит подсказок о том, куда она отправилась, причем в ближайшее время, то игра закончена и он остался ни с чем.

В хозяйской спальне его встретил запах гари и необыкновенный разгром: косметика разбросана, фотография в рамке разбита и валяется на полу. Долли терпеть не могла беспорядок. Гарри знал эту комнату, как свои пять пальцев, но теперь не мог сказать, изменилось ли здесь что-нибудь, потому что изменилось все. Роулинс подобрал банку крема для лица и поставил ее на туалетный столик, потом взял в руки портрет в рамке с расколотым стеклом и вернул его на место — на прикроватную тумбочку с той стороны, где спала Долли. Открыв платяной шкаф супруги, Гарри увидел, что там стало меньше одежды и обуви. Тогда он подошел к своему шкафу, где обнаружил, что все его вещи искромсаны, разорваны или залиты лаком для ногтей.

— Сука! — прошипел Гарри.

Не потому, что ему жаль было одежды, а потому, что он почувствовал, как сильно ненавидит его Долли. Уничтожение дизайнерских костюмов, столь высоко ценимых им, — это акт обманутой, страдающей женщины, которой больше нечего терять. И совершенно очевидно, что Долли знает: ее муж жив.

Перед взором Гарри лежала в руинах его прошлая жизнь. Он яростно захлопнул дверцу шкафа, так что зеркало на внешней стороне дверцы разлетелось вдребезги.

— Ой, теперь семь лет счастья не... — Возникший в дверях спальни Эдди закрыл рот прежде, чем это сделал за него кузен.

Запах гари привел Роулинса к металлической урне. Он увидел на дне обугленные обрывки бумаги. По ним нельзя было понять, что именно сгорело, но обрезки кожаного переплета могли означать только одно. Гарри опустил руку в урну, зачерпнул горсть пепла и просыпал сквозь пальцы, словно черный снег. Его тетради. Его записей больше нет. Гарри сжал кулаки. Ему хотелось заорать во всю глотку. У него теперь ничего не осталось, а Долли, казалось, сумела заполучить все. Как она посмела?! Как, черт возьми, она посмела так поступить с ним?!

— Я убью тебя, — прошептал Гарри. — Клянусь богом, я убью тебя своими руками!

Эдди не слышал последней фразы и не обратил особого внимания на содержимое урны.

— Продолжать поиски, да? — спросил он. — Да ты не переживай из-за беспорядка, Гарри. Твоя Труди моментом наведет тут чистоту. И детская наконец-то пригодится...

Гарри взорвался в приступе безумного, неуправляемого гнева и пнул Эдди по яйцам, отчего тот упал на колени и свернулся калачиком. Гарри хотел убить кузена, вырвать из его груди сердце и скормить ему, но решил, что скользкий гаденыш не стоит таких усилий. Тогда Гарри развернулся, издал дикий рык и стукнул кулаком по дверце шкафа. В ней образовалась дыра, в кулак вонзились занозы. Гарри ничего не чувствовал.

На ковре стонал Эдди. На лестнице послышались шаги Билла.

— Гарри, пойди, надо взглянуть... — Билл остановился при виде босса, который стоял, тяжело дыша, с окровавленной рукой.

Его глаза под нависшими веками блестели дьявольским огнем. Билл решил, что Гарри таки свихнулся, а если так, то Билл сматывает удочки. Он был осторожным бандитом, никогда не убивал и не калечил в гневе, все акты насилия Грант совершал абсолютно хладнокровно. Тем не менее он сказал то, что собирался сказать, — на тот случай, если Гарри еще способен вернуться к реальности:

— В саду я кое-что нашел. Там что-то недавно зарыли. Тебе интересно или ты просто хочешь кого-нибудь убить?

Гарри заморгал, и безумие в его глазах погасло. Он перешагнул через Эдди, который так и лежал на ковре, держа руку между ног. В этот момент зазвонил телефон. Гарри замер, а потом медленно пошел к аппарату. Телефон издал две трели и умолк. Гарри остановился. Телефон зазвонил опять и на этот раз продолжал трезвонить. Гарри стоял над телефонным аппаратом с вытянутой рукой. Он знал, что это Долли — кто же еще. Ему не хотелось отвечать, это значило бы пойти ей навстречу, но Роулинс понимал, что должен поговорить с супругой. Гарри сел на кровать и осторожно взял трубку. На том конце провода молчали, тем не менее сквозь эхо зловещей тишины он чувствовал дыхание Долли.

— Это ты, Куколка?

Связь прервалась.

Гарри вырвал телефон из розетки и швырнул его через комнату.

ГЛАВА 38

У Линды дрожала рука, когда она опускала трубку на рычаг аппарата в своем гостиничном номере. Молодая женщина как будто онемела, а волоски на руках встали дыбом, словно ее окатило волной ледяного холода. Линда посмотрела на Беллу. Та стояла в дверях ванной комнаты, облаченная в очередной наряд, который купила прошлым вечером в бутике при гостинице. На этот раз это было платье из зеленого с белым шелка, и с ног до головы темнокожая красотка была закутана в тонкую шаль — чисто греческая богиня.

— Так, скажи мне честно, Линда, как ты думаешь — поменять это платье на синее или побаловать себя и купить оба?

Линда уставилась в стену. Голос... Она знала этот голос.

Белла, не замечая состояния подруги, надела набекрень покрытую блестками шляпу:

— Ну как тебе? Подходит эта шляпа к платью или нет?

Они провели в Рио меньше суток, но Беллу уже захватил покупательский ажиотаж. Деньги, которые дала ей Долли, исчезли в мгновение ока, а кровать в ее номере была покрыта коробками, сумочками, туфлями и купальниками. Гостиничный персонал уже начал обращаться с Беллой как с богатой наследницей: ее счет уже достиг нескольких тысяч и продолжал расти.

Белла посмотрела на притихшую Линду. Мрачное молчание подруги начинало действовать ей на нервы.

— Ты опять звонила в Лондон? Ширли приедет, когда сможет. Перестань волноваться. Если позвонишь еще раз, я выброшу телефон в бассейн.

Пока Белла транжирила деньги, Линда предавалась пьянству. Первым делом она опустошила все бутылочки из мини-бара и потом заказывала выпивку в номер так часто, что ее перестали спрашивать, что принести; просто приносили «как обычно». В результате Линда так напилась, что ночью почти не спала, с утра была подавлена и воображала всевозможные несчастья, которые могли приключиться с Ширли.

Белла бросила в нее один из купальников, и он попал Линде в голову.

— Ну перестань, Линда, хватит волноваться о Ширли. Долли сказала, что у девчонки болит лодыжка, а потому она прилетит попозже. Пойдем-ка лучше окунемся. Вчера у бассейна я видела несколько очень симпатичных парней.

Линда пребывала в каком-то ступоре.

— А мне Долли сказала, что рейс Ширли отменили, — медленно произнесла она. — Ни о какой лодыжке речи не было. Почему она назвала нам две разные причины? Нет, я знаю: что-то случилось.

— Что, например? — не скрывая сарказма, спросила Белла.

— Например... Да не знаю я! Но теперь по-настоящему за нее тревожно.

— Не глупи, Линда. Тебе просто алкоголь в голову ударил. — Белла стала снимать свой наряд, чтобы переодеться в один из новых бикини. Она показала его Линде. — Правда, стильный и классный, хотя и очень сексуальный? — (Линда не ответила.) — Послушай, солнце мое, если мы будем вести себя как пара богатых сучек, тогда к нам так и будут относиться. Если ты выглядишь как шалава, на тебя никто не станет смотреть. Давай-ка радоваться жизни, сначала искупаемся, а потом пообедаем в ресторане на крыше.

— Я только что звонила на домашний телефон Долли, — наконец сказала Линда. — Трубку снял мужчина. Он спросил: «Это ты, Куколка?»

Белла опешила.

— Этого не может быть! — выдохнула она.

— Есть только один человек, который называет ее Куколкой. Она сама нам об этого говорила.

Белла отчаянно пыталась рассуждать логически:

— Ты когда-нибудь слышала его голос? Вспомни, Линда, Гарри Роулинс хоть раз говорил при тебе?

— На трезвую голову нет... на мою трезвую голову, не его. — Линда слабо усмехнулась. Она тоже старалась прислушиваться к здравому смыслу. — У этого мужчины был густой бас. А Джо всегда говорил, что голос у Гарри бархатный, хоть занавески шей. Это был он, Белла. Я уверена в этом. «Это ты, Куколка?» И такой спокойный. Этот негодяй все еще жив, и Долли с ним заодно.

— А тогда где же Ширли? — Вот теперь Белла заволновалась не меньше подруги.

Линда вскочила на ноги:

— Белла, у тебя мозгов совсем нет! Ты накупила столько тряпок, что в руках не удержать, а денег не осталось! Как мы теперь выберемся отсюда?

— Подожди, подожди!

— Подождать? Может быть, Ширли уже мертва и закопана в саду Долли или, что еще хуже, ее схватила полиция. На допросе она не продержится и двух минут! Нам крышка. Но если мне придется сидеть в тюрьме, то пусть это будет не тюрьма в Рио. — Линда заметалась по комнате: сначала подошла к окну, потом к двери, затем к мини-бару — пусто, а после — к подносу под серебряной крышкой. Но и под ней ничего не оказалось. Выпивки не осталось.

— Линда! — закричала Белла. — Послушай же наконец! Если Долли заодно с Гарри, то почему он сидит у нее в доме и отвечает на звонки так, как будто не знает, где она? Почему они не сбежали вместе на другой конец света? Это не мог быть Гарри. Скорее всего, это была полиция. Сидят там как дураки и не знают, что еще делать. А Долли и Ширли уже летят сюда. Вот увидишь.

Совершенно неожиданно Линда зарыдала. Белла обняла ее:

— Не надо плакать, милая. Если они не приедут через день или два, мы дадим деру. Помнишь, как мы с тобой удирали из индийской закусочной, когда были юными и нищими?

Линда припала к плечу подруги:

— О, Белла. Напрасно мы размечтались, это все равно не могло быть правдой, да? — Она вздохнула. — Я всегда мечтала только об одном: стать автогонщиком и первой в мире женщиной-чемпионом. Собиралась задать мужикам жару на треке, и не только.

Белла засмеялась, и Линда, сбрасывая напряжение, тоже. Через открытое окно в номер залетело контральто Тины Тернер — это у бассейна завели магнитофон. Первой начала подпевать Линда, сначала потихоньку, а потом в полный голос.

Белла подхватила, и они заголосили во всю глотку, прыгая по комнате и размахивая руками. Когда песня закончилась, они замедлили танец, а потом остановились отдышаться. Неизвестность — вот что их убивало.

— У нас с тобой все будет хорошо, да, Белла? — спросила Линда.

— У всех нас все будет хорошо. — Белла виртуозно умела успокаивать пьяных параноиков. — Давай-ка закажем чего-нибудь выпить.

Пока она набирала номер и ждала ответа, ее улыбка сошла на нет. Молодую женщину не на шутку беспокоил мужчина, ответивший на звонок Линды. Если это был Гарри, то Долли наверняка оставила их ни с чем. Если это был коп, то, значит, Долли и Ширли уже сидят в тюремной камере. А если это был кто-то, работающий на Фишеров, тогда бог знает, что могло случиться с Ширли и Долли. Как бы ни обстояли дела, Белла решила вернуть все покупки в магазин. Она даст Долли и Ширли еще один день, а потом возьмет Линду и задаст стрекача.

ГЛАВА 39

Полиция поставила машины в обоих концах улицы, где жила Долли. Теперь никто не мог ни въехать, ни выехать. Местный житель, крепко обнимая свою собаку, в который раз повторял старшему инспектору Сондерсу рассказ о том, как он обнаружил Резника: собачник вывел своего питомца погулять и увидел в машине избитого человека. Тот то терял сознание, то приходил в себя, но сумел пробормотать, что служит в полиции.

— Он умер? — спросил собачник.

— Нет, — быстро ответил Сондерс. У него не было времени на пустые разговоры. — Пойдите теперь вот с этими полицейскими, они возьмут у вас письменные показания. — С этими словами старший инспектор проводил свидетеля к ближайшей патрульной машине.

Сондерс бросил взгляд вдоль улицы и заметил Фуллера, который стоял на коленях перед дверцей машины Резника. Слегка пристыженный, старший инспектор отвернулся. Он уже видел, как зверски отделали Резника. А тот даже в полубессознательном состоянии, превозмогая боль, повторял всего одно слово: «Роулинс». Сондерс был уверен, что правильно разобрал невнятные звуки. Конечно же, это мог быть бред, галлюцинация или просто следствие травмы головы... Поэтому Сондерс решил сначала получить доказательства.

Набираясь храбрости, чтобы вернуться к Резнику, старший инспектор подозвал одного из полицейских:

— Обеспечьте срочную эвакуацию инспектора. К началу операции его здесь быть не должно. Поторопите «скорую помощь». Где их черти носят? Пусть срочно едут сюда. И скажите, чтобы не включали сирену и мигалку.

Резник сгорбился на водительском кресле; многочисленные раны на лице кровоточили; дыхание вырывалось из легких сиплым, натужным хрипом.

Сондерс облокотился о машину:

— Джордж, «скорая помощь» уже едет, ты слышишь? Она уже едет, так что держись.

В груди Резника что-то скрежетало, когда он глотал воздух, но Джордж сумел кивнуть в знак того, что слышит. Сондерс покачал головой, отступил на пару шагов и шепнул Фуллеру:

— Какого черта он вообще здесь делал один? Разыгрывал из себя супергероя?

Фуллер не нашелся что ответить. Да Сондерсу и не нужен был ответ. Оба полицейских точно знали, почему Резник был один, — потому что они загнали его в этот угол.

Джордж попытался что-то сказать, но в горле у него забулькало, и он закашлялся, разбрызгивая кровь по лобовому стеклу. Сондерс поморщился:

— Прочистите его дыхательные пути, Фуллер. Посмотрите, нет ли у него вставных зубов. Не дай бог, задохнется, да еще прямо на улице. Оставайтесь с ним и записывайте все, что он скажет. После такого инцидента наверняка полетят головы. И уж я прослежу, чтобы моя осталась на месте.

— Разумеется... сэр, — ответил Фуллер.

Пауза перед словом «сэр» была исполнена той же неприязни, какую раньше сержант испытывал к Резнику.

А когда Сондерс отошел, возмущенный Фуллер даже замотал головой: прав был Резник, когда называл старшего инспектора подхалимом, который думает только о том, как прикрыть собственную задницу.

Фуллер опять встал на колени перед жалкой, сломленной фигурой Резника. Сержант так давно и страстно ненавидел этого человека, однако сейчас видел в нем не врага, а жертву грубого и жестокого насилия, которая заслуживала уважения и заботы. Фуллер достал из аптечки стерильный бинт и склонился над инспектором.

Глаза Резника приоткрылись, и он посмотрел на сержанта сквозь кровавый туман.

— Сэр, — сказал Фуллер, — я собираюсь очистить ваш рот, чтобы облегчить дыхание. У вас есть вставные зубы?

Резнику удалось кивнуть, поэтому Фуллер осторожно засунул пальцы начальнику в рот и стал ощупывать челюсти. Сначала на грудь Резнику выпало два настоящих зуба, выбитых во время избиения. Затем Фуллер снял и вытащил зубной протез.

— Я все сложу вам в карман. Протез будет ждать, когда вы будете готовы снова им пользоваться. А настоящие зубы можете положить под подушку для зубной феи. — Фуллер улыбнулся и мог бы поклясться, что глаза старого инспектора слегка сощурились. Это могла быть улыбка или гримаса боли.

Фуллер сбросил с себя куртку и заботливо укутал ею плечи и грудь Резника, ласково приговаривая:

— Мы же не хотим, чтобы вы замерзли, да? Простите меня, Джордж, — продолжил он. — Работать с вами невыносимо, но такого не заслуживает ни один человек. Простите. Я найду того, кто это сделал. Кто бы это ни был, я его из-под земли достану.

Дыхание Резника участилось; когда он попытался повернуть голову к Фуллеру, из носа и изо рта закапала кровь. Ценой невероятных усилий инспектор приподнял правую руку — травмированную, с черно-синими пальцами, в рукаве, набухшем от крови. Он указал на левую сторону груди и что-то сказал, но Фуллер не смог понять ни слова. Тогда Резник поднял руку еще выше и дважды тронул свою грудь.

— Что? Сердце? У вас сердечный приступ? — спросил сержант.

Резник скинул куртку Фуллера и пальцем подцепил край своего плаща. На этом силы его истощились, и он, уронив голову набок, потерял сознание.

Фуллер предположил, что инспектор просит вытащить что-то из внутреннего кармана плаща. И точно: сунув туда руку, он нащупал смятый листок бумаги. Но прочитать написанное Фуллер не успел — к машине бежала с носилками команда «скорой помощи». Он отошел, освобождая им место, а листок положил себе в карман. На другом конце улице Сондерс отдал приказ: всем идти на штурм дома Роулинсов.

Гарри стоял и смотрел, как лопата в руках Билла вгрызается в мягкую землю под ивой. Ни тот ни другой не заметили упавший крест из бамбуковых палок, тем более что с каждым движением лопаты крест засыпало землей. Довольно скоро в грунте показался край белой кружевной скатерти.

— Ох уж эти бабы! — засмеялся Билл. — Даже миллион фунтов не могут закопать без своих кружавчиков!

Грант упал на колени и рванул скатерть на себя, стремясь поскорее добраться до содержимого свертка.

Подошедший Эдди первым догадался, что спрятано в скатерти, и попятился.

— О черт! — воскликнул Билл, когда ему удалось развернуть ткань.

Отвратительный смрад ударил ему прямо в лицо. Грант вскочил на ноги, судорожно отряхивая испачканные руки.

Гарри подхватил тело Вулфа за загривок и с яростным воплем сунул его под нос кузену:

— Смотри, что ей пришлось из-за тебя сделать! Ей пришлось похоронить своего малыша! Опять! — Гарри бросил разлагающийся труп в Эдди. Тот, размазывая по щекам собачье дерьмо, отступил к кустам, и там его вырвало.

Вдруг они услышали, как входную дверь дома выбивают кувалдой.

— Полиция! Откройте!

Билл метнулся в кухню, чтобы попробовать пробиться к «БМВ». Эдди сначала застыл, а потом припустил вслед за Грантом.

Гарри не поддался панике. Он быстро отошел в дальний угол сада и стал пробираться через заросли ежевики к забору. Колючки раздирали одежду, царапали открытые участки кожи, но Роулинс не издал ни звука. Наконец он встал перед кирпичной стеной высотой в семь футов, посмотрел вверх, согнул колени, подпрыгнул и ухватился за край. В его ладони впились осколки стекла, которыми он сам много лет назад утыкал бетонный верх ограждения. Боль стрелами пронзала все тело, крик рвался наружу, но Гарри беззвучно висел, прижав лоб к кирпичам и плотно зажмурив глаза.

В это время в саду послышались торопливые шаги Эдди. Он бежал из кухни, и Гарри сделал вывод, что за его никчемным родственником гонится полиция. Это придало ему сил, и Гарри, с искаженным от боли лицом, подтянулся. Когда он вскарабкался на забор, его заметил Эдди.

— Гарри! — заголосил кузен. — Гарри, помоги мне! — Эдди смотрел вверх и не видел, что на земле валяется тело Вулфа. Бедолага споткнулся об него, упал в грязь, где его и настигли полицейские.

Гарри убегал по стене, все так же беззвучно и обходя насколько возможно стеклянные зубцы. Напоследок он оглянулся. Эдди почти не было видно под навалившимися на него копами. Гарри перевел взгляд на трупик Вулфа и насмешливо хмыкнул:

— Месть сладка, Вулфи... — Затем он спрыгнул со стены в полумрак узкого переулка.

В это время перед гаражом Билл с кастетом на руке сражался не на жизнь, а на смерть. Ему было за что биться. Сидеть за решеткой до конца своих дней он не собирается, ну уж нет. И не надейтесь, что он просто упадет на землю лицом вниз и даст себя поймать. Грант пинался и молотил кулаками что было сил. Двое полицейских не могли с ним справиться. Даже когда к ним на помощь пришли еще двое копов, Билл не сдавался. Наконец одному из них удалось ударить наемника в висок, и у Гранта на секунду помутилось в голове. Этого было достаточно, чтобы переломить ход схватки. В следующий миг Билл уже лежал на асфальте, свернувшись в клубок и закрыв голову руками, пока четыре полицейские дубинки осыпали его ударами.

Наконец окровавленного, избитого, лягающегося, изрыгающего ругательства Билла Гранта потащили в наручниках к полицейскому фургону. Фуллер наблюдал за этим со стороны. Он не участвовал в штурме дома, а предпочел остаться с Резником, которым занимались подоспевшие врачи «скорой помощи». Сержант хотел быть уверенным в том, что любое слово Резника будет услышано и записано. Он не позволит Сондерсу обвинить Резника в том, в чем тот не виноват. Инспектор и без того достаточно дров наломал...

Когда команда захвата с Биллом посередине проходила мимо Фуллера, один из копов отдал ему кастет Гранта. Пока кастет лежал в кармане Билла, запекшаяся кровь и волосы частично обсыпались, но все еще были видны. Фуллер посмотрел на крепкого, молодого, сопротивляющегося мужчину в кольце полицейских, а потом на толстого, хрипящего, беспомощного старика в машине «скорой помощи». Острый стыд и ярость переполнили его душу. В любой другой день ему претила мысль о том, чтобы сесть в одну прокуренную машину с Резником, но сегодня... сегодня он жалел, что его не было рядом. Резник не заслуживает такой жестокости. Ни один человек не заслуживает.

Не помня себя от гнева, Фуллер нацепил кастет на правую руку, в два шага догнал Гранта и ударил его по почкам дважды, пока товарищи не оттащили сержанта.

Когда Фуллер возвращался обратно к Резнику, то увидел, как ведут второго задержанного — Эдди Роулинса. Весь в слюнях и соплях, он верещал:

— У меня есть право тут быть! Это дом моего двоюродного брата! Я приглядываю тут за порядком вместо него. Я не сделал ничего плохого.

Фуллер сел в карету «скорой помощи», и голова Резника повернулась в его сторону. Вокруг носа и рта инспектора запеклась темная кровь. На Фуллера смотрели глаза раненого зверя.

— Я ему отомстил, — сказал сержант. — Тому, кто это сделал. Он так легко о вас не забудет.

Но Резнику как будто было все равно. Когда он попытался что-то сказать, изо рта у него опять полилась кровь. Врач надел на лицо инспектора кислородную маску, и Резник закрыл глаза.

Гарри Роулинс спрятался в соседской изгороди из кустов бирючины. Чтобы остановить кровь в изрезанных руках, он вырвал внутреннюю часть карманов брюк, обмотал ими ладони и сжал кулаки. В ранах остались мелкие осколки, и он их чувствовал при малейшем движении пальцев. Из своего укрытия Роулинс видел, как сначала уехала «скорая помощь», потом фургон с задержанным, а затем одна за другой разъехались полицейские патрульные машины. Последними место действия покинули зеваки. Улица опустела. Но Гарри прождал еще полчаса на тот случай, если полиция вернется. Наконец он счел, что горизонт чист, вышел на улицу и огляделся. Тихо и пусто. Вынув из кармана шарф Эдди, Роулинс намотал его вокруг шеи, поднял до середины носа, сунул руки в карманы и неторопливо зашагал к дому Джимми Нанна.

ГЛАВА 40

С билетом в руке Ширли взошла по трапу и оказалась в самолете. Не зная, куда идти, она повернула налево. Возле бортовой кухни ее остановила стюардесса и спросила, первым ли классом она летит, на что Ширли протянула ей билет. Стюардесса проверила посадочный купон и со слащавой улыбкой сообщила, что экономкласс справа от входа. Когда стюардесса вежливо выпроваживала Ширли в положенную ей часть самолета, они миновали Долли, которая сидела в салоне первого класса у окна, пила шампанское и читала модный журнал. «Разве могло быть иначе?» — с горькой усмешкой пробормотала Ширли.

К своей досаде, девушка обнаружила, что ей досталось место у прохода. И окончательно она расстроилась, увидев, что в соседнем кресле уже уселся Чарльз.

— Я поменялся местами, чтобы сидеть рядом с вами! — довольный, сообщил он. — Теперь у нас будет время познакомиться поближе!

Последний раз Ширли ела среди ночи, поэтому она с удовольствием проглотила выданный пассажирам обед, потом надела наушники и устроилась смотреть фильм. Не то чтобы ее интересовало происходящее на экране, но все лучше, чем слушать занудные рассказы Чарльза о всех странах, где он успел побывать.

Только Ширли заснула за просмотром фильма, как ее разбудили — задел очередной проходящий мимо пассажир. Девушка выдернула из ушей наушники и собралась было высказать невеже все, что думает, но увидела, что это Долли. Женщина извинилась, словно была незнакома с Ширли, и пошла дальше по направлению к туалетам. Убедившись, что все кабинки пусты, Долли вынула из пачки сигарету и закурила. К ней через минуту присоединилась Ширли, по-прежнему с наушниками на шее. Разговаривая, они улыбались друг другу, словно вели светскую беседу с целью занять время до приземления.

— У нас проблемы, — негромко проговорила Долли. — Таможенная процедура в Рио отличается от нашей. Там нет красного и зеленого коридора — все идут через один выход. А таможенники останавливают для проверки любого, кого им захочется обыскать. Но нам придется рискнуть. Ты как, готова?

У Ширли душа ушла в пятки.

— Нет, не готова, — прошипела она. — Это безумие — так рисковать! Бразильские таможенники будут выискивать малейшие признаки нервозности, а вы ведь знаете, какие у меня слабые нервы.

— Вообще-то, рискую только я, потому что именно я понесу чемодан с деньгами, — подчеркнула Долли. — А без этих денег нам скоро не на что будет жить в Рио, а также не на что убраться из этой страны в случае необходимости. Все, что от тебя требуется, это отвлечь таможенников, если они меня остановят.

Ширли теребила проводок от наушников. Она знала, что наибольший риск Долли берет на себя. И по большому счету у девушки нет выбора.

— Полагаю, твое молчание означает «да»? — поторопила ее Долли.

— И как мне отвлечь таможенников?

— Придумаешь что-нибудь. До приземления еще шесть часов, — сказала Долли и пошла обратно на свое место.

Ширли зашла в кабинку туалета и посидела там, зажав голову руками. От страха ей было дурно. Когда она добралась до своего места, фильм уже подходил к концу. Отрицательных героев поймали в Коста-Браве с украденными деньгами. Ширли заказала большую порцию коньяка, чтобы успокоить нервы, после чего закрыла глаза и притворилась, что спит.

Гарри неслышно передвигался по темной спальне, стараясь не разбудить Труди. Кровь из ладоней больше не шла, но порезы болели, пока он собирал сумку и открывал ящики в поисках необходимых вещей. Роулинс достал паспорт и принялся искать те пятьдесят фунтов, которые Долли дала Труди для малыша. При мысли о ненавистной супруге внутри у Гарри все сжалось. Он ей за это еще отплатит. Он найдет ее, заберет свои деньги и заставит страдать за все, что она ему сделала. Гарри продолжал шарить в ящике туалетного столика и вдруг чуть не взвыл — он наткнулся израненной ладонью на щетку для волос. Сжав зубы, Роулинс испустил только короткий стон.

Но Труди услышала и его. Она проснулась, увидела темную фигуру возле туалетного столика и уже набрала было в грудь воздуха, чтобы закричать, но в ту же секунду Гарри подскочил к кровати и зажал ей рот.

— Это я, Гарри, — шепнул он.

Труди схватила его руку и отлепила от своего лица. На губах у нее осталась какая-то влага. Включив прикроватную лампу, девушка увидела, что это кровь из ладони Гарри.

— Тихо, ничего не говори, ребенка разбудишь, — сказал он и стер с ее лица кровь.

Труди посмотрела на ладони Гарри в многочисленных порезах:

— Где ты был? Я так ждала тебя! Что ты делал?

Гарри встал:

— Где полсотни, которые она тебе дала?

Труди собиралась спросить, зачем ему эти пятьдесят фунтов, но Гарри резко рубанул рукой воздух: никаких вопросов. Однако Труди догадалась сама:

— Вы не нашли деньги! А где Билл и Эдди?

Гарри как будто не слышал вопроса. Он взял ее сумочку и вынул оттуда пятьдесят фунтов плюс все, что оставалось от пособия на ребенка. Засунув деньги в карман, Роулинс перешел к своей тумбочке. К нижней стороне крышки скотчем был приклеен поддельный паспорт, который достал для него Билл. Теперь сборы были закончены. Гарри вышел из спальни.

Труди вылезла из кровати и побежала за ним:

— Ты куда, Гарри? Куда ты собрался? Ты же не оставишь меня одну?

Гарри мотнул головой, но Труди подбежала к входной двери и прижалась к ней спиной:

— Ты возвращаешься к Долли? Ты все еще любишь ее или дело в деньгах?

Гарри встал к ней лицом к лицу и процедил:

— Не называй при мне этого имени. Ее больше нет... и не будет!

Труди вцепилась в него:

— А деньги? Что с деньгами?

Гарри оттолкнул ее в сторону и открыл дверь. Труди повисла на его локте:

— Я тебя так люблю, Гарри! Пожалуйста, останься. Ты нужен мне... Я люблю тебя.

Он крепко обнял ее и прижал к своему плечу ее лицо, потому что Труди начала плакать. Потом Гарри поднял голову Труди за подбородок и, глядя в глаза, прошептал:

— Знаю, но остаться не могу. Мы были в доме. Там нет ни Долли, ни денег. Потом заявилась полиция, и началась свистопляска. Эдди и Билл арестованы, а ты сама понимаешь: кузен быстро расколется, стоит на него чуть-чуть поднажать. У меня нет выбора. Я должен уехать.

Труди начала выть, и Гарри опять зажал ей рот рукой:

— Я вернусь за тобой, обещаю, но пока мне нужно побыть одному.

Он вышел на лестничную площадку. Труди, всхлипывая, тащила его за куртку обратно в квартиру. Гарри остановился и оттолкнул ее рукой.

— Не пущу тебя! Я не отпущу тебя! — голосила Труди.

Гарри сильно сжал ладонью ее лицо:

— Ребенок — мой? Точно?

Труди сморщилась от боли.

— Конечно твой, — сказала она, глядя в его беспощадные глаза.

— Смотри мне. Я вернусь за вами обоими.

Гарри отвернулся. Труди так впилась в него, что Роулинсу пришлось с силой вырывать свою руку. Девушка потеряла равновесие и упала на спину, стукнувшись головой о стену.

Роулинс побежал вниз по лестнице и даже не обернулся посмотреть, цела ли Труди. А она, борясь с тошнотой, подползла к перилам.

— Гарри, сволочь ты такая! — завопила Труди. Ей удалось подняться, и она смотрела вниз в лестничный пролет. — Ты бежишь к ней! Ну и давай беги к своей Долли! Она всегда вертела тобой, как шея головой, а ты и не догадывался!

Плюхнувшись на ступеньки, Труди заплакала навзрыд.

Из квартиры этажом ниже вышла миссис Обебега и посмотрела наверх.

— У вас все в порядке? Миссис Нанн, что с вами? — спрашивала она, поднимаясь к Труди по лестнице.

Вдруг с первого этажа послышался треск ломающегося дерева — дверь парадной распахнули пинком так, что она впечаталась в стену. Потом по лестнице застучали тяжелые ботинки.

Рейд возглавлял сержант Фуллер. Адрес Джимми Нанна был едва виден на пропитавшейся кровью смятой бумажке, которую дал ему Резник. При виде Труди, рыдающей на ступенях, Фуллер помахал перед ней ордером и, не останавливаясь, побежал дальше.

— Где он? — крикнул сержант через плечо. — Отвечайте немедленно, где он?

— Он ушел... ушел... А вы убирайтесь отсюда! Убирайтесь! — вопила Труди, впадая в истерику.

Из квартир выходили жильцы; дом сверху донизу наводнила полиция. Фуллер вернулся к Труди и пытался поднять с пола, ухватив за халат. В квартиру ворвались полицейские. Один из них ногой открыл дверь в спальню и разбудил ребенка, который немедленно захныкал.

Фуллер взял Труди за локоть и потащил к двери:

— Где Джимми? Вам лучше сразу все рассказать, миссис Нанн, или я вас арестую.

Как будто со стороны Труди услышала свой смех. Смех безумного человека. Сквозь него пробивалась только одна фраза:

— Я ничего не знаю. Я ничего не знаю. Я ничего не знаю.

ГЛАВА 41

В аэропорту Рио очереди на паспортный контроль казались бесконечными. Долли и Ширли стояли в разных очередях и ни разу даже не обменялись взглядами. Долгое ожидание раздражало пассажиров, но в ответ на любые проявления недовольства бразильские пограничники работали еще медленнее.

Наконец Долли и Ширли, каждая своим путем, перешли в зону выдачи багажа. Там некоторые пассажиры уже катили и тащили свои чемоданы на таможенный досмотр. В просторном помещении было зябко, динамики изрыгали однообразную самбу, и это вкупе с возбужденным говором бразильских пассажиров и длительным перелетом превращало прохождение таможни в пытку.

Среди людей, которые пробирались к своему багажу на ленте конвейера, Ширли заметила светлые волосы Долли. У единственного выхода из зала выдачи багажа стоял длинный стол с таможенником у каждого края, и еще два таможенника охраняли проход. Все они были вооружены и следили за пассажирами как ястребы. Несмотря на прохладу, Ширли прошиб пот. Она тоже пошла к багажной карусели.

Стоя у ленты в ожидании своих чемоданов, Ширли поглядывала в сторону таможни. Там выстроилась очередь из тех, кто получил багаж и хотел выйти из аэропорта. Сердце Ширли тревожно забилось: осматривали все чемоданы подряд. Стол был завален разнообразными предметами одежды, а пассажиры и таможенники громко пререкались. Ширли опять нашла взглядом Долли, протиснулась к ней и встала за ее спиной.

— Они обыскивают всех. Нельзя идти туда с деньгами, — прошептала Ширли прямо в ухо Долли.

Та не обернулась.

— Ты знаешь, что делать. И отойди от меня немедленно.

В этот момент на конвейере появился один из их красных чемоданов, но пока женщины не могли разглядеть, какого цвета на нем бирка. Они стояли и ждали, чтобы чемодан подъехал поближе, как вдруг чья-то рука схватила его и стащила с карусели. Долли уже открыла рот, чтобы возмутиться, но Ширли успела остановить ее незаметным тычком в ногу. С рюкзаком за спиной и с красным чемоданом в руке Чарльз радостно улыбался Ширли:

— Это же ваш чемодан? Давайте я понесу его.

— Не надо, спасибо. Мне еще надо дождаться второго.

Он прижался к Ширли почти вплотную. После долгого перелета от него пахло еще хуже, чем вначале их знакомства.

— Да ничего, я подожду с вами... Может, поужинаем вместе или посмотрим достопримечательности? Или просто побудем в номере?

Нужно было срочно избавляться от назойливого ухажера. Ширли произнесла тихо, но твердо:

— Ни за что... Отвали!

Чарльз не ожидал столь категоричного отказа и, сделав шаг назад, наступил на ногу какой-то толстой женщине. Она взвизгнула и резко оттолкнула его; он начал падать, а когда попытался вернуть равновесие, задел рюкзаком другую пассажирку. Та осыпала его бранью на португальском языке. Пробормотав извинения всем вокруг, Чарльз понурил голову и побрел к выходу.

Ширли обернулась, чтобы попросить Долли оставить чемодан на конвейере. Но Долли рядом уже не было, зато у ног Ширли стоял чемодан. Она с ужасом смотрела на него, не в силах заставить себя взяться за ручку, однако потом увидела, что это был чемодан с синей биркой. Пока все смотрели на Чарльза, Долли сняла с конвейера второй красный чемодан, поменяла его на тот, что с деньгами, и как ни в чем не бывало ушла.

Во рту у Ширли пересохло, а руки взмокли от пота. Когда она увидела, что Долли с чемоданом денег стоит в очереди к столу досмотра, то чуть не упала в обморок. Зато Долли выглядела абсолютно спокойной, передвигаясь вместе с очередью вперед и ногой толкая перед собой чемодан. Поняв, что Долли пока не досматривают, Ширли опять повернулась к карусели, чтобы взять свой собственный чемодан, но он только что проехал мимо нее второй раз!

Тем временем рюкзак Чарльза оказался на столе. Два таможенника копались в вещах, выискивая наркотики. К своему разочарованию, в рюкзаке они ничего недозволенного не нашли и решили обыскать самого Чарльза.

Другой служащий указал пальцем на Долли и ее чемодан. Стараясь не показать виду, какой он тяжелый, женщина вскинула чемодан на стол и положила на бок, потом быстро поставила сверху свою сумку и оперлась о нее руками. Таможенник окинул Долли строгим взглядом и щелкнул пальцами:

— Паспорт!

Она подала паспорт. Служащий быстро пролистал его и отложил в сторону.

— Вы имеете что-то декларировать? — спросил он на ломаном английском.

Долли мило улыбнулась и покачала головой.

— Какие-то продукты и растения с вами? — продолжал таможенник все так же строго.

— Нет, но в сумке у меня бутылка джина из магазина дьюти-фри и сигареты. Хотите посмотреть?

— Да... Какая цель приезда? Бизнес или отдых? — Казалось, он ждет, не выкажет ли она признаков нервозности.

— Отдых, — невозмутимо ответила Долли и медленно расстегнула молнию на сумке.

Если честно, то у нее от волнения дико кружилась голова, и приходилось контролировать каждый нерв в своем теле, чтобы ни дрожью, ни случайной паузой, ни жестом не привлечь к себе более пристального внимания таможенника. Что происходит у нее за спиной, где Ширли, Долли не знала и молила Бога, чтобы девчонка поспешила и привела наконец в действие свой отвлекающий маневр, или что там она придумала...

Ширли к тому времени с двумя своими чемоданами тоже стояла в очереди на таможенный досмотр. Она видела, как таможенник вынимает из сумки Долли бутылку и сигаретные пачки, как копается в остальном содержимом, как потом отдает сумку Долли и придвигает к себе чемодан. Когда служащий развернул чемодан замками к себе, Ширли поняла, что момент настал — сейчас или никогда. Она расстегнула свою сумочку, сунула внутрь руку и начала кричать:

— Помогите! О боже мой, помогите! Кто-то украл мой паспорт! — Она шарила в сумочке так рьяно, что оттуда посыпалась на пол косметика и прочие мелочи. — Его здесь нет! Паспорта нет! Меня ограбили! Ограбили!

Все разом прекратили свои дела и занятия и обратили свои взгляды на Ширли. Два таможенника у выхода шагнули вперед, чтобы посмотреть, с чего вдруг поднялся такой крик. Человек, стоящий в очереди за Долли, в отчаянии вскинул руки и начал что-то орать по-португальски, показывая на свои наручные часы. Таможенник, проверяющий Долли, велел соблюдать тишину, но тот не умолкал, и даже ничего не смыслящие в португальском люди поняли, что он имел в виду, когда назвал таможенника *idiota*.

Разозленный таможенник вернул Долли паспорт, оттолкнул в сторону ее чемодан и жестом велел освободить место. Затем он повернулся к недовольному пассажиру за ее спиной и хлопнул ладонью по столу.

Долли стянула чемодан на пол. Все, таможня пройдена. Окружающие по-прежнему смотрели на Ширли в хвосте очереди, а она, стоя на коленях, все так же истошно орала, перебирая рассыпанные на полу вещи. Долли влилась в поток пассажиров и вышла из аэропорта.

Только когда за Долли закрылись автоматические двери, Ширли замахала над головой паспортом в знак того, что пропажа нашлась. Таможенники повели крикливую пассажирку со всеми ее чемоданами в отдельную комнату для беседы. Поскольку Долли уже была в безопасности, Ширли не нервничала: ни в одном из чемоданов не было ничего противозаконного.

Ширли не знала, что в соседней комнатке таможенники беседуют с Чарльзом в связи с переполохом, который он устроил у багажной карусели. Молодой человек со слезами на глазах поведал им о том, как в Хитроу помог одной леди провезти лишний чемодан в надежде на перепих и был крайне расстроен, получив от ворот поворот, да еще в такой резкой форме.

Один из таможенников, расспрашивавших Чарльза, перешел в комнату, где двое его коллег занимались Ширли. Английским он владел достаточно хорошо, чтобы пересказать товарищам историю Чарльза.

— Ой, простите, — сказала Ширли, надув губки. — У меня не было денег, чтобы заплатить за лишний вес, и поэтому я слегка нарушила правила. Конечно, это глупо с моей стороны, и я очень извиняюсь. Но я не собиралась никого обманывать. Тот человек сказал, что ничего страшного в этом нет, если он возьмет мой чемодан. А так нельзя было делать? Или... — воскликнула Ширли, без усилий вживаясь в роль недалекой блондинки, — вы думаете, у него были другие намерения?

Таможенник сказал ей подождать и ушел. Вот теперь Ширли немного заволновалась, потому что собеседование по непонятным ей причинам затягивалось. Через несколько минут таможенник вернулся, сел напротив девушки за стол и сердито посмотрел в ее большие голубые глаза:

— Почему вы сказали молодому человеку, что едете в Рио на съемки для журнала?

— Я это придумала, — сказала она и склонила голову, делая вид, что ей стыдно, а на самом деле пряча тревогу в глазах. — Сначала он мне как бы понравился, и я хотела произвести на него впечатление, а...

Таможенник стукнул по столу кулаком, и Ширли подпрыгнула на стуле.

— Тогда почему вы отшили его, когда приземлились в Рио?

Ширли доверительно нагнулась к нему:

— Понимаете, в самолете мы сидели рядом, и от него так неприятно пахло. А когда он подошел ко мне у выдачи багажа, я чуть сознание не потеряла. Конечно, я не хотела обидеть его, но нужно быть честной!

Таможенники так и покатились со смеху.

— От него действительно воняет! — сказал один из них. — Особенно в маленьком помещении. Вы свободны, мисс. — И он открыл для Ширли дверь.

———

Элис нашла Резника в отдельной палате. На высокой больничной койке он казался неожиданно маленьким — неподвижный, с капельницей в руке, почти неузнаваемый из-за синяков и ссадин. Подойдя к нему, Элис заметила, что на тумбочке лежит в блюдце его зубной протез, и женщине пришлось подавить всхлип. Она подтянула к койке стул и уселась ждать.

По дороге в гостиницу Ширли смотрела из окна такси на пролетающий мимо Рио и думала о Терри. Никогда еще не доводилось ей испытывать такого восторга. Все беды и проблемы позади, и она свободна и может делать, что хочет, быть кем хочет. И она богата. Очень богата. Как бы ей хотелось разделить эту часть своей жизни с любимым мужчиной. Он ведь тоже об этом мечтал. Ну не о Рио конкретно, все-таки он был парнем с рабочих окраин, но о том, чтобы делать то, что хочется. Ширли трудно было поверить, что она находится в Рио, а уж каким образом она сюда попала — об этом и вовсе лучше не думать. Ей не терпелось увидеться с Беллой и Линдой, надо было столько всего им рассказать!

В первые минуты встречи слов не было, только радостный визг, смех, множество объятий и литры слез. Ее никогда еще так крепко не обнимали, — казалось, подруги больше не хотят отпускать Ширли от себя ни на шаг. За минувшие сутки она представляла, как Линда и Белла развлекаются у бассейна, а вот они рисовали страшные картины того, как ее допрашивает в тюремной камере не самый порядочный коп.

Шли часы, а веселье, как и шампанское, лилось рекой. Гостиничный номер постепенно превращался в филиал модного салона: повсюду лежали коробки с шикарными платьями и костюмами. Три девушки превратились в беспечных детей, до середины ночи они скакали, пели, плясали и стреляли пробками от шампанского.

Долли в это время принимала ванну. Она слышала, как кричат и смеются девушки, и была рада, что они счастливы. Приехала она через полчаса после Ширли, однако ее встретили куда сдержаннее. Долли жалела, что не умеет пробуждать сильные эмоции ни в себе, ни в окружающих. Она всегда так напряжена, что разучилась выражать чувства. «Наверное, они знают, как я восхищаюсь ими? — думала Долли, закуривая очередную сигарету и подливая шампанского в бокал. — Наверное, понимают, как я ими горда?» Когда Долли вынула из чемодана сто двадцать тысяч, у девушек глаза на лоб полезли от удивления.

Долли посмотрела на сигарету, зажатую в сморщенных от воды пальцев. Она пролежала в ванне так долго, что вода совсем остыла, но ей было все равно. Постепенно напряжение уходило из каждой клеточки ее тела, сейчас ее ничто не заботило. Долли закрыла глаза.

— Выходите, Долли! — крикнула из гостиной Линда.

Долли улыбнулась. Оказывается, она скучала по этому задорному голосу. Из бутылки шампанского с хлопком вылетела пробка, и девушки завизжали, как будто это случилось в первый раз за вечер, а не в четвертый. Белые, пушистые хлопья пены напомнили Долли о Вулфе. Ей стало дурно, а когда она попробовала встать, то у нее закружилась голова, и Долли скользнула обратно в воду. Из ее пальцев выпала сигарета; глядя, как она тонет, Долли хотела плакать. Ее эмоции так близки к тому, чтобы вырваться наружу, и все-таки остаются внутри. Она не знала, о ком грустит сильнее — о Вулфе, о Гарри или о себе. Голую и одинокую, ее настигло чувство полной беззащитности.

Почти в шести тысячах миль от нее, забившийся в свой затхлый гараж с одной только злобной овчаркой в качестве компаньона, Гарри Роулинс тоже чувствовал себя беспомощным и одиноким. Он мертвец; он не может выйти в свет, не может притронутся к деньгам на своих банковских счетах, даже домой пойти не может. И страну ему придется покинуть, но сначала надо дождаться, когда это будет безопасно. Долли... От одной мысли о ней у Гарри сжимались кулаки. Много лет назад они вместе оплакивали свое мертвое дитя. Потом он предал супругу, но она сумела обыграть мужа в его же вероломной игре.

Однако игра еще не кончена, нет. Никому не под силу победить Гарри Роулинса...

Ширли стояла в спальне, оглядывала себя в зеркале и пыталась понять, не стоит ли надеть синее платье... «Нет, — подумала она, — серебристое лучше. — Ширли отошла, чтобы полюбоваться своим стройным телом. — Ох, до чего же я хороша... Нет, не просто хороша — я прекрасна».

Из соседней спальни вышла Белла. Ее черное платье, сплошь затканное блестками, при каждом шаге переливалось волнами света.

— Отличная задница! — заметила она, и обе засмеялись.

Потом Белла позвала Долли, чтобы та тоже собиралась в клуб.

— Скорее, Долли! — добавила Ширли. — Мы все вас ждем!

Деньги Ширли лежали на кофейном столике. Линда сложила свою долю на колени и, совершенно счастливая, пела во весь голос. Деньги Беллы валялись, небрежно брошенные, на кресле. Белла подпевала Линде — они горланили собственную версию песни «My Way». Ширли закружилась по комнате, наслаждаясь тем, как раздувается вокруг нее платье. Белла не желала отставать: она приняла позу Ширли Бэсси и запела песню из фильма «Голдфингер», перекрикивая Линду. Атмосфера искрилась весельем. Девушки расслаблялись — им больше не о чем было тревожиться.

Ширли залпом выпила шампанское, закурила сигарету и стала расхаживать взад-вперед, словно по подиуму. Линда взяла в руки щетку для волос и сделала вид, будто это микрофон.

— И вот перед нами несравненная мисс Ширли Миллер! Есть ли у вас хобби, мисс Миллер?

— Моя любить детей и... ГРАБИТЬ БАНКИ! — выкрикнула девушка и подбросила в воздух горсть купюр.

Долли завязала пояс халата, вытерла запотевшее зеркало и стала рассматривать свое лицо. Мокрые волосы висели вдоль скул крысиными хвостами. Выглядела она — и чувствовала себя — изможденной и старой. Долли прижалась лбом к холодному стеклу. Слезы так и не появились. «Неужели все? — спрашивала она себя. — Кончились? Все высохли?»

Линда с подноса взяла канапе с черной икрой и задумчиво уставилась на маленькую сумочку на диване, в которой лежали деньги Долли. При встрече Долли объяснила им, что разделила все деньги поровну и что основная сумма спрятана в монастыре. Она также напомнила, что взяла из их долей по пять тысяч фунтов, возмещая свои расходы на подготовку ограбления. Такой расклад всех более чем устроил, но сейчас в голове у Линды бродили иные мысли. Она подошла к Белле.

— Как ты думаешь, надо рассказать Ширли о телефонном звонке? — прошептала она.

Белла нахмурилась:

— Нет! Забудь о нем. Ты не знаешь, кто тебе ответил. И ты сама согласилась, что, скорее всего, обозналась, так что выкинь это из головы раз и навсегда.

Ширли подливала себе шампанского:

— О чем это вы там шепчетесь?

Линда искоса глянула на Беллу, потом села на диван:

— Я звонила в Лондон... в дом Долли и Гарри. Этого не следовало делать, я знаю, но все равно позвонила, потому что очень переживала за тебя.

Ширли пожала плечами:

— Долли мне ничего не говорила.

Линда опустила взгляд:

— Мне ответила не Долли... а Гарри. — Прежде чем Ширли успела что-то сказать, Линда поспешила заверить ее в правдивости своих слов: — Я знаю, что это был он. Это точно был Гарри.

Белла тоже наполнила свой бокал.

— Даже не буду спорить с тобой, мы уже сто раз это обсуждали.

Ширли не могла взять в толк, о чем только что говорила Линда.

— Ты уверена? Линда, ты уверена, что это был он?

— Только он называл ее Куколкой, — начала горячиться Линда. — Тот человек так и сказал: «Это ты, Куколка?» Кто же еще это мог быть? Он иногда звонил нам домой, и у него был точно такой же голос. Говорю вам, Гарри Роулинс жив.

Девушки притихли и сидели, задумчиво переглядываясь. Действительно ли Гарри жив? И что еще важнее, известно ли об этом Долли? Первой нарушила молчание Ширли. Она рассказала подругам все без утайки: об искромсанной одежде Гарри в шкафу, о том, что Эдди днем и ночью следил за ними, о том, как он проник в дом, убил Вулфа и напал на нее. Потом ее словно озарило, и она подскочила на ноги:

— Я ведь тоже об этом догадывалась! Ну, то есть сначала я решила, что Долли в сговоре с Эдди, но если подставить вместо Эдди самого Гарри, то все складывается еще лучше! То есть получается, что она никогда не думала, будто он погиб.

Едва услышав это, Линда сорвалась с места и пнула чемодан, в котором Долли привезла деньги. Ее лицо исказила некрасивая злая гримаса.

— Это всего лишь подачка! Чтобы отвлечь нас! А кто получит остальное, а? Да в это самое время Гарри, должно быть, выгребает наши денежки из шкафов в монастыре... если деньги вообще там были, в чем я теперь сильно сомневаюсь.

Белла поставил бокал на стол и тоже встала:

— Не надо спешить с выводами. Мы не знаем, что из этого правда. Мы даже не знаем, жив ли Гарри. Ну подумайте сами: если он жив, то зачем Долли прилетать сюда?

Они не слышали, как из ванной комнаты вышла сама Долли. В гостиничном халате, который был ей слишком велик, она могла бы сойти за чью-то бабушку. Девушки не знали, какую часть их разговора услышала Долли. Во всяком случае, она ничего об этом не сказала. Лишь молча подошла к чемодану, где были деньги, и стала собирать одежду Гарри в полиэтиленовый мешок.

Девушки обменялись взглядами, и Белла кивнула Линде.

— Утром я звонила в Лондон, к вам домой, — осторожно начала та.

Долли как будто не слышала ее. Теперь она открыла свой чемодан, поискала что-то и вынула серое платье.

— Наверное, надену вот это. Буду не так нарядна, как вы, но ничего страшного. Хотя у меня где-то было платье для коктейлей... Вроде бы я брала его с собой.

— Гарри жив? — напрямую спросила Линда.

Долли подняла над чемоданом вечернее платье, потом приложила к себе:

— Что скажете?

Линда шагнула к ней и вырвала платье из рук:

— На мой звонок ответил Гарри. Значит, он жив, да?

Взгляд у Долли затуманился. В ней не осталось ни сил, ни воли что-то доказывать. Ее как будто пнули в живот, и жгучая боль расходилась вширь и вглубь, поглощая все тело. Но когда она заговорила, ее голос звучал ровно.

— Раз ты так считаешь, Линда, то да, — ответила Долли, стоя спиной к Ширли и Белле.

— Да, я так считаю, Долли. И вы знаете, что это так. — Затем Линда задала вопрос, который волновал их сильнее всего: — А что с остальными деньгами? Что вы с ними сделали? Они уже у Гарри, верно?

Долли казалось, что ее душа выжжена болью дотла. Во рту пересохло настолько, что она едва могла шевелить языком.

— Вы думаете, я заодно с Гарри? Вы думаете, я знала? — Она по-прежнему не поворачивалась к девушкам лицом.

Белла удержала Линду, которая хотела схватить Долли за руку.

— Нам просто нужно знать, что происходит, — спокойно сказала она.

Долли наконец обернулась и посмотрела на каждую из них по очереди. Потом, ни слова не говоря, она направилась к подносу с напитками, но так дрожала, что еле шла, и у нее ничего не вышло, когда она трясущейся рукой попыталась взять бутылку.

— Долли, так он жив или нет? — требовала ответа Линда.

Долли дрожала, словно дряхлая старуха. Белла и Ширли забеспокоились: с их лидером что-то явно было не так.

Внезапная, пугающая вспышка ярости привела девушек в ступор. В воздух полетели бокалы, тарелки, поднос — все, что попадало Долли в руки, пока она металась по комнате. Женщина схватила свою сумку, выгребла из нее деньги и бросила их в трех подруг. Сначала ее голос был похож на низкое рычание, потом он звучал все громче и громче, пока не превратился в лай бешеной собаки:

— Да! Да! Да! Да! Да!

Девушки прижались друг к другу. Они никогда не видели Долли в таком состоянии — вообще ничего подобного не видели! Им было не сообразить, что делать, как помочь, как утешить, как прогнать боль, пожирающую Долли.

Когда больше нечего стало бросать, Долли с искаженным лицом принялась рвать на себе халат. Ее голова моталась в стороны, дикий взгляд испепелял. Девушкам страшно было смотреть на нее. Долли стянула халат с плеч и стала царапать голые руки, оставляя на коже глубокие красные следы. В голосе появились высокие истеричные ноты.

— Вы хоть понимаете, как это больно? — кричала она. — Что я почувствовала, когда узнала? Я сгорала живьем в этой боли! Она до сих пор во мне. Он до сих пор во мне... Вон, вон, убирайся! Боже, избавь меня от него наконец!

Ее ногти впивались в тело все глубже, по пальцам уже текла кровь.

Линда потеряла дар речи, Ширли сморщилась, как испуганный ребенок, и только Белла сохранила трезвость ума. Она обхватила Долли и изо всех сил прижала к себе. Долли сопротивлялась, но сильные руки Беллы не отпускали ее. Постепенно Долли обмякла и стала всхлипывать, а когда Белла медленно ослабила хватку, Долли упала на колени.

Теперь уже никто не знал, что делать.

Слезы, о которых мечтала Долли, наконец пришли — и не просто пришли, а хлынули водопадом. Так она плакала впервые. Тоскуя по Гарри, Долли часто плакала, но эти душераздирающие рыдания были чем-то совершенно иным, и хотя боль по-прежнему разрывала сердце, со слезами пришло долгожданное облегчение.

Не в силах больше смотреть, как мучается Долли, Ширли потянулась к ней, чтобы как-то утешить, но ее остановила Белла. Надо было дать Долли время излить свою боль, потому что, копясь внутри, эта боль убивала ее. Рыдания не утихали еще долго, но в конце концов слезы иссякли, а Долли совершенно изнемогла. Белла помогла ей подняться, усадила на диван, а потом нежно обняла и стала мягко покачивать, шепотом приговаривая:

— Все хорошо. Теперь все хорошо. Уже все позади.

Ни одна из трех молодых вдов не могла поверить, что это та самая волевая женщина, с которой они месяц за месяцем спорили и ссорились. Линду мучили угрызения совести, она сидела, стиснув руки, и не могла поднять на Долли глаз. Ширли закурила сигарету, нагнулась и подала ее Долли, однако та не могла взять ее в руку. Тогда Ширли поднесла сигарету к ее губам. Долли вдохнула горячий дым, посасывая сигарету, как младенец соску, а потом медленно выпустила из себя вместе с дымом всю горечь и боль.

По лицу Долли опять покатились слезы, но она даже не старалась их утереть, просто сидела неподвижно в растерзанном халате с красными от крови рукавами.

Девушки ждали.

Спустя какое-то время Долли заговорила. Ее речь состояла из потока несвязных мыслей, из которых она пыталась сложить цельную картину.

— Я начала подозревать, когда сходила в квартиру Джимми Нанна... но не была уверена... и... Я не хотела верить, что это вообще возможно... Я думала, что похоронила его, а это был Джимми Нанн. Я похоронила Джимми Нанна... оплакивала Джимми Нанна... Должно быть, Гарри вел первый грузовик... Это ужасно. Четвертым человеком был он, и мне очень стыдно, что это мой муж бросил там ваших мужчин.

— А как же часы Гарри? Они что, были на Джимми? — искренне недоумевала Линда.

Долли покачала головой:

— Это знает только Гарри...

Долли наконец смогла протянуть руку, и Ширли закурила и подала подруге вторую сигарету. Долли молча курила. Потом вдруг ее лицо перекосилось от ненависти, все тело трясло, и она выпалила:

— А как посмотрела на меня Труди, когда я назвала себя! Как на кусок грязи. Думаю, он был там. Прятался. И кажется, Вулф об этом знал. Он учуял своего папочку в той жалкой дыре. Как учуял его и в гараже. — Долли сжала голову руками от невозможности поверить в вероломство мужа. — Как я любила его! В нем была вся моя жизнь, с самой первой нашей встречи. — Она перевела дух и постаралась успокоиться. — Даже когда я разгадала его тайну, я все еще... все еще хотела, чтобы он вернулся ко мне. — Долли опустила голову, стыдясь своей слабости. — Тогда я все еще любила его, хотела быть с ним, но рассказать вам не могла, я была не в состоянии вам в этом признаться. Мне было слишком стыдно. — Долли вытерла нос рукавом халата и посмотрела на девушек. — Но я бы не позволила ему прикоснуться к вашим деньгам, — заявила она. — Сначала ему пришлось бы убить меня.

Долли встала, вновь крепкая и сильная. Она затянула пояс на халате и пригладила руками волосы. Все-таки Долли была настоящим бойцом, и боевого духа в ней оставалось еще в избытке.

— Я ничего ему не оставила, — поделилась она с девушками. — Ни денег, ни тетрадей, ничего. У него не осталось даже крыши над головой — я продала дом со всем имуществом. По документам Гарри мертв, так что он ничего не сможет с этим сделать. Он может только скрываться. И будет скрываться до самой смерти.

Белла подняла руку, словно говоря, что она услышала достаточно.

— Не торопитесь, Долли, вы же не знаете наверняка, жив Гарри или нет. Никто из нас этого не знает. Но даже если жив, зачем так стремительно все продавать, вам ведь тоже негде будет жить?

Долли улыбнулась. Ее лицо осветилось спокойствием.

— Что вы собираетесь делать, Долли? — спросила Линда.

— Верну себе двадцать лет жизни. — Она пошла в свою спальню.

— Да, вы устали, — сказала Линда, — поспите немного.

Долли развернулась, встала в дверном проеме и уперлась руками в косяк. Силы возвращались к ней прямо на глазах.

— Я не устала. Я куплю себе новое лицо, а может быть, и новое тело. Сегодня врачи делают настоящие чудеса, а я достаточно богата, чтобы их оплатить. На свою долю я куплю себе молодость и скоро буду выглядеть не старше любой из вас.

Она еще постояла так, слегка покачиваясь, потом повернулась и ушла в спальню. Ей нужно было побыть одной.

Белле пришел на память тот день, когда они на пляже репетировали налет. Как Долли выкладывалась, как отчаянно стремилась не отстать от них, как упрямо делала вид, будто нагрузки ей нипочем! Вот и сейчас Долли вела себя точно так же: напрягала все силы, чтобы не выдать истинных чувств. На самом деле она чувствует себя старой и не у дел. Поглядев на Линду и Ширли, Белла поняла, что те приняли шоу Долли за чистую монету и поверили, будто она собирается сделать подтяжку лица.

Ширли пошла вслед за Долли:

— Да бросьте! Наденьте то красивое платье! Столик уже заказан — в лучшем клубе Рио!

Долли остановилась на секунду, обхватила себя за плечи и обернулась к Ширли:

— Я лучше останусь здесь, а вы идите. Повеселитесь на славу. Мне надо спланировать свою новую жизнь.

Белла взяла в охапку платье для коктейля, еще несколько платьев из чемодана Долли и парочку нарядов из тех, что купили Ширли с Линдой. В спальне Долли она разложила одеяния на кровати и встала, поставив руки на бедра.

— Отказа мы не примем, дорогуша, — заявила она. — Так что скидывайте ваш безразмерный халат и наденьте что-нибудь из этого.

Долли посмотрела на Беллу, и в ее взгляде Белла увидела желание снова быть молодой.

— Ваша новая жизнь, Долли, начинается прямо здесь и сейчас, — шепнула Белла. — Ничего планировать не нужно. — Потом Белла повысила голос, чтобы ее услышали остальные: — А прическу вам сделает Линда.

Та сразу подбежала к комоду и вытащила фен.

— Я кого хочешь уложу! — объявила она.

Девушки захохотали, и даже по губам Долли скользнула улыбка.

Белла продолжала:

— А в довершение Ширли, наша профессиональная модель и звезда подиума, сделает вам макияж. Вы оглянуться не успеете, как сбросите два десятка лет.

Ширли потащила Долли к туалетному столику, а Линда побежала к себе в спальню за щипцами для волос. Садясь перед зеркалом, Долли поймала себя на том, что она ждет чуда, как ребенок. Или как Золушка, которая собирается на бал.

— Что выбираете — серебристую парчу или блестки? — спросила Белла и взяла с кровати два вечерних платья.

Долли посмотрела на них через зеркало:

— В этом я буду похожа на молодящуюся старуху, тебе не кажется?

Белла рассмеялась и отбросила парчовое платье в сторону.

— Блестки будут в самый раз! — Белла встретилась взглядом с отражением Долли в зеркале и подмигнула, но быстро отвернулась, когда увидела, что у Долли задрожали губы. Только бы не расстроить ее снова, подумала Белла, она только что пережила эмоциональный кризис... Теперь ей надо как следует напиться и расслабиться.

Линда стала сушить феном волосы Долли и сама не сразу заметила, что легонько пожимает и поглаживает большим пальцем плечо Долли. Но Долли почувствовала это сразу же. Со стороны Линды это было первое проявление дружеских чувств, и Долли так растрогалась, что не удержалась и в ответ погладила руку молодой женщины. Линда сжала пальцы Долли. Глядя на их отражения в зеркале, Долли различила в глазах девушки вину.

— Оставим все позади, а, Линда? — негромко сказала Долли. — И холод, и дождь, и ошибки.

Так Долли дала понять, что прощает Линду, и с благодарной улыбкой молодая женщина приняла прощение. Наконец-то между всеми установилось взаимопонимание.

Постепенно комната наполнилась смехом и болтовней о прическах, фасонах и косметике. Долли почувствовала себя любимой. Может, это ощущение не продлится, но пока она собиралась насладиться каждой секундой. Дружба девушек согрела ее, придала сил, подарила чувство сопричастности. Сегодня она стала одной из них, но, в отличие от Ширли и Линды, Долли не вдова. Уже нет. И она никогда не забудет, через какие страдания заставил ее пройти Гарри Роулинс.

Настанет день, когда они встретятся. Настанет день, когда ему придется посмотреть ей в глаза.

Гарри все еще жив, и она отыщет его. Где бы он ни прятался.

Ла Плант Л.

Л 24   Вдовы : роман / Линда Ла Плант ; пер. с англ. Е. Копосовой. — СПб. : Азбука, Азбука-Аттикус, 2018. — 480 с. — (Звезды мирового детектива).

ISBN 978-5-389-14068-4

Трое грабителей погибают при неудачном налете. В одночасье три женщины стали вдовами. Долли Роулинс, Линда Пирелли и Ширли Миллер, каждая по-своему, тяжело переживают обрушившееся на них горе. Когда Долли открывает банковскую ячейку своего супруга Гарри, то находит там пистолет, деньги и подробные планы ограблений. Она понимает, что у нее есть три варианта: 1) забыть о том, что она нашла; 2) передать тетради мужа в полицию или бандитам, которые хотят подмять под себя преступный бизнес и угрожают ей и другим вдовам; 3) самим совершить ограбление, намеченное их мужьями. Долли решает продолжить дело любимого мужа вместе с Линдой и Ширли, разобраться с полицией и бывшими конкурентами их мужей. План Гарри требовал четырех человек, а погибло только трое. Кто был четвертым и где он сейчас? Смогут ли вдовы совершить ограбление и уйти от полиции? Смогут ли они найти и покарать виновных?

Впервые на русском!

УДК 821.111
ББК 84(4Вел)-44

Литературно-художественное издание

ЛИНДА ЛА ПЛАНТ

ВДОВЫ

Ответственный редактор Ольга Рейнгеверц
Редактор Ирина Лебедева
Художественный редактор Виктория Манацкова
Технический редактор Татьяна Тихомирова
Компьютерная верстка Александры Смирновой
Корректоры Анна Быстрова, Наталья Бобкова

Главный редактор Александр Жикаренцев

Подписано в печать 16.10.2018. Формат издания 60 × 90 $^1/_{16}$.
Печать офсетная. Тираж 10 000 экз. Усл. печ. л. 30. Заказ № 8234/18.

Знак информационной продукции
(Федеральный закон № 436-ФЗ от 29.12.2010 г.): 16+

ООО «Издательская Группа „Азбука-Аттикус"» —
обладатель товарного знака АЗБУКА®
115093, г. Москва, ул. Павловская, д. 7, эт. 2, пом. III, ком. № 1.
Филиал ООО «Издательская Группа „Азбука-Аттикус"»
в Санкт-Петербурге
191123, г. Санкт-Петербург, Воскресенская наб., д. 12, лит. А
ЧП «Издательство „Махаон-Украина"»
04073, г. Киев, Московский пр., д. 6 (2-й этаж)
Отпечатано в соответствии с предоставленными материалами
в ООО «ИПК Парето-Принт».
170546, Тверская область, Промышленная зона Боровлево-1,
комплекс № 3А.
www.pareto-print.ru

H-RBD-22282-01-R

ПО ВОПРОСАМ РАСПРОСТРАНЕНИЯ ОБРАЩАЙТЕСЬ:

В МОСКВЕ

ООО «Издательская Группа „Азбука-Аттикус“»

Тел.: (495) 933-76-01,
факс: (495) 933-76-19

e-mail: sales@atticus-group.ru;
info@azbooka-m.ru

В САНКТ-ПЕТЕРБУРГЕ

Филиал ООО «Издательская Группа „Азбука-Аттикус“»

Тел.: (812) 327-04-55,
факс: (812) 327-01-60

e-mail: trade@azbooka.spb.ru

В КИЕВЕ

ЧП «Издательство „Махаон-Украина“»

Тел./факс: (044) 490-99-01

e-mail: sale@machaon.kiev.ua

Информация о новинках и планах на сайтах:

www.azbooka.ru
www.atticus-group.ru

Информация по вопросам приема рукописей
и творческого сотрудничества
размещена по адресу:
www.azbooka.ru/new_authors/